LULA

BIOGRAFIA
LULA
VOLUME 1

Fernando Morais

Projeto gráfico
Hélio de Almeida

3ª reimpressão

COMPANHIA DAS LETRAS

Copyright © 2021 by Fernando Morais

Grafia atualizada segundo o Acordo Ortográfico da Língua Portuguesa de 1990, que entrou em vigor no Brasil em 2009.

Capa e projeto gráfico
Hélio de Almeida

Foto de capa
Juca Martins/ Olhar Imagem

Pesquisa iconográfica
Porviroscópio Projetos e Conteúdos
Coordenação: Vladimir Sacchetta
Colaboração: Daniela Pintão
Agradecimentos: Mariangela Araújo e Denise Paraná

Pesquisa para o apêndice
Manchetômetro

Infográficos
Eduardo Asta

Preparação
Márcia Copola

Checagem
Érico Melo

Índice remissivo
Luciano Marchiori

Revisão
Huendel Viana
Jane Pessoa

Dados Internacionais de Catalogação na Publicação (CIP)
(Câmara Brasileira do Livro, SP, Brasil)

Morais, Fernando
    Lula : Biografia : Volume 1 / Fernando Morais. — 1ª ed. — São Paulo : Companhia das Letras, 2021.

    ISBN 978-65-5921-292-7

    1. Partido dos Trabalhadores (Brasil) 2. Políticos – Brasil – Biografia 3. Presidentes – Biografia – Brasil 4. Silva, Luiz Inácio Lula da 5. Sindicatos – Dirigentes e empregados – Brasil – Biografia 6. Sindicatos – Metalúrgicos – Brasil I. Título.

21-82980   CDD-324.2092

Índice para catálogo sistemático:
1. Políticos : Biografia   324.2092

Eliete Marques da Silva – Bibliotecária – CRB-8/9380

[2022]
Todos os direitos desta edição reservados à
EDITORA SCHWARCZ S.A.
Rua Bandeira Paulista, 702, cj. 32
04532-002 — São Paulo — SP
Telefone (11) 3707-3500
www.companhiadasletras.com.br
www.blogdacompanhia.com.br
facebook.com/companhiadasletras
instagram.com/companhiadasletras
twitter.com/cialetras

Com o estádio de Vila Euclides superlotado, Lula incendeia o ABC com a greve geral de 1979.

Para Marina, Rita, Luciana,
Clarisse, Helena e Alice

VOLUME 1

1 Com a prisão decretada por Moro,
Lula decide não se entregar à Polícia Federal:
— Eles que venham me prender. 11

2 Após revirar a casa de Lula, a Federal
gruda um microfone no sofá para gravar
secretamente as conversas do casal. 28

3 A GloboNews solta uma fake news
("Lula vai resistir à ordem de prisão de Moro")
e a audiência do canal sobe 694%. 44

4 Emidio descobre que a Federal tem não
um nem dois, mas vários espiões filmando
tudo o que acontece dentro do sindicato. 68

5 Depois de enfrentar a vizinhança e a Polícia
Federal, uma centena de pessoas passa 581
dias saudando Lula, que não as via, só ouvia. 86

6 Vermelho, o hacker, escancara as portas do inferno
e o STF sepulta Moro e a Lava Jato.
Lula sai da cadeia candidato a presidente do Brasil. 130

7 Jardim Lavínia, abril de 1980.
Com a polícia na porta para prendê-lo, Lula ruge:
— Estou dormindo, porra! Eles que se fodam! 166

8 A Marinha viola a correspondência
da Cúria e revela que o cardeal Arns pediu
à Igreja alemã apoio à greve do ABC. 185

9 Depois de uma infância cruel, morando
em lugares degradantes, Lula recebe
a chave do paraíso: o diploma do Senai. 202

10 A noiva dá um ultimato a Lula.
— Você tem que escolher: o sindicato
ou o casamento. Os dois não dá. 224

11 — Já sei, doutor, meu bebê nasceu morto.
— Seja forte, seu Luiz, porque a notícia é
pior: a Lourdes, sua esposa, também faleceu. 242

12 Em sua primeira viagem ao exterior,
Lula deixa Tóquio às pressas e volta ao Brasil:
seu irmão estava sendo torturado no DOI-Codi. 266

13 Após passar anos excomungando a
classe política, Lula começa a preparar
o caminho para criar o PT. 292

14 Enquanto Lula enfrenta a polícia e o
patronato no ABC, Brizola tenta ressuscitar
o PTB e leva uma rasteira de Golbery. 321

15 Lula junta operários, políticos, intelectuais
e ativistas de esquerda, cria o PT e, dois
meses depois, é levado para a prisão. 339

16 No meio da madrugada, um educado senhor
engravatado interroga Lula num cubículo do Dops:
era o enviado de um general, codinome "Cacique". 353

17 Surrado nas urnas, Lula entra em depressão e decide
abandonar a política. Vai a Cuba, ouve Fidel e volta
ao Brasil para ser o deputado mais votado da história. 377

Apêndice
Uma radiografia do comportamento dos
grandes veículos de comunicação na guerra
contra Lula e seu partido. 400

Posfácio 415
Bibliografia 424
Créditos das imagens 429
Índice remissivo 431

1

Com a prisão decretada por Moro, Lula decide não se entregar à Polícia Federal: — Eles que venham me prender.

A atmosfera era a de um modorrento fim de expediente como qualquer outro. Faltavam alguns minutos para as seis horas da tarde da quinta-feira 5 de abril de 2018, e nos escritórios separados por divisórias do Instituto Lula funcionários fechavam gavetas e desligavam computadores. Numa pequena sala de reuniões tomavam café e conversavam a portas fechadas a ex-presidente Dilma Rousseff, o senador Cid Gomes, do PDT do Ceará, e a senadora paranaense Gleisi Hoffmann, presidente do Partido dos Trabalhadores. Valeska Teixeira e Cristiano Zanin, advogados de Lula, deram boa-noite às poucas pessoas que ainda estavam ali e foram embora. Magro, alto, elegante e com ar de coroinha de igreja, Zanin assegurou, sereno, aos jornalistas de plantão na calçada, que, se a lei fosse cumprida, não haveria risco de prisão imediata de Lula:

— Mesmo na perversa lógica da prisão antecipada após a segunda instância, deve prevalecer decisão do próprio Tribunal Regional Federal de Porto Alegre, que assegura que a prisão só se dará após o exaurimento dos recursos naquela instância, e isso ainda não aconteceu.

Dentro do instituto não havia tensão, mas um sombrio clima de expectativa. Receava-se que a decisão da Suprema Corte naquela madrugada, negando por 6 a 5 (com o voto de desempate da ministra Rosa Weber) mais um dos vários pedidos de habeas corpus impetrados pela defesa do ex-presidente, que visavam impedir sua prisão antes de esgotadas todas as possibilidades de recurso, abrisse as portas para o pior dos cenários, o temido desfecho: a decretação da prisão de Lula pelo juiz Sergio Moro, da Justiça Federal da cidade de Curitiba, capital do Paraná.

Do ponto de vista estritamente jurídico, todo mundo ali sabia que após a decisão do Supremo a prisão poderia ser decretada a qualquer momento. O sentimento generalizado, porém, era que nada justificava que isso ocorresse imediatamente. O que se imaginava naquele pequeno prédio de dois andares, puxados e subsolos nas imediações do Museu do Ipiranga, Zona Sul de São Paulo, era que Moro só expediria o mandado no começo da semana seguinte. Não era uma expectativa unânime. Uma das vozes discordantes era a do senador Lindbergh Farias (PT-RJ), recém-chegado de uma reunião com o criminalista Celso Vilardi, professor de direito da Fundação Getulio Vargas, cuja opinião divergia da de quase todos os que estavam no instituto. Segundo Vilardi, repetiu o senador, a prisão era iminente e poderia acontecer antes que ele terminasse a frase.

Lula não pensava assim. Certo de que passaria o fim de semana em liberdade, deixou sua sala, no segundo pavimento, desceu as escadas de caracol até um pequeno hall com dois sofás e paredes de vidro fosco e pediu a seu jovem assessor, o cientista social Marco Aurélio Santana Ribeiro, o "Marcola", que o pusesse em contato telefônico com Moisés Selerges. Descendente de alemães, o parrudo Selerges, sempre de cabeça raspada à navalha e camisas de coloridas estampas havaianas, tinha 52 anos, 35 dos quais passara trabalhando como pintor de chassis de caminhões na fábrica da Mercedes-Benz. Era diretor do Sindicato dos Metalúrgicos do ABCD e muito próximo a Lula.

Sentado de costas para a porta de entrada do instituto, Lula contou, na rápida conversa telefônica com o amigo, que estava na expectativa de ser preso na semana seguinte, e pediu a Moisés que organizasse um churrasco "meio secreto" para um pequeno grupo de amigos na manhã de sábado, no sindicato, para poderem relaxar "com uma costela e uma cachacinha". Esperando a chamada terminar para pegar seu celular de volta, Marcola estranhou ao ver retornarem pela porta da rua, lívidos, os advogados Valeska e Zanin. Um passo à frente do marido, ela exibiu a tela do celular com a manchete do site UOL que se disseminaria pelo planeta dali a instantes: "Moro decreta a prisão de Lula". Habituado a uma Justiça sabidamente morosa, o casal de advogados não calculou que os desembargadores do Tribunal Regional Federal da 4ª Região, conhecido como TRF4, de Porto Alegre, pudessem agir em tempo recorde e, naquela mesma tarde, liberar o processo para que Moro decretasse a prisão. Nos três parágrafos finais da sentença, publicada pela internet, o magistrado transformava em "concessões" o que, por lei, eram direitos do réu:

> Relativamente ao condenado e ex-Presidente Luiz Inácio Lula da Silva, concedo-lhe, em atenção à dignidade [do] cargo que ocupou, a oportunidade de apresentar-se voluntariamente à Polícia Federal em Curitiba até as 17:00 do dia 06/04/2018, quando deverá ser cumprido o mandado de prisão.
>
> Vedada a utilização de algemas em qualquer hipótese.
>
> Os detalhes da apresentação deverão ser combinados com a Defesa diretamente com o Delegado da Polícia Federal Maurício Valeixo, também Superintendente da Polícia Federal no Paraná.
>
> Esclareça-se que, em razão da dignidade do cargo ocupado, foi previamente preparada uma sala reservada, espécie de Sala de Estado-Maior, na própria Superintendência da Polícia Federal, para o início do cumprimento da pena, e na qual o ex-Presidente ficará separado dos demais presos, sem qualquer risco para a integridade moral ou física.
>
> Sergio Fernando Moro
> Curitiba, 5/4/2018, às 17:50:10

A decretação da prisão de Lula consagraria Moro como líder de um terremoto político iniciado quatro anos antes, e que tinha como epicentro a chamada Operação Lava Jato, por ele comandada. Convertido com a ajuda de assombrosa máquina de propaganda em super-homem e herói nacional, o até então provinciano juiz paranaense Sergio Fernando Moro, 45 anos, voz esganiçada, se jactava de ter chefiado uma guerra à corrupção sem precedentes na história do país. E contabilizava, à luz dos holofotes do horário nobre das TVs ou nas capas das revistas semanais, haver condenado a séculos de prisão, à frente da Lava Jato, quase uma centena de políticos, donos de empreiteiras, diretores e presidentes de gigantes estatais, banqueiros, empresários, publicitários, doleiros e até anônimos cidadãos comuns, apanhados pelas balas perdidas da operação. Assíduo em palestras a empresários, advogados e policiais, em plateias de todos os continentes, o jovem magistrado enchia o peito para anunciar que expedira mais de mil mandados de busca e apreensão, medida que permitira recuperar para os cofres públicos "mais de R$ 4 bilhões pagos em subornos".*

A sanha de Moro e seus seguidores no Ministério Público não parou por aí. Com base em legislação criada originalmente para facilitar a elucidação de crimes hediondos, como sequestro e estupro, a chamada "colaboração premiada" permitiu que a Operação Lava Jato construísse uma monstruosidade adicional: a banalização da delação. Ao longo da vida, gerações aprendem que ninguém é mais sórdido e infame que o alcaguete, o dedo-duro, o cachorrinho, o delator, algo que só caberia num tratado geral da canalhice. O senso comum sobre a repugnância da delação seria exposto pelo empreiteiro Marcelo Odebrecht, diante das câmeras de televisão, em 2015, durante uma de suas primeiras aparições públicas após o início da Lava Jato:

— Entre o meu legado, eu acho que tem valores, inclusive morais, dos quais eu nunca abrirei mão. [...] Quando, lá em casa, as minhas meninas tinham discussão e tinham briga, eu dizia: "Olha, quem fez isso?". [...] Eu talvez brigasse mais com quem dedurou...

O código moral particular do enrolado empresário podia ser sólido, mas não era eterno. Ele próprio acabaria se curvando àquilo que os presos da Lava Jato apelidaram de "pau de arara de veludo", uma referência jocosa ao instrumento de tortura de presos políticos

---

* Para um levantamento das manchetes da grande imprensa desde a Operação Lava Jato, ver o apêndice "Uma radiografia do comportamento dos grandes veículos de comunicação na guerra contra Lula e seu partido" (p. 400).

durante a ditadura militar: ou o preso revela o que as autoridades querem ouvir, ou paga por isso. Na ditadura, podia pagar até com a vida. Na Lava Jato, com a ameaça de permanecer preso por tempo indeterminado. Nem todos, porém, se deixaram vergar à violência. Isso não ocorreu apenas entre militantes do PT, como o bancário João Vaccari Neto, tesoureiro do partido, que passou dois anos preso e não abriu a boca, mesmo tendo familiares perseguidos. Um dos dirigentes do primeiro escalão da Odebrecht manteve um curto diálogo com o autor deste livro, contra a promessa de manter seu nome sob sigilo:

— Por que o senhor passou tanto tempo preso? De que crime era acusado?

— Crime nenhum. Fiquei preso porque não tinha nada a declarar contra o Lula. Quando descobriram que eu de fato não sabia nada que incriminasse o ex-presidente, abriram a cela e disseram: "Pode ir embora para casa".

Para os padrões da sossegada burocracia da Justiça brasileira, as decisões que antecederam a decretação da prisão de Lula foram tomadas com espantosa celeridade, deixando a suspeita de terem sido previamente combinadas entre as três instâncias judiciais. Graças à precisão do registro eletrônico dos votos e despachos, sabe-se que o relógio do Supremo Tribunal marcava 00h48 da madrugada quando a Corte negou o habeas corpus a Lula por 6 votos a 5. Horas depois, ao amanhecer, a decisão de Brasília se materializou nos computadores do TRF4, em Porto Alegre. No mesmo dia, pontualmente às 17h32min20, a funcionária Lisélia Czarnobay, secretária do tribunal gaúcho, despachou para a 13ª Vara da Justiça Federal, em Curitiba, a autorização para a prisão. Às 17h50min10 o titular da Vara, juiz Sergio Moro, decretou a prisão de Lula. A contar, portanto, do momento em que o documento chegou a Curitiba, e fugindo da regra prevalecente no Brasil, em que processos costumam cochilar meses ou até anos em gavetas de tribunais, Moro produziu um recorde digno de livro Guinness ao consumir escassos dezessete minutos e cinquenta segundos entre receber a autorização e mandar prender Lula.

Apanhado de surpresa por Zanin, o grupo — entre outros o presidente do instituto, Paulo Okamotto, Paulo André, assistente de Lula, a ex-deputada Clara Ant, o ex-ministro Paulo Vannuchi e o deputado Vicentinho (PT-SP) — deliberava, de pé mesmo, no corredor, sobre a iniciativa a tomar. Marcola saiu sozinho para o pequeno pátio externo, decorado com móveis de plástico rígido, e ligou para Selerges para transmitir a notícia e mudar os planos. Do outro lado da linha o metalúrgico não titubeou:

— Traz o Lula para cá imediatamente. O único lugar em que ele estará seguro é o sindicato. Nada de ficar no instituto ou ir para a casa dele. Traz o homem pro sindicato.

Marcola voltou e repassou a mensagem ao capitão da reserva do Exército Valmir Moraes, chefe da equipe de segurança pessoal de Lula, formada por oito militares também da reserva, escolta a que os ex-presidentes brasileiros têm direito, por lei. Depois de breve e nervosa confabulação, decidiu-se que iriam todos para São Bernardo do Campo, salvo Cid Gomes, cujo voo de volta para Fortaleza estava marcado para dali a uma hora. A rápida viagem do senador cearense a São Paulo resultara infrutífera. Ele tentara convencer Dilma a disputar o Senado pelo Ceará, onde as pesquisas davam à ex-presidente 70% das preferências do eleitorado. A decisão dela precisava ser imediata, já que o prazo legal para mudança de domicílio venceria em dois dias. A ex-presidente recusou delicadamente o convite tentador. Dilma já tinha resolvido sair candidata por Minas Gerais, seu estado natal — onde, seis meses mais tarde, amargaria um inacreditável quarto lugar, atrás de três desconhecidos outsiders políticos.

Sem ter ainda decidido como reagir à notícia que viera de Curitiba, Lula repuxava com os dedos as pontas do bigode, como de costume, ouvindo as opiniões dos presentes. Moraes aproximou-se dele e falou baixinho, quase no ouvido:

— Presidente, a rua está um inferno. Vamos embora, não é seguro ficar aqui. Temos que sair antes que aconteça alguma provocação, algum incidente.

Paulo Vannuchi, Cid Gomes, Lula e Dilma em reunião no instituto, minutos antes de chegar a bomba: Moro decretara a prisão do ex-presidente.

Maurício Valeixo, superintendente da Polícia Federal em Curitiba, onde Lula ficou preso, acabaria enterrado junto com Moro.

O então juiz federal Sergio Moro, no auge do poder, em seu traje preferido — e peculiar: terno preto, camisa preta, gravata preta.

Do lado de fora do instituto o clima de guerra parecia uma amostra do que viria nas 48 horas seguintes. Junto à meia dúzia de jornalistas que costumavam dar plantão na calçada, apinhavam-se na estreita e íngreme rua Pouso Alegre, além de curiosos, repórteres de jornais, de redes de blogs, de rádio e televisão que faziam transmissões ao vivo. Entre eles circulava em zigue-zague o enxame de motolinks — motoboys levando na garupa cinegrafistas à espera de uma imagem do ex-presidente. Havia cameramen e fotógrafos no chão, nas motos, trepados no teto de vans, e no ar, a bordo dos helicópteros das redes Globo, Bandeirantes e Record, todos com as lentes apontadas para a porta da garagem subterrânea do instituto, por onde Lula deveria sair.

Atraídos pelo noticiário da internet, do rádio e das TVs, populares contra a prisão e a favor dela se aglomeravam diante do instituto, travando o trânsito e provocando uma sinfonia de buzinas que tirava o sossego dos pacientes do Hospital São Camilo, situado na calçada da frente. Enquanto o comboio de Lula saía — não pela garagem principal, onde a turba o esperava, mas por outra, na rua Gonçalo Pedrosa, a cem metros da entrada do prédio —, o incidente temido pelo capitão Moraes acabou acontecendo.

Ao identificar na porta do instituto o senador Lindbergh Farias, o deputado estadual Emidio de Souza (PT-SP) e o ex-deputado federal Márcio Macedo (PT-SE), o pequeno empresário Carlos Alberto Bettoni, de 56 anos, deixou um grupo de manifestantes anti-Lula e avançou de dedo em riste na direção dos três políticos aos gritos de "Lula ladrão! Lula ladrão!". Ativistas do PT o cercaram e alguém aplicou-lhe um soco no rosto. Bettoni rodopiou, perdeu o equilíbrio, bateu a cabeça no para--choque de um caminhão-caçamba parado no engarrafamento e caiu no chão, desacordado e com a testa sangrando. Recobrou os sentidos, levantou-se e foi levado, cambaleante, até o hospital vizinho, onde se constatou que havia sofrido leve traumatismo craniano. O episódio acabou rendendo aos agressores Manoel Eduardo Marinho, o "Maninho do PT", ex-vereador da cidade vizinha de Diadema, e seu filho Leandro doze dias de prisão preventiva e uma denúncia por tentativa de homicídio.

A pequena caravana que acompanhou o carro de Lula do instituto até o sindicato, a vinte quilômetros dali, trafegava sob gritos de "Ladrão! Ladrão!", disparos de rojões e pauladas nos veículos dadas por grupos anti-Lula. As pessoas eram atraídas pelo noticiário e pela azáfama dos motolinks e carros de reportagem que cercaram o comboio. Para se livrar da perseguição e das provocações, Moraes ordenou ao motorista, o tenente paraquedista Carlos Eduardo Rodrigues, que mudasse o trajeto. Em vez de seguir pela avenida Nazaré, que costeia o parque do Museu do Ipiranga e desemboca na rodovia Anchieta, a comitiva entrou abruptamente à direita, em direção à avenida Ricardo Jafet e, sempre em alta velocidade, minutos depois os carros estavam na ampla e movimentada rodovia dos Imigrantes. Aparentemente a manobra tinha conseguido despistar, se não todos, a maioria dos jornalistas que os perseguiam.

Sentado no banco de trás do Chevrolet Omega preto, protegido por vidros escuros, Lula se mostrava indiferente ao torvelinho das ruas e ao pá-pá-pá ininterrupto das hélices dos helicópteros, que pareciam voar colados à capota dos veículos. Conversou tranquilamente com os seguranças sobre a mudança de trajeto e, sem nenhuma familiaridade com celulares (é possível que ele não saiba fazer uma simples chamada sem ajuda), pediu a Moraes que desse alguns telefonemas. Em sucessivas ligações falou com a filha, Lurian, e com os filhos Fábio Luís, o Lulinha, Marcos Cláudio, Luís Cláudio e Sandro Luis. A cada um resumiu os últimos acontecimentos, contou que estava a caminho do sindicato para decidir o que fazer e recomendou que ninguém se preocupasse porque nada de mau iria acontecer. Entre uma chamada e outra recebeu telefonemas de políticos e amigos, aos quais repetiu o que dissera aos filhos: no sindicato ele decidiria o que fazer.

Logo atrás, um Ford Focus preto, o tempo todo grudado no para-choque traseiro do carro do ex-presidente, levava os sargentos do Exército Ricardo Silva dos Santos, Edson Moura, Ricardo Messias de Azevedo e Misael Melo, todos da escolta pessoal de Lula. Os dois carros de segurança puxavam uma fila de meia dúzia de veículos com o pessoal que deixara o instituto. Um deles transportava João Pedro Stédile, Gilmar Mauro e João Paulo Rodrigues, do MST (Movimento dos Trabalhadores Rurais Sem Terra). Por telefone os líderes dos sem-terra orientaram seus militantes a se deslocarem para o sindicato. Ao chegar ao anel de acesso a São Bernardo, o capitão Moraes percebeu que a mudança de trajeto não adiantara nada. Provavelmente orientados pelos pilotos e repórteres que vinham nos helicópteros, dezenas de motolinks e vans com antenas no teto já os esperavam, com os motores ligados, sob o viaduto Dr. David Capistrano da Costa Filho.

Atravessar os cinco quilômetros que separam a rodovia dos Imigrantes da rua João Basso, onde fica o sindicato, foi uma maratona. A agitação provocada pelas motos rodando em zigue-zague na contramão, indo e vindo pelas ruas estreitas de São Bernardo, atraía ainda mais gente para as calçadas. A maioria festejava a prisão de Lula. Às gargalhadas, os motoboys atiçavam os grupos: "É o Lula! O Lula tá aí! O Lula foi preso!". Descontrolados, manifestantes mais agressivos não se limitavam aos insultos e batiam com mastros de bandeiras do Brasil na capota dos carros, gritando palavrões. Nos dois primeiros veículos, seis seguranças do ex-presidente, todos armados de pistolas automáticas, viviam um teste de nervos como jamais haviam experimentado. No Omega, aparentando tranquilidade, Lula conversava com Moraes e Rodrigues, dava e recebia telefonemas — como se não fosse ele o centro da voragem que tomava as ruas.

A noite já tinha caído e nada indicava que aquilo ia terminar bem. O quarteirão do sindicato estava tomado por partidários de Lula. Para chegar de carro até a entrada do prédio, Rodrigues teve que vencer vagarosamente uma sucessão de cordões humanos. Centenas de trabalhadores, líderes sindicais, ativistas, intelectuais, artistas e políticos de vários estados abriram caminho para Lula passar e, incontinenti, isolaram todas as entradas e saídas do prédio de cinco andares, onde já o aguardavam os dois membros restantes de sua segurança, o tenente Rogério dos Santos e o sargento Elias dos Reis.

Como se estivesse em chamas, o povaréu gritava, em coro:

— Não se entrega! Não se entrega! Não se entrega!

À prudente distância de duzentos metros mas ostensivamente visível pelos manifestantes, perfilava-se um pelotão de agentes do COT (Comando de Operações Táticas da Polícia Federal). Comparados à multidão que cercava o prédio nem eram tantos, poucas dezenas, talvez, mas pareciam ameaçadores e prontos para o combate. Vestiam farda cáqui camuflada, tinham o rosto coberto por gorros negros do tipo ninja, as balaclavas, usavam capacetes e estavam armados de rifles de assalto alemães HK417, idênticos aos utilizados pelos milicos ianques no Iraque e no Afeganistão.

O filósofo e ativista político Guilherme Boulos, líder do MTST (Movimento dos Trabalhadores Sem Teto) e dirigente do PSOL (Partido Socialismo e Liberdade), soube da notícia da ordem de prisão por volta das seis da tarde, quando desembarcava no aeroporto de Cumbica, em Guarulhos. Ele vinha de um giro político pelo Nordeste, aonde fora discutir sua pré-candidatura a presidente da República nas eleições de outubro daquele ano. Decidiu ir para o Instituto Lula, mas no caminho recebeu um telefonema de Marcola informando que o ex-presidente já rumara para o sindicato, para onde Boulos também deveria ir.

Era mesmo a região do ABC o destino de Boulos ao pousar em São Paulo. Ele já estava atrasado para uma assembleia convocada para aquela tarde pela ocupação Povo sem Medo, do MTST — um mega-acampamento de 60 mil metros quadrados instalado em frente à fábrica da Scania, em São Bernardo, no qual 8 mil famílias desabrigadas viveram por seis meses sob barracas de náilon. A assembleia daquela quinta-feira era festiva e destinada a organizar a vitoriosa desmobilização dos acampados, que deixavam o local: em troca da desocupação do terreno, de propriedade de uma construtora, o governador do estado, Geraldo Alckmin (PSDB), assinara com Boulos um protocolo se comprometendo a construir e entregar 2400 unidades habitacionais para os sem-teto instalados no acampamento.

No caminho, Boulos ligou para Josué Rocha, da direção do MTST, e para Andreia Barbosa, coordenadora da ocupação, e sugeriu que eles pusessem em discussão, na assembleia que já transcorria, a proposta de que todos se deslocassem para o sindicato, a um quilômetro do acampamento.

— Essa prisão é arbitrária, absurda, uma prisão política! — gritava Boulos no telefone. — Tem que ir todo mundo para São Bernardo e garantir uma resistência democrática. Não vamos admitir passivamente esse absurdo!

Colocada em votação, a proposta foi aprovada por aclamação. Minutos depois uma massa humana engarrafou ainda mais o trânsito caótico da rodovia Anchieta, a caminho do sindicato transformado em bunker onde se encontrava o ex-presidente. Na ocupação permaneceram apenas os idosos, mulheres com crianças de peito e quem tinha dificuldades de locomoção. Quando Boulos conseguiu chegar ao sindicato, já estavam lá cerca de 5 mil pessoas, entre ativistas, operários e militantes do PT, do MST e do MTST, agitando bandeiras vermelhas e gritando palavras de ordem:

— Não se entrega! Não se entrega!

— Cercar! Cercar! E não deixar prender!

— Lula não sai! Federal não entra!

Informada da decisão de Moro, a petista Central Única dos Trabalhadores (CUT) postou uma nota nas redes sociais convocando seus afiliados a se incorporarem à vigília em frente ao sindicato. "É necessário continuarmos resistindo, defendendo o maior líder político que este país já teve", dizia a nota. "Defender Lula é defender a democracia." Somados aos metalúrgicos e militantes que tomavam as ruas em volta do prédio, calculava-se que havia cerca de 10 mil pessoas dispostas a permanecer acampadas ali até Lula decidir que destino tomar.

A despeito das rigorosas barreiras de segurança montadas nas portas de entrada, o interior do sindicato regurgitava. Metalúrgicos da velha guarda lembravam que nem no auge das greves do ABC, nos anos 1970 e 1980, se vira tanta gente ali. Políticos, ativistas e militantes de todo o país chegavam aos magotes e se misturavam a intelectuais, artistas de TV e cinema, freiras, rappers e a um número incontável de

Depois de insultar lulistas, Carlos Alberto Bettoni é golpeado por um militante, bate a cabeça num para-choque e é levado ao hospital com uma fratura no crânio.

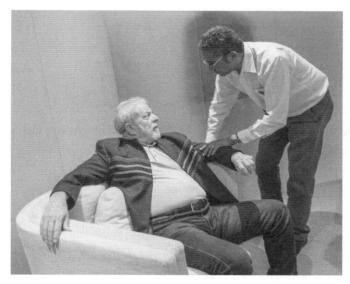

O deputado Vicentinho (PT-SP) e Lula, no interior do sindicato, enquanto se decidia: resistir ou se entregar à polícia?

O ex-deputado Sigmaringa Seixas, que ficou com Lula até o último minuto, não sobreviveria para ver o amigo em liberdade.

repórteres e fotógrafos. Só o site de notícias Jornalistas Livres (autointitulado "Um coletivo sem patrão, chefe, editor, marqueteiro ou censor") tinha conseguido colocar dentro do prédio nada menos que dezoito jovens para filmar tudo com celulares. Cada cena captada por eles era imediatamente postada na internet e levada ao ar. Atraídos pelo noticiário, de uma hora para outra surgiram, não se sabe de onde, ambulantes vendendo bandeiras, camisetas e bonés "Lula Livre" ou empurrando carrinhos com água mineral, água de coco, cerveja gelada e assando os populares "churrasquinhos de gato".

No segundo andar, para onde Lula fora levado, a única decisão tomada, pela unanimidade dos presentes, era que ele dormiria no sindicato. O corpulento Moisés Selerges foi encarregado de improvisar acomodações para o ex-presidente passar a noite. Numa sala de difícil acesso, no subsolo do prédio, a última de um labirinto de corredores cinzentos, espremidos entre paredes divisórias de Eucatex, Selerges instalou um estrado e um colchão de casal, um travesseiro, lençóis listrados e um edredom de algodão estampado com flores verdes e azuis. O sindicalista passara também no apartamento do ex-presidente, onde juntou duas mudas de roupa e colocou-as numa pequena mala de plástico marrom. Na sala contígua à reservada para Lula havia uma mesinha com sanduíches de presunto e queijo, latas de refrigerante e cerveja, e água.

Quanto à decisão mais grave e importante — como reagir à ordem de prisão —, o grupo político mais próximo de Lula estava claramente dividido. Os senadores Lindbergh Farias, Gleisi Hoffmann, o advogado Luiz Eduardo Greenhalgh, que acompanhava Lula fazia trinta anos, e os ativistas João Pedro Stédile e Guilherme Boulos, entre outros, defendiam que a sentença de Moro deveria ser simplesmente ignorada, transferindo assim o problema para os adversários. Para eles, a palavra de ordem era "resistir". As forças de segurança, imaginavam, jamais cometeriam a insânia de massacrar a multidão que cercava o sindicato para prender Lula. Transformado em notícia planetária, o impasse daria, na opinião dos partidários da resistência, a oportunidade de denunciar ao mundo a perseguição a Lula movida por Moro, pelo

Ministério Público e pela Polícia Federal. Ainda que a proposta viesse de dois dirigentes do partido e dos líderes do MST e MTST — os mais relevantes movimentos sociais do país —, os advogados Valeska e Zanin se surpreenderam ao ouvi-la. Embora defendessem com veemência, no Brasil e no exterior, que Lula estava sendo vítima de *lawfare* (neologismo jurídico que junta as palavras "law" [lei] e "warfare" [estado de guerra] ao definir o uso espúrio da lei contra o adversário para destruir sua reputação e deslegitimar suas argumentações), o casal sabia que descumprir a ordem de prisão levaria Moro fatalmente a considerá-lo foragido e decretar sua prisão preventiva, circunstância que tornaria quase impossível a obtenção de um habeas corpus para o ex-presidente.

A questão essencial — entregar-se ou resistir — continuava sem resposta. Calado, como de hábito, e sem manifestar sua opinião a ninguém, o experiente capitão Valmir Moraes ouvia as discussões preocupado. Ele sabia que a Polícia Federal não tinha estrutura nem treinamento para dissolver multidões, e temia que um confronto degenerasse em carnificina, já que um só disparo de fuzil HK417 bastava para varar meia dúzia de pessoas. Nem todos ali sabiam, mas a Polícia Militar de São Paulo também estava de sobreaviso.

Oculta sob as árvores de um pequeno bosque no anel do viaduto Padre Fiorente Elena, na rodovia Anchieta, a menos de um quilômetro do sindicato, tropas do Batalhão de Choque permaneciam de plantão dentro de quatro ônibus cinzentos, dois caminhões "espinha de peixe" e dois blindados sobre pneus, os chamados "caveirões". Pintados para a guerra, os PMS eram apoiados por uma matilha de ameaçadores rottweilers e pastores-alemães, e estavam armados de carabinas com balas de borracha e lançadores de bombas de gás lacrimogêneo. Bastava a ordem do comando, em São Paulo, para os soldados dissolverem a massa que não arredava pé da porta do sindicato e abrirem caminho à força para os agentes federais entrarem no prédio e darem voz de prisão a Lula. Ressabiado com os indícios da presença maciça da tropa de choque nas imediações, Emidio de Souza ligou para o chefe da Casa Civil do governo do estado, Samuel Moreira, para obter informações.

O secretário confirmou que a PM estava a postos, a pedido da Polícia Federal, e que, como se tratava de uma ordem judicial, se houvesse resistência a tropa de choque já tinha autorização para agir.

A noite avançava, o sindicato e as ruas à sua volta se enchiam ainda mais. As 24 horas dadas por Moro iam encurtando e ninguém ali aparentava saber qual seria o desfecho do impasse: Lula ia resistir ou se entregaria pacificamente à polícia? Percebendo a preocupação de Moraes, o ex-presidente puxou o capitão para um canto e confidenciou o que parecia ser o primeiro indício de que ele já tomara uma decisão:

— Moraes, não me entrego. Decretaram minha prisão? Então eles que venham me prender.

Em seguida chamou Emidio de Souza e, sempre falando baixinho, encarregou uma pequena comissão, formada por Souza e pelos advogados, o deputado Wadih Damous (PT-RJ) e o ex-deputado Luís Carlos Sigmaringa Seixas (PT-DF), de negociar com a Polícia Federal os termos e a forma como se daria a prisão. Sigmaringa, conhecido entre os políticos como "o único brasileiro que recusou três convites para ser ministro da Suprema Corte", faleceria oito meses depois, aos 74 anos, abatido por uma mielodisplasia óssea. Os três levaram uma hora para chegar ao prédio cinza e roxo, no bairro da Lapa, sede da Polícia Federal em São Paulo. Lá já os esperavam o superintendente Disney Rosseti e mais três delegados. A conversa foi respeitosa, mas inconclusiva. A comissão do PT explicou que Lula não pretendia se entregar voluntariamente e esperava que a polícia fosse ao sindicato dar-lhe voz de prisão. Rosseti ficou preocupado:

— Nós temos uma ordem de prisão e vamos cumpri-la. Queremos fazer isso da forma mais tranquila possível. O ideal é que ele venha espontaneamente para cá. Aliás, é isso o que determina o mandado de prisão: que ele se apresente à Federal.

Souza o interrompeu:

— Dr. Rosseti, isso não vai acontecer. Lula não vai sair do sindicato para se entregar aqui, voluntariamente.

O chefe da Federal insistiu, sempre com bons modos:

— A apresentação dele é a melhor solução para todo mundo. Nós não queremos uma operação difícil. Insisto em que queremos cumprir a ordem de prisão da maneira mais tranquila possível.

Sigmaringa e Damous intervieram:

— Ele é ex-presidente da República, não pode ser submetido a uma situação vexatória e humilhante. Não aceitamos que ele seja humilhado.

O policial tranquilizou-os:

— Asseguro aos senhores que ele não será submetido a qualquer forma de constrangimento, como colocação de algemas, por exemplo.

Certos de que daquele encontro não sairia acordo algum, os três se despediram de Rosseti:

— Vamos para o sindicato expor ao presidente Lula as condições a que o senhor se refere. Até amanhã, antes das cinco da tarde, voltaremos a nos falar.

Mesmo depois de saber das notícias trazidas da Federal pelos três petistas, Lula, os políticos e ativistas que o cercavam e a multidão que não arredava pé das ruas e do interior do sindicato virariam a noite sem resposta para a única questão que interessava: afinal, Lula ia resistir ou não? Com a chegada da madrugada e do cansaço generalizado, a temperatura política pareceu baixar um pouco. Receosas de saírem e não conseguirem entrar de novo no prédio na manhã seguinte, dezenas de pessoas dormiram no chão, transformando mochilas e pilhas de jornais velhos em travesseiros. Alguns políticos voltaram para suas casas ou hotéis em São Paulo, outros não viram alternativa senão pernoitar num pulgueiro de má fama e dormitórios minúsculos, situado a duas quadras do sindicato. Lula desceu para as acomodações improvisadas no subsolo, usou um dos chuveiros de um banheiro coletivo vizinho à sala, escovou os dentes, caiu na cama e dormiu. Aparentemente dormiu sem saber o que faria ao acordar. Por segurança e para garantir que haveria imagens de qualquer incidente que pudesse ocorrer, o fotógrafo Ricardo Stuckert, que o acompanha desde a Presidência da República, foi destacado para passar a noite dormindo num sofá ao lado da cama improvisada de Lula.

2

Após revirar a casa de Lula, a Federal gruda um microfone no sofá para gravar secretamente as conversas do casal.

Quando o dia clareou, já tinham decorrido catorze das 24 horas do prazo dado pelo juiz Moro. A sexta-feira amanheceu com o prédio do sindicato ainda mais cheio de gente que na véspera. Manchete dos jornais de todo o país e chamada nas capas dos principais veículos do mundo, a notícia da ordem de prisão e o rumor de que poderia haver resistência atraíram correspondentes estrangeiros e ativistas de todos os cantos do Brasil. Viajando de carro, de ônibus ou de avião, uma babel de políticos, ativistas sociais, juristas, padres, pastores evangélicos, monges budistas, músicos, artistas do cinema e da televisão, craques de futebol e mães com bebês no colo sentaram praça em São Bernardo do Campo. Publicada pelo site do jornal *Folha de S.Paulo* daquele dia, uma notícia sem comprovação afirmava que parte daquela multidão era composta de "adolescentes pobres" recrutados na periferia de São Paulo pelo Sindicato dos Professores da rede pública do Estado para "engrossar sua representação no ato em defesa de Lula". O certo era que a maioria dos arranchados na rua, em desacordo com todos os advogados e alguns políticos, defendia que Lula resistisse e não se entregasse, sem, no entanto, sugerir como se daria a resistência. Enfrentar, desarmados, batalhões da tropa de choque e pelotões de elite da Polícia Federal parecia uma rematada loucura.

Lula aparentava tranquilidade. Embora tivesse dormido apenas quatro horas, acordou bem-disposto e fez uma hora e meia de exercícios na esteira e nos equipamentos levados de sua casa para o sindicato, e em seguida tomou banho. Vestindo calças jeans, camiseta azul-clara e a jaqueta azul com listras coloridas que ganhara do presidente boliviano Evo Morales, circulava por entre os grupos abraçando as pessoas, consolando quem chorava, fazendo piadas com velhos companheiros que não via desde as jornadas dos anos 1980. As conversas eram interrompidas para que ele se trancasse em alguma sala quando queria confabular reservadamente com lideranças de partidos, de movimentos sindicais e sociais. Uma ala do segundo andar com três salas amplas foi isolada e destinada à família — irmãos, filhos, noras, genro, netos e agregados que apareciam inesperadamente. Foi numa dessas salas que, por volta do meio-dia, Lula almoçou com a parentela, à qual repetiu que ainda não havia decidido se ia resistir ou se entregar. Seus familiares defendiam que ele se entregasse.

No meio da tarde uma notícia assustou as pessoas: a água do prédio fora cortada, o que podia prenunciar o início de um plano de invasão. "Primeiro cortam a água, e quando começar a escurecer, cortam a luz", temia Selerges, esperando o pior. "Isso pode ser um sinal de que vão invadir o sindicato." Antes de sair em busca de um caminhão-pipa de aluguel, acompanhado de Paulo Caires, o robusto "Paulão", presidente da Confederação Nacional dos Metalúrgicos, Selerges convocou os responsáveis pela manutenção de um gerador instalado no pátio interno do prédio. A máquina, com 330 kVA de potência, produz energia suficiente para manter todas as luzes e aparelhos de ar condicionado do sindicato funcionando ininterruptamente desde que seja reabastecida de óleo diesel a cada três horas. Selerges explicou aos funcionários o que fazer no caso de um blecaute inesperado:

— Fiquem de plantão aqui no portão do gerador. Se cortarem a energia, religuem as máquinas e permaneçam aqui, vigiando o gerador. E a cada três horas reabasteçam o tanque com óleo diesel.

Só depois de conseguir a água é que Selerges e Paulão souberam que o problema já fora sanado. Dois outros caminhões-pipa para reabastecer a caixa-d'água do sindicato tinham sido enviados pela Sabesp, paraestatal responsável pelo fornecimento de água ao ABC. Temerosa de se ver envolvida numa encrenca política — algumas redes sociais já haviam espalhado a falsa notícia de que o corte da água tinha sido um boicote —, a direção da empresa apressou-se em divulgar uma nota oficial pela internet negando o boato:

> A Sabesp informa que o abastecimento de água no Sindicato dos Metalúrgicos do ABC, em São Bernardo do Campo, está normal. Devido ao acesso de pessoas no sindicato, é possível que a caixa-d'água interna não seja suficiente para suprir a demanda. A Sabesp já está enviando caminhões-pipa ao local para auxiliar no abastecimento de água.

Menos de quatro horas antes de vencer o prazo dado por Moro, uma luz pareceu se acender. Foi quando Cláudia Troiano, a Claudinha, secretária pessoal de Lula no instituto, chamou a senadora Gleisi Hoffmann num canto e sussurrou:

— Amanhã é dia 7 de abril, dia do aniversário da dona Marisa. Se fosse viva ela faria 68 anos. Por que não organizamos uma missa em memória dela amanhã, aqui no sindicato?

Claudinha se referia a Marisa Letícia Lula da Silva, mulher de Lula, que falecera em fevereiro do ano anterior, vitimada por um derrame cerebral. A presidente do PT pegou a ideia no ar ao ver nela uma nesga de esperança de solução para o impasse. Juntou numa sala o deputado Paulo Pimenta (PT-RS), o senador Lindbergh, os deputados Emidio, Sigmaringa e Damous, o governador piauiense Wellington Silva (PT), Márcio Macedo, dirigente do partido, e o advogado Cristiano Zanin. Expôs e apoiou a solução sugerida por Claudinha:

— Seria inadmissível, injustificável, que a Justiça impedisse o Lula de participar de uma missa em memória da mulher dele, morta em circunstâncias tão trágicas.

Aprovada por todos, a missa — logo transformada em ato ecumênico multiconfessional — seria realizada às onze horas da manhã seguinte, sábado. Faltava saber se Lula estava de acordo. Gleisi e o grupo expuseram rapidamente a proposta a ele, que reagiu com naturalida-

FEDERAL GRUDA UM MICROFONE NO SOFÁ | 31

de, mesmo sabendo que seu assentimento significava desrespeitar os prazos da sentença de Sergio Moro:

— Podem encomendar a missa, sim. Está bem.

Entre os que discordavam da tese da resistência estava o advogado e ex-deputado José Eduardo Cardozo. Ministro da Justiça de Dilma, sobre ele pairava o olhar enviesado de setores lulistas — não petistas entre eles — que o criticavam "por ter tido pouco pulso" no ministério, com as extravagantes ações da Polícia Federal (órgão subordinado a ele) na Lava Jato, operações quase sempre acompanhadas de hordas de cinegrafistas e repórteres, muitas vezes informados antes mesmo dos advogados dos acusados. Lulistas queixavam-se, por exemplo, de que a Federal, por ordem de Moro, grampeara a central telefônica do Teixeira Martins Advogados, escritório de advocacia que defende Lula. O grampo durou 23 dias. Como a autorização era para a escuta do ramal principal, além das conversações sobre o "caso Lula", a PF gravou os diálogos dos advogados com todos os demais clientes do escritório. Ao todo, Moro, o MP e a Federal ouviram, segundo ofício da operadora e certidão lavrada pela própria PF, 462 ligações telefônicas, totalizando treze horas, cinquenta minutos e quatro segundos de conversas. As interceptações que diziam respeito a Lula eram transcritas pela polícia e enviadas, todos os dias, ao procurador Deltan Dallagnol e sua equipe, responsáveis pela Operação Lava Jato, e ao juiz Moro. Dessa forma, o juiz e o Ministério Público ficavam sabendo de antemão as estratégias a serem adotadas pelos advogados de Lula, e se antecipavam a elas ou preparavam-se para rebatê-las, ponto a ponto, nos tribunais. E, por suspeita coincidência, a condução coercitiva de Lula por ordem de Moro se deu no dia 4 de março de 2016, quando o escritório de seus advogados estava sob escuta.

O uso por Moro e pelo MP do *lawfare* foi escancarado em meados de março. Embora a Suprema Corte tivesse determinado o encerramento da interceptação no dia 16 desse mesmo mês, Sergio Moro, ávido pelo foco da grande imprensa, afrontou a decisão do Supremo e tornou públicos trechos de um telefonema em que a então presidente

Dilma Rousseff convidava Lula para assumir a chefia de sua Casa Civil (ligação popularizada pela pronúncia equivocada do nome de um funcionário do Palácio — chamado por ela de "Bessias", e não de "Messias" — e pela expressão usada por Lula para se despedir de Dilma — "Tchau, querida"). Advertido publicamente pelo ministro Teori Zavascki, do STF, o juiz Moro pediu "escusas". Zavascki determinou então que os áudios fossem destruídos, ordem que Moro jamais cumpriu. Apesar da afronta jurídica de Moro ter ido parar na Comissão de Direitos Humanos da ONU, os petistas reclamavam que o ministro da Justiça nem sequer teria aberto sindicância interna para apurar responsabilidades da PF como coautora de um ato condenado pelo STF.

Às seis horas da manhã de 4 de março de 2016 — dois anos antes da ordem de prisão de Lula, portanto —, a Polícia Federal mobilizou duzentos delegados e agentes, acompanhados por trinta auditores da Receita Federal, para cumprir 33 mandados de busca e apreensão e onze mandados de condução coercitiva. Entre os alvos dos mandados de busca e apreensão estavam o ex-presidente, seus filhos, noras e netos. Ao receber na porta de seu apartamento o delegado federal Luciano Flores, responsável por sua condução coercitiva, Lula peitou o policial:

— Da minha casa eu não saio. Se quiser, o senhor pode colher minhas declarações aqui. Ou então me levar à força, algemado.

Não era fanfarronice. A lei diz que a condução coercitiva — "sob vara", no jargão jurídico — só cabe quando o acusado, depois de intimado pelo menos duas vezes, tenha se recusado a atender à Justiça. Não era o caso de Lula. A despeito disso, o policial tentou convencê-lo de que, "por questões de segurança", o depoimento não poderia ser tomado ali. Flores se referia às dezenas de ativistas que já se aglomeravam na porta do edifício residencial, em São Bernardo do Campo, ameaçando impedir a PF de levar o ex-presidente. Após negociações que envolveram seus advogados, Lula não viu alternativa senão se deixar conduzir, sem algemas, ao posto da Polícia Federal do aeroporto de

Visto por petistas como "leniente" com a Federal, o ex-ministro da Justiça José Eduardo Cardozo reage: "Isso é resultado de um passivo de problemas do PT comigo".

Ministro da Suprema Corte, Teori Zavascki dá um puxão de orelha público no juiz Moro, mas morre num acidente aéreo antes de ver suas ordens cumpridas.

Congonhas. Na opinião de ao menos um dos advogados, Luiz Eduardo Greenhalgh, foi a presença da referida militância, tanto em São Bernardo quanto no aeroporto de Congonhas, onde já se encontrava a postos uma aeronave da Federal, o que impediu que, além de depor, ele fosse preso e levado para Curitiba.

Enquanto o marido prestava depoimento numa sala de Congonhas, Marisa permaneceu no apartamento, vendo um grupo de sete agentes federais — homens e mulheres, todos armados e com farda de camuflagem — vasculhar cada centímetro de sua casa, do banheiro à cozinha, da sala de visitas aos dormitórios, em busca de algo que ela não sabia o que era. Colchões foram levantados, gavetas, guarda-roupas, estantes, gaveteiros, armários e criados-mudos eram revirados, geladeiras e até os motores de freezers e fornos foram meticulosamente varejados pelos policiais. Marisa acompanhava tudo de cara amarrada e fumando muito, sem abrir a boca.

Operação idêntica, e realizada com igual estardalhaço, acontecia na mesma hora na casa de Luís Cláudio, filho do casal, e se repetiria no decorrer da semana nas residências dos três demais filhos homens, Fábio, Marcos Cláudio e Sandro. Por razões nunca explicadas pela Polícia Federal, a primogênita de Lula, Lurian, que morava em Niterói, foi o único membro da família excluído da razia policial. Mas o terror gerado pelo que ocorrera com o pai e os irmãos — operações policiais que acompanhou ao vivo pela internet e pela TV — acabou deixando nela os sintomas de transtorno do pânico. Mãe precoce de um casal de filhos e avó de uma bebê, desde aquele 4 de março de 2016 Lurian passou a despertar todos os dias às seis da manhã, não importando a que horas tivesse ido dormir, e a interfonar para a portaria do prédio onde mora para saber se algum estranho havia estado à sua procura.

Quando a Federal contabilizou o resultado do rapa nas cinco residências, soube-se que tinham sido apreendidos, ao todo, 417 documentos, que somavam 634 folhas de papel, 51 dispositivos (computadores, notebooks, tablets, celulares e outros eletrônicos) e setenta mídias (cartões de memória, DVDs, CDs, drives externos, pen drives etc.). Ao encerrarem o trabalho no apartamento de Lula, por volta da uma hora da tarde, levando malotes de lona preta atulhados de papéis, os federais aproveitaram um descuido de Marisa para grudar com velcro, sob o sofá da sala de visitas, diante do aparelho de TV, um microfone do tipo bug — um minúsculo disco de metal, do tamanho de uma bateria de relógio de pulso —, capaz de captar e transmitir todos os sons produzidos no ambiente. Entre eles, naturalmente, as conversas do dono da casa. Descoberta a tempo pela segurança de Lula, a escuta foi desativada antes mesmo de começar a operar.

Para frustração das autoridades, o inventário do amontoado de papéis e objetos apreendidos mostrou que não havia dinheiro, joias, bens de valor ou documentos que pudessem servir de munição na guerra de Moro e dos promotores paranaenses contra o ex-presidente, sua mulher e seus filhos. O grosso do material eram dezenas e dezenas de boletos bancários de pagamentos de prestações de despesas caseiras, velhas declarações de imposto de renda, canhotos de talões de cheque, extratos bancários e notas fiscais de compras corriqueiras de consumo doméstico — e um prosaico manual de instruções fornecido pela empresa Ipê Fibra de Vidro, sobre o uso e a manutenção de dois pedalinhos. Eram os tais brinquedos que Marisa comprara para os netos e que foram exibidos à imprensa como prova da suposta propriedade do sítio de Atibaia, objeto de investigação judicial.

No lote das mídias e dispositivos apreendidos o resultado não seria diferente. Nos pen drives, CDs, DVDs, discos e cartões de memória só havia imagens de festas de aniversário de crianças e cenas familiares. De cambulhada foi levado um iPad mini com jogos eletrônicos de Arthur, filho de Marlene e Sandro, e um pen drive com fotos do parto do garoto — material que, apesar do conteúdo, permaneceria em poder da Polícia Federal até o inesperado falecimento do menino, vítima de meningite meningocócica, em março de 2019, quando o avô já completara quase um ano preso. Embora os mandados de busca e apreensão não se estendessem às noras do ex-presidente, os federais confiscaram ilegalmente um pen drive em que se encontrava gravada a única versão da tese acadêmica de pós-graduação em direito administrativo que Fátima, casada com Luís Cláudio, apresentaria à universidade.

Indiferente aos olhares torvos com que foi recebido no sindicato naquela tarde tensa, Cardozo debita as queixas a petistas que acumularam "um passivo de problemas" com ele, ao longo de sua vida no partido.

— Eu garanto que apesar de meus muitos defeitos — ressalta o ex-ministro — essas brigas foram mais pelas minhas virtudes.

E rebate as afirmações de que teria sido um ministro sem pulso e conivente com arbitrariedades da Polícia Federal.

Cardozo alega que, embora julgasse ser arbitrária a busca e apreensão na casa de Lula, não poderia punir o delegado que fizera isso, pois ele agira com base em uma decisão judicial. "Ora, dizer que um ministro pode punir um delegado por uma decisão que um juiz tomou é uma afirmação que só pode vir de alguém que não entende como funciona a institucionalidade brasileira e o princípio da separação dos poderes", sustenta.

A tarde de sexta-feira rolou com dezenas de pequenas reuniões, gente chorando, gente propondo resistência física à polícia. As barreiras colocadas nas entradas do prédio pareciam não ter dado resultado, já que o sindicato estava cada vez mais superlotado. Quando os relógios deram cinco horas, a atmosfera de tensão era quase insuportável. O prazo vencera e Lula não cumprira o mandado judicial. Pela lei, a qualquer momento o sindicato poderia ser invadido pela polícia — Federal ou Militar, pouco importava — para prendê-lo. Havia ainda o risco de Moro, irritado com a ousadia do réu, decretar sua prisão preventiva, com as duras consequências que isso implicava.

Um espaço fechado foi convertido numa espécie de "sala de crise" para tratar estritamente das questões judiciais. O birô de advogados iniciou seus trabalhos com uma má notícia. O Superior Tribunal de

Justiça acabara de negar uma reclamação feita pouco antes da meia-
-noite da véspera. Os advogados de Lula sustentavam que, ao decretar a
prisão antes do julgamento dos embargos, o TRF4 estava descumprindo
a posição que prevaleceu no habeas corpus. De nada adiantou. O birô
de crise logo recebeu o apoio de dois grupos de juristas, o intitulado
Grupo Prerrogativas e a AJD (Associação Juízes para a Democracia).
Além dos advogados de Lula, Valeska e Cristiano Zanin, podiam-se
ver, entre outros, figurões do direito como as desembargadoras Kenarik Boujikian e Magda Biavaschi, e os juristas Ney Strozake, Wadih
Damous, Sigmaringa Seixas, Luiz Eduardo Greenhalgh, Carol Proner, Marco Aurélio de Carvalho, Aldimar De Assis, do Sindicato dos
Advogados, e Rosane Lavigne, defensora pública do Rio de Janeiro.
Ali decidiu-se criar um plantão jurídico para a eventualidade de en-
frentarem algum abuso de poder ou arbitrariedade, fosse por parte da
Justiça, do Ministério Público ou da Polícia Federal. Como ninguém
sabia quanto tempo aquela agonia ia durar, estabeleceu-se um rodízio
entre os juristas, o que obrigou alguns engravatados senhores a dormir
no chão do sindicato, em meio a ativistas e repórteres. Mesmo considerando a prisão arbitrária e inconstitucional, a maioria do grupo
era contrária à resistência. Nas circunstâncias em que se encontravam,
cumprir a ordem de prisão, para eles, não era a melhor nem a pior
solução, mas a única.

Lula costumava interromper as reuniões para fazer perguntas e
conversar com os advogados. Numa dessas aparições repetiu o que já
dissera aos outros grupos: estava absolutamente descartada a hipótese
de que ele se asilasse em alguma embaixada. Fugir do Brasil, reiterava,
seria reforçar o estigma de culpado que os adversários queriam colar
na sua imagem:

— Há duas semanas eu estive com a Dilma, o Pepe Mujica e
o Rafael Correa [ex-presidentes respectivamente do Uruguai e do
Equador] em Santana do Livramento, no Rio Grande do Sul, na
fronteira com o Uruguai. Do outro lado da rua já era a cidade de
Rivera, em território uruguaio. Algumas pessoas me diziam: "Lula,

finge que você vai comprar um uisquinho, atravessa a rua e fica por lá, sob a proteção do Mujica. Ou, se quiser, de lá você vai para a embaixada da Bolívia, da Rússia". Respondi que não tenho idade para isso, mas que tenho idade para enfrentar meus adversários olhando nos olhos deles.

Entre uma reunião e outra, Lula ganhou um talismã da desembargadora Boujikian: uma minúscula pomba da paz prateada que a jurista recebera durante o i Encontro Mundial dos Movimentos Populares que o Vaticano organizara em 2014, o qual acompanhou como observadora.

— Fique com esta lembrança abençoada pelo papa Francisco — disse Kenarik ao ex-presidente. — Nas atuais circunstâncias, tem mais sentido que ela fique com o senhor.

Era verdade. As saídas se estreitavam. Com frequência os advogados eram requisitados para situações de emergência, quase sempre alarmes falsos, fruto da tensão generalizada. Ora era a ameaça de corte de luz e energia do prédio, ora alguma fake news publicada na internet anunciando que a tropa de choque recebera ordens para invadir o sindicato e abrir caminho para a Polícia Federal prender Lula à força. No processo de negociação com as autoridades, os advogados batiam numa parede: Sergio Moro se recusava a atender os poucos telefonemas dirigidos a ele, alegando que, como juiz, não podia manter contato com a defesa em hipótese alguma.

Com a divulgação dos segredos da Lava Jato pelo site The Intercept, um ano depois, a opinião pública saberia que a justificativa do magistrado era capenga: embora rejeitasse falar com a defesa, Moro confraternizara e até combinara ações com os acusadores do ex-presidente, os procuradores da Lava Jato.

Sem que tivesse sido combinado ou autorizado por alguém, grupos de metalúrgicos fecharam todos os portões de acesso ao prédio com rolos de grossas correntes, cabos de aço e lacres de plástico rígido, trancaram tudo com cadeados e sumiram com as chaves. Ao ver aquilo, a multidão gritava:

Espremido por delegados e agentes federais no elevador do edifício em que morava, em São Bernardo, Lula é conduzido coercitivamente para depor na Polícia Federal. Estava começando o cerco que o levaria à prisão.

Ao saber que Lula havia sido obrigado a depor na Federal, ativistas se juntam na porta do aeroporto de Congonhas, temendo que o ex-presidente fosse levado à força para a Polícia Federal de Curitiba.

— Lula não sai! Federal não entra! Lula não sai! Federal não entra!

A noite já chegara quando o ex-presidente puxou Marcola pelo braço, discretamente, e levou-o para uma sala vazia. Trancou a porta pelo lado de dentro e apagou a luz, deixando o ambiente mergulhado na escuridão. O assessor não entendeu o que significava aquilo. Falando baixinho, como se a sala estivesse sob escuta, Lula caminhou até a janela e disse:

— Marcola, olha ali por que apaguei as luzes.

Abriu com a ponta dos dedos uma fresta na lâmina de plástico da persiana e apontou para o edifício The Place, um prédio residencial, do outro lado da rua — a menos de vinte metros de distância, portanto. Na varanda de um dos apartamentos, na mesma altura do andar em que Lula estava, a tv Globo havia montado uma tralha de tripés, refletores e câmeras equipadas com teleobjetivas. Como caçadores esperando a presa sair da toca, repórteres e cinegrafistas não desgrudavam os olhos do segundo andar do sindicato.

Alguém que testemunhasse a cena teria dificuldades para entender o que fazia o ex-presidente da República trancado numa sala às escuras, sussurrando com sua voz rouca quase no ouvido de um assessor. A salvo das câmeras indiscretas da tv, Lula perguntou:

— Marcola, você fica comigo até o fim?

— Sim, presidente, claro que sim.

— Então saia daqui sem chamar a atenção de ninguém, faça sua mala e compre uma passagem de avião para Curitiba. Lá você procura o Luiz Carlos da Rocha e o Manoel Caetano, nossos advogados, e me espera.

Marcola passava a ser, além de Moraes, a única pessoa a saber formalmente aquilo que os advogados e alguns políticos já intuíam: embora o tivesse transgredido, ao descumprir o horário-limite imposto por Moro, Lula decidira não resistir ao mandado de prisão. Na verdade, até alguns que defendiam uma saída radical já estavam pondo os pés no chão. Se na rua estivessem 100 mil, 200 mil pessoas, e não 10 mil, como calculavam os mais otimistas, podia-se pensar em resistência. Os

O temor de que o prédio fosse invadido pela Federal ou pela tropa de choque da PM para prender Lula levou jornalistas, advogados e ativistas a passarem duas noites dormindo no chão dos salões do Sindicato dos Metalúrgicos, em São Bernardo do Campo.

sindicalistas mais velhos, escaldados em sucessivas greves, já tinham experimentado na pele a violência da tropa de choque, da cavalaria e das matilhas dos canis da Polícia Militar de São Paulo. Ativistas calejados nos confrontos em portas de fábricas sabiam que a tropa de choque, ainda que à custa de muitos feridos, não enfrentaria grandes dificuldades para dissolver a manifestação, arrombar os portões e liberar a entrada para os policiais federais.

As pessoas que permaneciam em vigília em torno do sindicato, no entanto, não pareciam concordar com isso. Em poucas horas as três ruas que cercam o prédio ficaram intransitáveis, ocupadas por coloridas barracas de camping armadas onde houvesse uma nesga de espaço, nas quais se instalavam grupos decididos a permanecer naquela vigília improvisada até que Lula anunciasse o que faria. Em meio a bandeiras vermelhas de várias organizações, o grito de guerra era o mesmo do começo:

— Não se entrega! Não se entrega! Não se entrega!

Por via das dúvidas, e sem fazer alarde, um pequeno grupo de metalúrgicos passou a se preparar para a hipótese de resistir e estocou os chamados "treme-terra" e "bolachas" — respectivamente rojões de longo alcance, para impedir o sobrevoo do local por helicópteros, e pneus velhos, que seriam incinerados em pontos estratégicos do quarteirão, produzindo rolos de fumaça negra que dificultariam a ação da polícia.

Lá dentro as reuniões prosseguiam, sempre em pequenos grupos e salas separadas. A exaustão parecia tomar conta de todos. Inclusive de Lula, que se esforçava para não cabecear de sono enquanto alguém falava. Sem abandonar o estado de alerta, já que a polícia podia chegar a qualquer momento, decidiu-se que a missa seria celebrada na manhã seguinte, sábado, por d. Angélico Bernardino, bispo emérito da diocese de Blumenau e velho amigo da família Lula. Emidio de Souza, Damous e Sigmaringa ficaram encarregados de, também no sábado, voltar à Polícia Federal para negociar com o superintendente Disney Rosseti a forma como se daria a prisão e informá-lo de que Lula não se apresentaria na sede da PF, como determinado por Moro. Se quisessem prendê-lo, os federais que fossem ao sindicato. Já era quase uma da madrugada quando Lula, sempre cercado de seguranças, desceu para dormir. Os demais deitaram de novo no chão, enquanto outros tomaram o rumo de São Paulo ou se arranjaram em hoteizinhos da vizinhança.

3

A GloboNews solta uma fake news ("Lula vai resistir à ordem de prisão de Moro") e a audiência do canal sobe 694%.

Um dos primeiros a retornar ao sindicato, às sete horas, foi Guilherme Boulos. Ao saber que o líder do MTST estava no prédio, Lula convidou-o para tomarem café da manhã juntos, na salinha contígua à sua, no subsolo. O ex-presidente contou que decidira cumprir o mandado de prisão, mas que não se apresentaria à Federal. Eles que viessem buscá-lo no sindicato:

— Sou inocente e, se pudesse, resistiria. Mas estou convencido de que o melhor caminho agora é este.

Mesmo conformado, Boulos insistia na resistência:

— Respeito seu ponto de vista, presidente, mas continuo achando que a melhor alternativa é expor os adversários à contradição. Getúlio se matou, Jango foi exilado. Como é que o senhor quer entrar para a história? O que eles vão fazer? Vão meter bala nos milhares de pessoas que estão na rua? Vão invadir o sindicato para tirá-lo daqui a tapa? A imprensa internacional está toda aí na porta, isso vai expô-los à execração mundial, vai escancarar a perseguição do Moro ao senhor. Mas se já está decidido, eu respeito.

Terminado o café, Boulos saiu pelo corredor estreito e meneou a cabeça negativamente ao cruzar com Lindbergh Farias, que também chegava para falar com Lula:

— Desiste, não tem jeito. Ele já decidiu.

O jovem senador ainda não se dera por vencido. Sentou-se diante de Lula e fez uma derradeira tentativa de convencê-lo a resistir:

— Presidente, sei que já está tudo meio decidido, mas peço que o senhor ouça meus argumentos. O senhor é inocente, não cometeu crime, não fez nada de errado, não tem por que se entregar, não tem a obrigação de se entregar. O Brasil e o mundo estão de olho em São Bernardo, a repercussão é muito positiva. Se enchermos as ruas de gente criaremos um impasse e teremos chance de conseguir o habeas corpus na semana que vem.

Lula ouviu Lindbergh em silêncio, cofiando a barba e as pontas do bigode. Respondeu que compreendia e até concordava com o raciocínio do senador, mas estava convencido de que a resistência poderia gerar uma carnificina:

— Não quero ninguém ferido, não quero que ninguém se machuque. Mas eu não vou pegar um carro e me entregar na Federal, como o Moro exige. Isso eu não faço, não aceito. Se eles quiserem que venham me buscar aqui.

Foi nessa hora que chegaram o ex-prefeito de São Paulo, Fernando Haddad, sua mulher, Ana Estela, e os filhos Frederico e Ana Carolina. Haddad e Lula tinham se conhecido no final da década de 1990, quatro anos antes das eleições de 2002. Com pouco mais de trinta anos, advogado com mestrado em economia e doutorado em filosofia, Haddad era frequentemente chamado para reuniões de grupos de intelectuais no Instituto Cidadania (depois rebatizado de Instituto Lula). Mas a aproximação entre os dois só aconteceria em meados de 2004, quando, já presidente, Lula soube que era ele o autor de dois projetos que ganhariam relevância no governo: primeiro foram as chamadas PPPS (Parcerias Público-Privadas, concebidas a pedido do ministro do Planejamento, Guido Mantega). Meses mais tarde o então ministro da Educação, Tarso Genro, encontrou nos arquivos do ministério um projeto concebido por seu antecessor, Cristovam Buarque, e que não havia sido implantado. Ao saber que o trabalho também era obra de Haddad, Genro pediu a ele que avançasse no tema, que se converteria numa das marcas do governo Lula, o Prouni — Programa Universidade para Todos, voltado para a concessão de bolsas a estudantes sem recursos, e que viria a permitir o acesso de 2 milhões de brasileiros ao ensino superior. Numa reunião com Mantega e Genro, o presidente comentou, brincalhão:

— Esse Haddad parece tucano, tem cara de tucano, mas não é tucano não. Esse cara gosta de pobre, gosta de preto... Esse menino é nosso...

A admiração seria cimentada meses depois, quando Lula nomeou Haddad ministro da Educação, posto em que este permaneceria até a metade do primeiro mandato de Dilma, e acabou fazendo dele o candidato vitorioso à Prefeitura de São Paulo, nas eleições de 2012. Apesar de derrotado por João Doria na tentativa de se reeleger prefeito, os quatro anos à frente da maior cidade do país o qualificavam, segundo a direção petista, para voos políticos mais ambiciosos. Se Lula disputasse a Presidência em 2018, e se o partido decidisse por uma chapa puro-sangue, ele estava entre os cotados para ser o candidato a vice. Na hipótese, remota na opinião dos dirigentes do PT, de que a Justiça inabilitasse Lula para disputar as eleições, Haddad poderia substituí-lo na cabeça da chapa, abrindo a Vice-Presidência para negociações com partidos aliados. Era nesse limbo político que vivia o "petista com cara de tucano" naquela manhã em que visitou Lula no sindicato.

Da família Haddad, apenas a esposa parecia mais tensa. Relaxado, Lula conversou com o ex-prefeito e com o filho, Frederico, e tirou lágrimas de Ana Carolina quando a abraçou e perguntou como ela estava indo na Escola Politécnica da USP, em cujo curso de engenharia acabara de ingressar. Olhando firme nos olhos do ex-presidente, sem sorrisos, a odontóloga e ativista de aparência frágil perguntou ao marido:

— Devo falar?

Fernando estava em dúvida:

— Não sei se é o caso... Ele já está com tantas preocupações...

A reticência de Haddad não surtiu efeito. Sempre com ar tenso e olhando nos olhos de Lula, Ana Estela desabafou:

— Presidente, sei dos problemas que o senhor enfrenta hoje e não quero estressá-lo ainda mais. E nem sei se tenho intimidade suficiente para tratar disso com o senhor, mas tenho que falar. Já falei disto para o Fernando desde que acordamos e acho que tenho obrigação de lhe contar, por mais irrelevante que seja o que tenho a lhe dizer.

Subitamente sério, Lula penteava o bigode com a ponta dos dedos, ansioso. Ana Estela continuou:

— Sonhei a noite inteira o mesmo sonho, que se repetia insistentemente. Algo ou alguém me dizia que se o senhor se entregar à polícia, hoje, nunca mais sairá da prisão.

Com os olhos fixos nos de Lula, ela prosseguiu:

— Sim, é isso mesmo. O senhor pode não acreditar, nem eu mesma sei se acredito, mas a advertência era clara. Se o senhor se entregar hoje, nunca mais sairá da prisão. Então, presidente, eu lhe peço: não se entregue.

O sincero apelo à resistência tinha precedentes que Ana Estela não revelou a Lula. Ela já vivera experiências de sonhos premonitórios, mas preferiu não falar do assunto ali. Embora impressionado com o relato, Lula explicou a ela, falando baixo para que os circunstantes não ouvissem, que não havia possibilidades reais de resistência. E que ele descartara de pronto busca de asilo político em alguma embaixada, como chegaram a propor algumas pessoas, alternativa que considerava "uma fuga, uma confissão de culpa que não tenho". Até no subsolo em que se encontravam chegava o som do estribilho da multidão na rua, que continuava gritando:

— Não se entrega! Não se entrega! Não se entrega!

Entre os que defendiam a resistência estava alguém que dois anos antes já havia proposto ao ex-presidente o asilo político. Era um de seus melhores amigos e mais próximos conselheiros, o advogado Luiz Eduardo Greenhalgh. No dia seguinte ao depoimento sob coerção, Greenhalgh fora ao instituto para entrar direto no assunto, num diálogo curto e sem rodeios:

— Lula, primeiro eles fizeram o impeachment da Dilma. Agora tomaram seu depoimento de forma coercitiva. Ou seja, já puseram a mão em você. Eles vão te interditar, vão te prender. Ou você acha que fizeram tudo isso e vão deixar você ser candidato e ganhar a eleição?

— E o que você acha que eu devo fazer?

— Você tem que sair do Brasil, tem que buscar asilo político.

Tratando-o pelo apelido carinhoso com que Marisa e os filhos o chamavam, Lula recusou a sugestão:

— Mococa, eu sou inocente. Não vou me asilar. Não vou sair do país, esta terra é mais minha que deles.

O advogado insistiu:

— Lula, o Perón ficou exilado na Espanha quase vinte anos. Voltou para a Argentina, elegeu o Cámpora, se elegeu presidente, elegeu a Isabelita...

— Meu querido, eu não vou sair daqui. Eu sou inocente, eles não têm motivos nem condições de me prender...

— Está bem. Mas não se esqueça que eu te avisei.

Ali no sindicato, na iminência de ser preso, Lula talvez nem se lembrasse mais da advertência de Greenhalgh.

Na tentativa de concorrer com a agilidade frenética da internet, as Organizações Globo (TV Globo, GloboNews, Rádio CBN, G1) investiram pesado na cobertura do que se passava em São Bernardo, salpicando a programação com boletins em tempo real. Sem citar como obtivera a informação — na verdade mais um boato —, a GloboNews anunciou, ao vivo, que o grupo que cercava o ex-presidente estava dividido e que o mais provável era que Lula resistisse à prisão:

— Dois grupos se formaram ali: a ala política e a ala dos advogados. O grupo político defendia que Lula não se entregasse. "Se a Polícia Federal quiser, vai ter de buscar Lula aqui", disse o senador Lindbergh Farias (PT-RJ), que acompanhava o ex-presidente.

Embora de fato muita gente defendesse a resistência, a informação da divergência "políticos versus advogados" não procedia. Salvo Greenhalgh, os senadores Lindbergh Farias e Gleisi Hoffmann, e mais um ou dois políticos, os demais apoiadores da desobediência ao juiz eram lideranças de movimentos populares e alguns sindicalistas. Mas a bomba da nota era o anúncio de que Lula resistiria à prisão. A despeito das imprecisões jornalísticas (a própria GloboNews retificaria, mais tarde, a notícia dada inicialmente), do ponto de vista comercial a Globo lavrara um tento inédito. Segundo o Observatório da Televisão, site de medição de audiência de canais de TV, no dia da prisão de Lula a GloboNews conseguiu assumir a liderança da TV paga, com um aumento de espectadores, nas quinze principais cidades do país, de 694% em relação aos mesmos dias das semanas anteriores. Entre esses milhões de telespectadores estava o juiz Sergio Moro, em Curitiba, que se irritou com a "oficialização" da resistência pelo noticiário da GloboNews. Ao ouvir a notícia, Moro disparou telefonemas para dirigentes da Polícia Federal advertindo-os de que se a ideia da desobediência progredisse, a ordem era prender Lula ou considerá-lo foragido — caso em que a decretação da prisão preventiva seria imediata.

Em sentido oposto, o ex-presidente já estava planejando desde cedo a forma de se entregar à polícia. Encerrada a conversa com os Haddad, Lula mandou chamar Gleisi Hoffmann, o metalúrgico Luiz Marinho (ex-presidente do sindicato, ex-prefeito de São Bernardo e ex-ministro do governo Lula) e o bancário Vagner Freitas, presidente da CUT (Central Única dos Trabalhadores), e foi direto ao assunto. Alguém ia ter que amarrar o guizo no pescoço do gato e eles tinham sido os escolhidos. Ao transmitir a tarefa aos três, Lula parecia sério e preocupado com o que pudesse acontecer:

— Já está decidido que não me entregarei na Federal. Mas lá fora o pessoal continua pedindo resistência. Vocês terão que ir lá e explicar para eles que não dá para resistir.

A decisão de Lula havia sido reforçada por um fato novo, ocorrido naquela manhã. No fim do dia anterior, quando já era quase meia-noite, o ex-presidente do Supremo Tribunal José Paulo Sepúlveda Pertence, que tinha se incorporado à equipe de defesa de Lula, protocolara, juntamente com Zanin e os demais advogados, outro pedido de habeas corpus preventivo no Supremo, mostrando que o TRF4 estava descumprindo a jurisprudência ao decretar a prisão antes do julgamento dos embargos. Embora a defesa de Lula tivesse requerido a livre distribuição do HC — ou seja, a escolha do julgador por sorteio, algo previsto no regimento interno do STF —, a presidente da Corte, ministra Cármen Lúcia, decidiu de forma monocrática destinar o pedido de HC ao ministro Edson Fachin, conhecido pelo ferrenho punitivismo na guerra de Moro contra Lula. O resultado não podia ser outro. Na manhã de sábado, Fachin, em cerca de cinquenta palavras, definiu o destino de Lula:

> [...] Nesta ótica, o ato reclamado não traduz violação ao comando impositivo atinente ao decidido pelo Tribunal Pleno nas ADCS 43 e 44, razão pela qual, com fulcro no artigo 21, §1º, RISTF, nego seguimento à reclamação. Prejudicado o pedido liminar. Publique-se. Intimem-se. Após, arquivem-se.
> Ministro Edson Fachin
> Brasília, 7 de abril de 2018

O certo era que, naquele emaranhado de expressões jurídicas incompreensíveis para a maioria da população, a sorte estava lançada. Atravessada na rua de calçada a calçada, uma carreata de som do Sindicato dos Professores tinha sido transformada em palanque. Os primeiros a falar foram Marinho e Freitas. Ambos foram breves e, pela reação do público, pareciam estar comunicando uma notícia fúnebre. Nenhum aplauso, nenhuma vaia, nada. Sob o sol ardido, o povo reagiu com um triste e eloquente silêncio. Dos três escolhidos por Lula, a senadora Gleisi Hoffmann chamava atenção. Apesar da aparência jovial, de camiseta vermelha e cabelos presos em rabo de cavalo, tinha o ar sofrido, ainda inconformada com o encargo que recebera, como ela própria reconheceria depois:

— Logo eu, emocionada com aquele povo que não queria que o presidente se apresentasse, que ele devia ficar, que nós devíamos resistir e que se os golpistas quisessem prendê-lo que passassem por cima de nós. A última coisa que eu queria era pedir ao povo que deixasse o presidente ser preso. Foi difícil dizer aquilo, porque eu queria era estar lá embaixo do caminhão, junto com o povo, impedindo que prendessem o presidente.

Mesmo a contragosto, a presidente do PT subiu no caminhão e pediu aos manifestantes que deixassem Lula cumprir o que havia decidido:

— Ele sabe que vocês querem resistir, mas não quer que ninguém seja ferido, que ninguém se machuque. O que está em jogo não é só a história dele, mas a vida dele. A gente tem que respeitar.

De novo ninguém vaiou, ninguém aplaudiu, mas alguns grupos continuavam insistindo em gritar:

— Não se entrega! Não se entrega!

O ato religioso só começou depois do meio-dia. Paramentados de alva e estola, d. Angélico e os cinco sacerdotes que o acolitavam tomaram lugar junto ao microfone e iniciaram a cerimônia. Por prudente decisão do bispo, o que seria uma missa virou Celebração da Palavra. Não se tratava apenas de uma questão semântica. Diferentemente da missa, a celebração pode ser ministrada por qualquer leigo, sem a presença de um sacerdote. O bispo pisava em terreno minado. Mesmo que a cidade não esteja sob a autoridade da Arquidiocese de São Paulo (pela divisão territorial eclesiástica, São Bernardo faz parte da diocese de Santo André), a influência política do titular da Arquidiocese paulista, o conservador cardeal Odilo Scherer, ultrapassava os limites do arcebispado. Os cuidados de d. Angélico, porém, não seriam suficientes para aplacar a ira do cardeal, como se veria logo depois.

Transmitido ao vivo pela internet, por todas as redes de TV brasileiras e por muitos canais estrangeiros, o culto exibia uma constelação de nomes capaz de fazer ranger os dentes de um católico conservador como d. Odilo, que flertava com a espanhola Opus Dei. Vários tons do vermelho se espremiam ao lado dos religiosos vestidos de branco. Além de Lula, podiam-se ver Dilma Rousseff, o governador petista Wellington Silva, do Piauí, os senadores Gleisi Hoffmann, Lindbergh Farias, Jorge Viana (PT-AC), Humberto Costa (PT-PE) e Fátima Bezerra (PT-RN), o líder do MST João Pedro Stédile, o presidente da CUT Vagner

Ao lado do marido, o ex-prefeito Fernando Haddad, Ana Estela adverte Lula para um mau presságio: "Não se entregue. Se você for preso, corre o risco de não sair de lá nunca mais".

O advogado de Lula, Cristiano Zanin (de pé), enfrenta os ministros do Supremo Tribunal Federal. Até o final de setembro de 2021, Zanin já havia derrubado no STF vinte acusações da Lava Jato contra o ex-presidente.

Na porta do sindicato, d. Angélico Bernardino, bispo que acompanhou as greves do ABC, celebra ato ecumênico em memória da alma de Marisa Lula, que faria 68 anos naquela data. Um dia depois, d. Angélico seria admoestado publicamente pelo cardeal Odilo Scherer em virtude da iniciativa.

Lula com os atores Ailton Graça e Osmar Prado; Lula abraça d. Angélico; Gilberto Carvalho, ex-ministro de Lula e Dilma, lê uma carta de Frei Betto; entre Boulos e d. Angélico, a ex-presidente Dilma Rousseff lê uma oração religiosa; Lula e João Pedro Stédile, líder do MST, o Movimento dos Trabalhadores Rurais Sem Terra.

Freitas, a jovem comunista gaúcha Manuela d'Ávila, pré-candidata a presidente da República pelo PCdoB, o ativista Guilherme Boulos, o vereador Eduardo Suplicy, os ex-ministros Celso Amorim, Aloizio Mercadante e Eleonora Menicucci, o ex-prefeito Fernando Haddad, os atores Osmar Prado e Ailton Graça, intelectuais, acadêmicos e dezenas de deputados federais do PT, PCdoB e PSOL vindos de vários estados.

O primeiro a falar foi um cristão, o ex-ministro Gilberto Carvalho, que leu uma carta do dominicano Frei Betto, amigo de Lula e testemunha de sua prisão pela polícia política da ditadura, quase quarenta anos antes. Depois foi a ex-presidente Dilma Rousseff, que leu uma oração de são Francisco. Só então chegou a vez de d. Angélico proceder à Celebração da Palavra. Veterano de quarenta anos de jornadas no ABC, o bispo lembrou o caráter histórico do sindicato.

— Daqui saiu um metalúrgico que chegou a ser presidente do Brasil duas vezes e deixou o governo com 87% de aprovação — afirmou com os braços levantados, a batina branca lembrando um par de asas. — Com seu prestígio elegeu e reelegeu a primeira mulher presidente, a Dilma Rousseff, que jamais havia se candidatado a qualquer cargo público.

Interrompido várias vezes pelos gritos de "Resistência! Resistência!", vindos da plateia, o religioso tentava acalmar a multidão e prepará-la para o inevitável desfecho:

— Eu gosto muito de ouvir essa palavra, "resistência", mas é necessária uma luta pacífica e que haja respeito mútuo. Podemos clamar, resistir, mas o nosso Lula é quem vai dizer depois a sua última palavra, e nós vamos acolhê-la.

D. Angélico seguiu lamentando profundamente, "como muita gente no exterior que está alarmada com a pressa de mandarem nosso Lula para a prisão". Segundo o bispo, também causava espanto a diferença de tratamento dado a Lula e a "outras pessoas por aí". Sua pregação final tinha um indisfarçável tom de despedida:

— Aqui está um cidadão que já esteve preso, mas nenhuma prisão prende o coração, a mente e os ideais de um cidadão. Que Jesus o proteja e seja sua força, meu irmão e companheiro!

Os cuidados ao falar e a prudência de d. Angélico foram insuficientes para amolecer o coração do cardeal Scherer. Menos de 24 horas depois do ato litúrgico, o velho amigo de Lula e dos metalúrgicos do ABC receberia uma reprimenda pública, sob a forma de um seco puxão de orelhas de menos de cem palavras, distribuído à imprensa:

> Arquidiocese de São Paulo
> Sobre o ato religioso realizado ontem na frente do Sindicato dos Metalúrgicos do ABC, a assessoria de imprensa da Arquidiocese de São Paulo esclarece que:
> 1. Não se tratou de Missa, mas de um ato ecumênico;
> 2. Foi iniciativa pessoal de quem promoveu o ato;
> 3. Não houve participação da CNBB nem da Arquidiocese de São Paulo;
> 4. O ato aconteceu fora da jurisdição e responsabilidade do arcebispo e da Arquidiocese de São Paulo.
> O arcebispo de São Paulo lamenta a instrumentalização política do ato religioso.
> São Paulo, 8 de abril de 2018

Por fim, a palavra foi passada a Lula. Emidio de Souza aproveitou que estavam todos de olhos fixos no principal orador e saiu discretamente do palanque. Sem conseguir localizar Sigmaringa e Damous no meio da confusão, decidiu ir sozinho à Polícia Federal "para cumprir um dos piores, um dos mais terríveis papéis que tive que fazer na vida": acertar com os delegados a prisão de Lula. Desconfiado desde a véspera daquele vaivém de interlocutores entre o sindicato e a sede paulista da Polícia Federal, Luiz Eduardo Greenhalgh concluiu que fora derrotado na defesa da resistência de Lula.

— Fodeu — resmungou baixinho ao saber que Emidio estava a caminho da Superintendência da PF. — Vão prender o Lula.

Com o microfone na mão, ao ensaiar o primeiro "Queridas companheiras e queridos companheiros...", Lula foi interrompido pelos

Uma seleção aleatória de capas da revista *Veja* na campanha para massacrar Lula. Numa delas, a revista deixa claro que plagiou a capa da norte-americana *Newsweek*, publicada quando o ex-dirigente líbio Muammar al-Gaddafi foi linchado e empalado em praça pública (ver Apêndice na p. 400).

O procurador federal Deltan Dallagnol, chefe da força-tarefa da Lava Jato de Curitiba, apresenta em horário nobre aquela que ficou célebre como a "Operação Powerpoint": todos os crimes, delitos, propinas e denúncias apontam para uma única pessoa: Lula.

gritos dos milhares de pessoas que tomavam todas as ruas em torno do sindicato:

— Não se entrega! Não se entrega! Não se entrega!

Ao ouvir o coro, ele virou-se para dentro do palanque improvisado e, ao localizar Ana Estela Haddad encostada na escadinha de acesso, aproximou-se, sorridente, e cochichou, lembrando do sonho dela e do pedido para que não se entregasse:

— Foi você que ensaiou essa palavra de ordem com a peãozada da rua, né, querida?

Sem uma nominata que listasse as personalidades presentes, Lula consumiu os primeiros onze dos cinquenta minutos de sua fala saudando as pessoas à medida que as via. Só então entrou no discurso para valer. Começou explicando por que decidira ir para o sindicato, cuja sede ele construiu e "ao qual a gente deve parte das conquistas da democracia brasileira a partir de 1978":

— Aqui foi a minha escola. Aqui eu aprendi sociologia, aprendi economia, aprendi física, química. E aqui aprendi a fazer muita política, porque no tempo que eu era presidente deste sindicato, as fábricas tinham 140 mil professores que me ensinavam como fazer as coisas. Toda vez que eu tinha dúvida, eu ia na porta da fábrica perguntar para a peãozada como fazer as coisas nesse país.

O tempo todo interrompido pelos gritos de "Não se entrega! Não se entrega!", aos poucos Lula desenterrou para o público, didática e vagarosamente, como se contasse uma história, a aventura que tinham sido as greves dos anos 1970 e 1980, a repressão, os cortes de salários, as intervenções no sindicato, a prisão dele próprio e de todos os seus colegas de diretoria, a morte da mãe, dona Lindu, enquanto estava preso, e o fracasso final do movimento que chegou a paralisar quase meio milhão de trabalhadores no estado. Só então, e sempre interrompido pelo coro "Não se entrega! Não se entrega!", Lula entrou no assunto que desde a quinta-feira mantinha aquela gente plantada na porta do sindicato: o mandado de prisão emitido contra ele pelo juiz Sergio Moro.

— Agora estou na mesma situação daquela época: de novo estou sendo processado por crimes que não cometi. Sou o único ser humano processado pela propriedade de um apartamento que nunca foi meu. Eles sabem que o *Globo* mentiu quando disse que era meu. A Polícia Federal da Lava Jato, quando fez o inquérito, mentiu que o apartamento era meu. O Ministério Público, quando fez a acusação, mentiu dizendo que o apartamento era meu. Eu pensei que o Moro ia resolver isso, mas ele também mentiu dizendo que o apartamento era meu. E me condenou a nove anos de cadeia. É por isso que eu sou um cidadão indignado. Aos 72 anos, não os perdoo por terem passado para a sociedade a ideia de que eu sou ladrão.

Pessoas choravam, abraçadas umas às outras, e o coro pedindo que não se entregasse continuava, cada vez mais forte, exigindo que ele gritasse no microfone para ser ouvido. Insistiu em que não se considerava acima da Justiça e que, se não acreditasse nela, "não teria construído um partido político, tinha feito uma revolução". E reafirmou que se fosse ladrão não estaria exigindo provas, "estaria de rabo preso, com a boca fechada", torcendo para a imprensa não publicar o nome dele. Ao contrário, era exatamente à imprensa que ele dedicaria as mais duras palavras:

— Tenho mais de setenta horas de *Jornal Nacional* me triturando! Tenho mais de sessenta capas de revistas me atacando! Tenho milhares de páginas de jornais e matérias me atacando. Eu tenho mais a Record me atacando. Eu tenho mais a Bandeirantes me atacando. Mais a rádio do interior e de outros estados. E o que eles não se dão conta é que quanto mais eles me atacam, mais cresce a minha relação com o povo brasileiro. [...] E não se pode fazer um julgamento subordinado à imprensa. Porque depois o juiz vai julgar e dizer: "Eu não posso ir contra a opinião pública". Quem quiser votar com base na opinião

Nas duas páginas seguintes, a multidão se junta na porta do Sindicato dos Metalúrgicos do ABC para, em coro, estimular Lula a resistir à ordem de prisão decretada por Moro: "Não se entrega! Não se entrega! Não se entrega!".

pública, que largue a toga e vá ser candidato a deputado! Escolha um partido político e vá ser candidato!

Com a camiseta azul-clara empapada de suor, Lula fez uma pequena pausa para beber um gole de água mineral no gargalo de uma garrafinha plástica e retomou a palavra, enquanto o povo insistia no bordão:

— Não se entrega! Não se entrega! Não se entrega!

Os alvos seguintes do ex-presidente eram o Ministério Público Federal do Paraná, o juiz Moro e os desembargadores de Porto Alegre:

— O que não posso admitir é que um procurador faça um PowerPoint e vá para a televisão dizer que o PT é uma organização criminosa, que nasceu para roubar o Brasil. E que o Lula, por ser a figura mais importante desse partido, é o chefe. E se o Lula é o chefe, diz o procurador, "eu não preciso de provas, eu tenho convicção". Ele que guarde a convicção para os comparsas dele, para os asseclas dele, e não para mim. Não para mim!

Parou por um minuto, com a voz rouca começando a ratear, tomou outro gole de água, pediu para melhorarem a qualidade do som e voltou a falar, desafiador:

— Eu não tenho medo deles! Já falei que gostaria de debater com o Moro sobre a denúncia que ele fez contra mim. Eu gostaria que ele me mostrasse alguma prova. Já desafiei os juízes do TRF4. Desafiei para um debate na universidade que eles quiserem, com o público que eles quiserem, para eles provarem qual foi o crime que eu cometi.

Lula disse que aguentou a pancadaria enquanto a vítima era apenas ele, mas que perdeu a paciência quando passaram a atingir sua família:

— Não é fácil o que sofre a minha família. Não é fácil o que sofrem os meus filhos. Não é fácil o que sofreu a Marisa. E eu quero dizer que a antecipação da morte da Marisa foi por causa da safadeza e da sacanagem que a imprensa e o Ministério Público fizeram contra ela. Tenho certeza. Porque essa gente... Acho que essa gente não tem filho, não tem alma. E não tem noção do que sentem uma mãe e um pai quando veem um filho massacrado, quando veem um filho sendo atacado. Foi aí então, companheiros, que eu resolvi levantar a cabeça.

Depois Lula fez um longo arrazoado "dos crimes que cometi", referindo-se aos programas de inclusão social de seus dois governos, como o Bolsa Família, Minha Casa Minha Vida, entre outros, para, no fim, começar a preparar o público — que continuava gritando "Não se entrega! Não se entrega!" — para o principal: a prisão. Segundo Lula, seu encarceramento tinha se convertido no "sonho de consumo" dos desembargadores do TRF4, do juiz Moro, da Lava Jato e da TV Globo:

— Para eles o golpe não terminou com a Dilma. Para eles o golpe só vai concluir quando impedirem o Lula de ser candidato à Presidência da República em 2018. Eles não querem o Lula de volta porque pobre na cabeça deles não pode ter direito. Não pode comer carne de primeira. Pobre não pode andar de avião. Pobre não pode fazer universidade. O sonho de consumo deles é a fotografia do Lula preso! Ah, eu fico imaginando o tesão da *Veja* colocando na capa minha prisão! Eu fico imaginando o tesão da Globo exibindo minha fotografia preso! Eles vão ter orgasmos múltiplos!

Indiferente à gritaria, bateu pesado nos jornais, revistas e TVs:

— Você não pode condenar a pessoa pela imprensa para depois julgá-la. Vocês estão lembrados que ao prestar depoimento em Curitiba eu disse pro Moro: "Você não tem condições de me absolver porque a Globo está exigindo que você me condene. E você vai me condenar". Eles têm de saber que vamos fazer definitivamente uma regulação dos meios de comunicação, para que o povo não seja vítima das mentiras todo santo dia.

A elevação do tom do discurso estimulou a plateia a continuar defendendo, com veemência cada vez maior, que Lula resistisse e não se entregasse à polícia. Mas não era essa a notícia que ele tinha para seus apaixonados seguidores. Falando ainda mais alto para superar o som que vinha da rua, tentou ir direto ao assunto, mas foi interrompido:

— Eles decretaram a minha prisão. E eu vou atender o mandado deles.

— Não se entrega! Não se entrega! Não se entrega! Não se entrega!

Experimentado na arte de lidar com multidões, retomou a palavra mansamente, obrigando o público a silenciar para ouvi-lo:

— Deixa eu contar uma coisa pra vocês. Vou atender o mandado deles. E vou atender porque eu quero fazer a transferência de responsabilidade. Eles acham que tudo o que acontece nesse país, acontece por minha causa. Eles decretaram a minha prisão, mas eles têm de saber que a morte de um combatente não para a revolução.

— Não se entrega! Não se entrega! Não se entrega! Não se entrega!

As vozes se misturavam, mas Lula prosseguiu, agora num tom que indicava que a hora da despedida estava chegando:

— Sou um construtor de sonhos… Sonhei que era possível governar esse país envolvendo milhões e milhões de pessoas pobres na economia, nas universidades, criando milhões e milhões de empregos nesse país. Eu sonhei que era possível diminuir a mortalidade infantil levando leite, feijão e arroz para que as crianças pudessem comer todo dia. Eu sonhei que era possível pegar os estudantes da periferia e colocar nas melhores universidades deste país. Para que a gente não tenha juiz e procurador só da elite. Daqui a pouco nós vamos ter juízes e procuradores nascidos na favela de Heliópolis, nascidos em Itaquera, nascidos na periferia. Vamos ter muita gente dos Sem Terra, do MTST, da CUT formada. Esse crime eu cometi.

Outro gole na garrafinha de água e ele se exaltou ainda mais:

— Não vão vender a Petrobras. Vamos fazer uma nova Constituinte, vamos revogar a lei do petróleo que eles estão fazendo. Não vamos deixar vender o BNDES, não vamos deixar vender a Caixa Econômica, não vamos deixar destruir o Banco do Brasil. E vamos fortalecer a agricultura familiar que é responsável por 70% do alimento que comemos nesse país. É com essa crença, companheiros, de cabeça erguida, como eu estou falando com vocês, que eu quero chegar lá e falar para o delegado: estou à sua disposição.

Já era quase uma da tarde, a hora final tinha chegado:

Acima: entre o ex-prefeito de São Bernardo, Luiz Marinho, o deputado Orlando Silva (PCdoB) e a presidente do PT, Gleisi Hoffmann, Lula desafia Moro no palanque: "Quer fazer política? Larga a toga, se filia a um partido e vá disputar eleições". Abaixo, a multidão insiste para que Lula não cumpra o mandado de prisão e resista no sindicato.

— Companheiros, eu não tenho como pagar a gratidão, o carinho e o respeito que vocês têm dedicado a mim nesses tantos anos. E quero dizer a você, Guilherme [Boulos], e à Manuela [d'Ávila] que, para mim, é motivo de orgulho pertencer a uma geração que já está no final vendo nascer dois jovens disputando o direito de ser presidente da República desse país. Por isso, companheiros, um grande abraço. Podem ficar certos, esse pescoço aqui não baixa. A minha mãe já me fez com pescoço curto para ele não baixar. E não vai baixar porque eu vou de cabeça erguida. Vou sair de peito estufado de lá porque vou provar a minha inocência. Um abraço, companheiros, obrigado. Obrigado a todos pelo que vocês me ajudaram. Um beijo, queridos, muito obrigado.

Cercado por Lindbergh Farias (PT-RJ), Manuela d'Ávila (PCdoB-RS), Guilherme Boulos (PSOL-SP), pela presidente do PT, Gleisi Hoffmann, pelo fotógrafo Ricardo Stuckert e por Marcola, Lula encerra o discurso e se despede: "Quero dizer a você, Guilherme, e à Manuela que, para mim, é motivo de orgulho pertencer a uma geração que já está no final vendo nascer dois jovens disputando o direito de ser presidente da República desse país".

4

Emidio descobre que a Federal tem não um nem dois, mas vários espiões filmando tudo o que acontece dentro do sindicato.

Lula desceu do palanque e voltou para o sindicato, carregado nos ombros por Paulão e Selerges, e rodeado por uma massa compacta. Chamava a atenção de quem via de cima uma espiral alaranjada que cercava o ex-presidente. Eram os sindicalistas da FUP (Federação Única dos Petroleiros), vindos de Paulínia, no interior de São Paulo, e do Rio de Janeiro, todos vestidos com as tradicionais jaquetas cor de laranja usadas no trabalho. Naquela hora Emidio de Souza chegava ao prédio da Federal. Recebido apenas pelo superintendente Rosseti, não encontrou o clima de camaradagem da véspera. Visivelmente contrariado com o abacaxi que tinha nas mãos, o chefe da PF paulista pediu ao visitante que relatasse as informações que trazia do ABC. De semblante fechado, Emidio explicou calmamente que Lula não queria nem estimularia nenhuma forma de confronto, mas a Federal não poderia chegar acompanhada de equipes de televisão — comportamento que se tornara corriqueiro em ações da corporação. Com a concordância do policial, o deputado passou a enumerar os termos e condições para que a prisão acontecesse de maneira pacífica. As notícias levadas pelo petista ao prédio atraíram para a sala do superintendente um grupo de delegados e delegadas envolvidos na operação, que se juntaram em torno dele. Calmamente, mas sem sorrisos nem rapapés, Emidio listou os termos propostos por Lula e sua equipe:

- A prisão se daria num galpão externo do sindicato, e não dentro do prédio.

- Em nenhum momento haveria filmagens da prisão por jornalistas.
- Não seriam usadas algemas nem se aceitava que cortassem o cabelo ou a barba do ex-presidente.
- As viaturas que fossem buscá-lo em São Bernardo deveriam ser descaracterizadas, isto é, sem o brasão e o nome da Federal pintados na lataria.
- O transporte de Lula para Curitiba deveria ser feito em aeronave descaracterizada da Polícia Federal.
- A decolagem deveria ser pelo Campo de Marte, em São Paulo, e o pouso no aeródromo de Bacacheri, a cinco quilômetros do centro de Curitiba, porque tanto o aeroporto de Congonhas quanto o Afonso Pena, na capital paranaense, já estavam tomados por equipes de jornalistas e cinegrafistas de TV.
- Dois advogados do ex-presidente deveriam acompanhá-lo durante todo o percurso entre o sindicato e a Polícia Federal de Curitiba, inclusive no avião que o transportaria.

Enquanto o superintendente parlamentava por telefone com o juiz Moro, em Curitiba, e tentava resolver com a Infraero as questões da decolagem e do pouso, alguns delegados se aproximaram de Emidio para especular sobre a temperatura política em São Bernardo.

— E aí, como estão as coisas lá no sindicato? — quis saber um dos policiais.

O petista respondeu sem sorrisos:

— As coisas lá estão absolutamente tranquilas. Superadas essas demandas que eu trouxe, a prisão vai acontecer em clima de absoluta tranquilidade.

Ao ouvi-lo, a jovem delegada Izabella Mucida aproximou-se de Emidio com um tablet aceso nas mãos. Esguia, de óculos de grau e cabelos castanhos longos, escorridos pelos ombros, vestida de blazer e calças compridas azuis, a ex-chefe do Setor de Inteligência da PF de São Paulo e especialista em cibersegurança dirigiu-se secamente a ele, exibindo o tablet:

— Absoluta tranquilidade? Não tem nada tranquilo lá. Não é o que estamos vendo aqui, em tempo real.

Estatelado com o que a policial mostrava, Emidio aproximou os olhos do monitor, dividido em oito minitelas, nas quais podia ver, ao vivo e em cores, a febril movimentação no interior de todos os pavimentos do sindicato, inclusive no segundo andar, onde Lula se encontrava supostamente a salvo de câmeras. Sim, era aquilo mesmo que ele via: a Polícia Federal tinha infiltrado no sindicato não um nem dois, mas vários agentes, captando com lentes minúsculas — provavelmente presas a mochilas, buttons, bugs ou crachás — tudo o que lá ocorria. Imagens que eram acompanhadas em tempo real na Superintendência, em São Paulo. Um resumo do monitoramento feito pelos agentes infiltrados era periodicamente transmitido por telefone ao juiz Moro, em Curitiba.

Disney Rosseti interrompeu a conversa para informar que duas reivindicações de Lula não poderiam ser atendidas: àquela hora já não era possível operar no Campo de Marte, e o mau tempo fechara para pousos e decolagens o pequeno aeroporto de Bacacheri. Emidio endureceu o jogo:

— Então será preciso fechar para helicópteros civis o espaço aéreo de Congonhas e o do aeroporto Afonso Pena, em Curitiba. Sem isso não temos garantias de que a televisão não vá transformar a prisão num carnaval.

Enquanto o superintendente enfrentava mais uma rodada de telefonemas para resolver o novo problema, a delegada Mucida voltou à carga. Apontou o dedo para uma das telas do tablet, onde apareciam imagens do galpão térreo do sindicato, por onde Lula deveria sair:

— Olha o tumulto no sindicato: isso aqui está tomado de gente!

Emidio contemporizava, dizia que se comunicava por telefone com o sindicato a cada cinco minutos e que a situação estava sob controle. O que também impacientava e tirava o humor dos policiais era a corrida contra o relógio. O combinado era que a prisão seria feita às cinco da tarde. O problema, tentava explicar o petista, era que, além do atraso da celebração religiosa, Lula falara mais tempo que o esperado e em seguida decidira fazer, numa sala reservada, um almoço de despedida com os irmãos, filhos, noras, genro e netos presentes. E o almoço parecia não ter fim. Os policiais estavam cada vez mais inquietos e irritados. Depois de falar demoradamente com a direção do sindicato, Emidio propôs o adiamento do prazo para as sete da noite, duas horas a mais do que se acertara originalmente. Foi o superintendente quem deu o ultimato:

— O problema do fechamento do espaço aéreo em Congonhas e Afonso Pena está resolvido. Podem ir para São Bernardo. Mas se até as sete da noite o acordo não tiver sido cumprido, vamos invadir o sindicato e prender o ex-presidente Lula.

De terno azul-marinho, camisa branca e gravata, como a maioria dos colegas, o reservado professor de direito penal e delegado-chefe da operação, Rodrigo Costa, um barbudo de quarenta anos, pediu a Emidio que o acompanhasse na viatura oficial até São Bernardo, já que ninguém da equipe conhecia direito o emaranhado de ruas que levam ao prédio do sindicato. No estacionamento da Superintendência, no subsolo do prédio, o petista notou que o comboio composto dos cinco suvs pretos que transportariam o grupo, seria fechado por duas vans lotadas de agentes armados e com fardas camufladas. A caminho do abc Emidio percebeu que outros veículos, aparentes carros de passeio, de diversas marcas e cores e com placas particulares, também se incorporavam à caravana, orientados via walkie-talkies pelos delegados das primeiras viaturas da fila.

O cortejo serpenteou pela cidade rumo à Zona Sul a toda, furando sinais vermelhos e cortando veículos pela direita. Ao ver aqueles carros sem pintura na lataria, sem sirenes nem kojaks (os pisca-piscas coloridos que grudam nas capotas), qualquer circunstante diria tratar-se não de um comando policial em ação, mas de um bando de loucos fazendo racha em plena via pública. A correria parou no confuso trânsito da entrada do abc. Algumas viaturas se perderam do comboio e estacionaram nas vagas disponíveis em ruas próximas do sindicato.

Um disciplinado guarda de trânsito municipal, de bloco de multas nas mãos, tentou autuar uma das vans por estacionamento proibido, mas desistiu assim que o vidro escuro do veículo foi baixado e ele deu, de olhos arregalados, com dez passageiros fardados, armados de fuzis e usando gorros ninja.

O combinado entre Emidio e o delegado Costa era que os veículos sem a marca da Federal dariam cobertura à operação estacionados onde houvesse lugar, e somente dois suvs entrariam no enorme galpão fechado, pertencente ao sindicato mas com acesso apenas pela rua João Loto, uma viela sem saída nos fundos da sede, do lado oposto ao local onde estava o caminhão-palanque e a maioria dos manifestantes. O delegado ordenou que tudo fosse feito o mais depressa possível.

— Se levarmos mais de um minuto no meio dessa confusão — advertiu —, seremos reconhecidos e isso pode virar um problema.

A primeira parte da operação decorreu sem atropelos. Enquanto Emidio subia para buscar Lula no segundo andar, os delegados Rodrigo Costa e Izabella Mucida permaneceram no galpão térreo, acompanhados de um terceiro policial. Os demais ficaram do lado de fora do prédio, estrategicamente distribuídos em veículos camuflados. Bastaria Lula sair pelo portão gradeado do sindicato, atravessar a pé a estreita ruela e entrar no galpão, e o delegado Costa formalizaria a voz de prisão.

O estresse ressurgiu com um novo imprevisto. Lula já estava no estacionamento do sindicato, a poucos metros da saída, quando, informada pelo boca a boca de que ele deixaria o prédio pela João Loto, a multidão deu a volta pela rua lateral e se postou diante do portão por onde o ex-presidente sairia, esmurrando as grades e gritando:

— Cercar! Cercar! E não deixar prender!

— Não se entrega! Não se entrega!

Era impossível sair a pé. Alguém teve a ideia de colocar Lula num carro e tentar forçar a passagem entre as pessoas, vagarosamente, até o outro lado da viela, onde os federais o aguardavam. O veículo escolhido foi o que estava à mão: um Toyota Corolla prateado, que pertencia

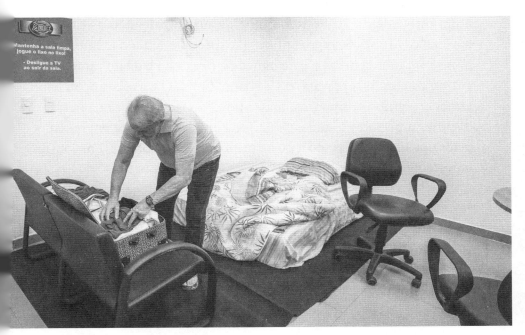

No quarto improvisado em que passou a última noite em liberdade, no subsolo do sindicato, Lula prepara a mala. A decisão está tomada: ele não resistirá à prisão, mas não se entregará: a Polícia Federal que venha a São Bernardo executar a ordem de Moro.

a um dirigente do PT. Vestindo uma de suas espalhafatosas camisas havaianas, Moisés Selerges enfiou o ex-presidente no banco de trás, junto com um segurança, e no banco da frente, ao lado do motorista, entrou o sempre engravatado Cristiano Zanin. O carro avançou lentamente alguns centímetros, mas o povo do lado de fora não estava disposto a permitir a saída. O alarido continuava, agora engrossado pelos que haviam deixado a porta principal e se aglomeravam contra o portão gradeado:

— Não se entrega! Não se entrega! Não se entrega!

Um pequeno grupo de diretores do sindicato, junto com Paulo Okamotto, o capitão Moraes e o sargento Misael Melo, ambos à paisana e armados, foi até o portão tentar parlamentar com os manifestantes e convencê-los a abrir passagem, já que o ex-presidente tinha decidido não resistir à prisão. Mal conseguiram abrir a boca. Seus apelos foram abafados pelos gritos, agora acompanhados de violentos solavancos contra a grade:

— Não se entrega! Não se entrega! Não se entrega!

Trepado num muro estreito, o fotógrafo Ricardo Stuckert disparava simultaneamente duas câmeras Canon, uma com a lente apontada para o ex-presidente Lula, dentro do carro, e outra para a multidão que sacudia o muro em que ele se equilibrava. O pesado portão de ferro gradeado, de dois metros de altura, acabou vindo abaixo, por pouco não esmagando Paulo Okamotto. Moraes decidiu que Lula não podia permanecer ali. Três paredes humanas de metalúrgicos parrudos, de braço dado, fizeram uma barreira para impedir que o povo invadisse o sindicato, enquanto Lula deixava o carro e voltava para o segundo andar.

Naquele momento o avião de carreira que levara Marcola discretamente para Curitiba pousava no aeroporto Afonso Pena. O voo de uma hora de duração fora um martírio. Levando apenas uma malinha de mão, o cientista social viu no fundo do avião e cumprimentou com um aceno os deputados federais petistas Luizianne Lins (CE) e Marco Maia (RS), que também se dirigiam a Curitiba, ocupou um assento

Protegido pelo metalúrgico Moisés Selerges (camisa estampada) e pelo capitão Moraes (atrás de Selerges, em segundo plano), Lula tenta deixar o sindicato para ser preso pela Polícia Federal, mas do lado de fora as pessoas fazem uma parede humana e o impedem de sair.

Entre Lula (de costas) e o delegado Rodrigo Costa, a delegada Izabella Mucida, especialista em cibersegurança e ex-chefe do Setor de Inteligência da PF de São Paulo. Da sede da Federal, na Lapa, era ela quem controlava por um tablet as imagens que os infiltrados da PF faziam clandestinamente dentro do sindicato.

nas primeiras fileiras e a última notícia que seu celular pôde captar foi uma manchete da internet: "Lula tenta se entregar e não consegue". Assim que o avião decolou, ele relaxou pela primeira vez. Desde quinta-feira, somadas, ele tinha dormido no máximo oito horas. Incapaz de controlar a emoção, chorou copiosamente. Chorou durante todo o tempo do voo, a ponto de chamar a atenção dos passageiros dos assentos vizinhos e das aeromoças. Duas ou três vezes teve que ir ao banheiro para lavar o rosto e tentar se recompor.

Do sindicato, Damous e Zanin decidiram se comunicar com Manoel Caetano, advogado da equipe de Lula em Curitiba. Foi Zanin quem falou com Caetano por telefone, sugerindo que ele ligasse para Moro e pedisse mais algum tempo de extensão do prazo para que o problema da saída de Lula pudesse ser solucionado. Minutos depois o advogado paranaense ligou de volta com más notícias:

— Nada feito. Falei com o Moro e ele está irredutível. Não moverá uma palha e exige que o prazo seja cumprido.

Já passava muito das seis da tarde. O delegado Costa — que vira, pelas imagens do tablet, o que acontecera do lado de fora do galpão onde estava — telefonou para o chefe da escolta de Lula:

— Moraes, só fico aqui até a hora combinada. Se até as sete em ponto a prisão não tiver sido efetuada, eu aborto a operação sob meu comando. E só volto depois que a tropa de choque da Polícia Militar limpar a área.

Não havia alternativa. A delegada Mucida, que assistira pelas imagens do tablet à derrubada do portão, ligou para Emidio:

— Derrubaram o portão, continuam gritando e agora parece que estão fazendo uma assembleia. O senhor não cumpriu o acertado. Vamos autorizar o Batalhão de Choque da PM a entrar!

O sereno dirigente petista tranquilizou-a e garantiu que antes das sete horas — ou seja, dali a dez minutos — Lula se apresentaria. Em seguida ele, Moraes, Okamotto, Selerges e a equipe de segurança do ex-presidente reuniram ali mesmo o maior número possível de pessoas para formar um corredor humano que permitisse a Lula atravessar a pé a compacta aglomeração da rua João Loto e chegar ao galpão do outro lado da calçada, onde os federais o esperavam, cada vez mais impacientes.

Tendo junto de si Moraes, as demais escoltas, Emidio e Selerges e cercado por algumas dezenas de metalúrgicos encarregados de abrir caminho, Lula desceu pelas escadas de terno cinza e camiseta azul-marinho, sem gravata. Com uma garrafinha de água mineral na mão, aparentava cansaço, não sorria para ninguém, mas andava de cabeça levantada. Ao ver a infinidade de câmeras que os aguardavam na rua, com refletores já acesos, o sargento Elias dos Reis começou a tirar o próprio paletó e o ofereceu a Lula:

— Presidente, tem fotógrafo e cinegrafista demais na rua. O senhor não prefere cobrir a cabeça?

Lula recusou a gentileza do militar:

— Não, Elias. Eu agradeço, mas não quero não. Eu não sou bandido pra esconder meu rosto.

Quando se aproximou do vão de onde fora arrancado o portão, o grupo percebeu que nem corredor nem parede humana ajudariam a atravessar a multidão de jornalistas e manifestantes, estes cada vez mais agitados. Alguém sugeriu que formassem uma cunha humana na frente do ex-presidente e da segurança, abrindo caminho, ainda que à custa de cotoveladas e joelhadas, para que ele cruzasse os cinco metros que o separavam da outra calçada. A salvo dos chutes e pescoções trocados à sua volta, Lula foi empurrado por entre os ativistas, que continuavam berrando, quase no seu ouvido:

— Não se entrega! Não se entrega! Não se entrega!

Eles agora pareciam mais agressivos, e começaram a atirar objetos no grupo que cercava Lula. Arremessada com violência, uma garrafa plástica cheia de água bateu de leve no rosto do capitão Moraes, deixando o ex-presidente preocupado:

— Machucou, Moraes? Te machucaram?

O militar respondeu que não, que tinha sido só um susto. Depois de instantes de enorme tensão, o grupo conseguiu chegar ao portão de ferro do galpão onde se encontravam os federais. Entraram Lula, sua escolta, Selerges, os negociadores Emidio e Sigmaringa e o advogado Zanin. Conforme o combinado, nenhum canal de TV ou de internet registrou o ato de prisão de Lula. As únicas imagens dessas cenas foram gravadas pelo fotógrafo Ricardo Stuckert. Um policial jovem, de terno azul-marinho, camisa branca e gravata escura, os esperava. Respeitoso e educado, levou Lula pelo braço até a porta do SUV preto onde se encontravam o delegado-chefe da operação, Rodrigo Costa, e a delegada Izabella Mucida. Moraes e Emidio entregaram formalmente o ex-presidente aos policiais. Com abraços demorados, Lula foi se despedindo dos amigos e auxiliares. Pela primeira vez nas últimas horas, parecia aliviado e recuperara até o bom humor. Quando Emidio, seu amigo de décadas, foi despedir-se dele, Lula não resistiu e provocou-o com uma risada:

— Pois é, Emidio. Agora que você me entregou para a polícia, vou ter que ir.

Esforçando-se para não chorar, o dirigente petista conseguiu simular um sorriso naquele momento dramático:

— Ô seu filho da puta, eu já estou me sentindo um merda, um bosta, e você ainda vem fazer piada?

O último a se despedir, o capitão Moraes parecia muito emocionado ao colocar Lula no banco de trás do veículo:

— Não se preocupe, presidente. Nós vamos buscar o senhor em Curitiba mais cedo do que se imagina.

Lula sentou-se no veículo, com a delegada Mucida de um lado e um agente federal do outro. No banco da frente iam o delegado que buscara o ex-presidente na porta e o motorista. No segundo SUV iam mais cinco delegados, todos de paletó e gravata — e todos armados. A saída pela estreita rua João Loto foi dificultada pelas pessoas que paravam diante dos carros, tentando impedir sua passagem. À medida que os dois SUVs pretos se afastavam do sindicato, outros veículos descaracterizados da Federal que haviam se espalhado pelas imediações incorporaram-se ao comboio, agora obrigado a usar escandalosas sirenes e kojaks para dispersar manifestantes e entrar em ruas na contramão.

No trajeto entre São Bernardo e a Polícia Federal, Lula viu de perto, como talvez jamais tivesse visto antes, a dimensão do ódio que tinha sido instilado em parte da sociedade contra ele e seu partido. Alertados pelo noticiário transmitido ao vivo por redes de TV, de rádio e pela internet, grupos anti-Lula se postaram no caminho por onde passaria a ruidosa caravana para insultar e tentar agredir o ex--presidente. De cima dos viadutos da rodovia Anchieta, por onde o comboio seguia, lançavam rojões sobre os veículos e atiravam paus, pedras, garrafas vazias e o que tivessem nas mãos. Igualmente atingidos pelos manifestantes, logo atrás, grudados nas duas viaturas policiais, iam o Omega e o Focus da equipe de Lula. No primeiro deles, além de Moraes e um dos sargentos da segurança, iam Cristiano Zanin e Sigmaringa Seixas. Na condição de advogado da equipe de defesa de Lula, Sig conseguira que a Federal autorizasse seu embarque com Lula e Zanin no voo para Curitiba.

Quando o cortejo entrou na sinuosa Hugo D'Antola, onde fica a sede paulista da Polícia Federal, a rua estava inteiramente tomada por manifestantes anti-Lula. Ao contrário do que costuma fazer nesses casos, a Federal não isolou o quarteirão para impedir o acesso dos ativistas. Muitos deles usando a camisa verde e amarela da Seleção Brasileira de Futebol, homens e mulheres com o rosto crispado investiam contra os veículos, disparando rojões à queima-roupa, quebrando antenas, limpadores de para-brisa e espelhos retrovisores, enquanto outros davam pontapés, pedradas e pauladas na lataria e nos vidros. Avançar com os carros em alta velocidade, para se livrar dos agressores e entrar logo no estacionamento da PF, significava passar por cima de dezenas de pessoas. A fúria dos populares deixou os que iam na caravana com os nervos à flor da pele. Era compreensível: à exceção de Lula, Zanin e Sigmaringa, todos os demais passageiros de todos os veículos estavam armados. Se um deles, qualquer um deles, decidisse reagir, ainda que defensivamente, estaria aceso o estopim para uma tragédia. Só a sorte explica que dali a minutos estavam todos a salvo e ilesos, no subsolo do prédio da Federal.

Numa sala reservada, um médico pediu ao ex-presidente que se despisse para que fosse realizado o exame de corpo de delito exigido por lei. Vinte minutos depois de chegar à PF, Lula já estava no helicóptero Bell 412 da corporação que o levaria a Congonhas, cujo espaço aéreo, tal como fora acertado, tinha sido fechado para pousos, decolagens e sobrevoos de helicópteros civis. Junto com ele embarcaram Zanin, Sigmaringa, delegados e agentes da Federal.

No aeroporto paulistano, um incidente quase encrespou a operação. Ao contrário dos colegas, sempre respeitosos com o ex-presidente e seus advogados, o mal-encarado delegado Jackson Rimac Rosales Allanic, de traços faciais indígenas, chefe do Caop (Comando de Aviação Operacional da PF), se dirigiu de maneira áspera a Zanin:

— Vamos ter que algemar o presidente.

Pela primeira vez viu-se o afável Cristiano Zanin elevar o tom de voz e responder com dureza:

— Nada disso! Não, senhor! Algemado ele não embarca. O senhor está violando o mandado de prisão, que veda expressamente a utilização de algemas em qualquer hipótese. Algemado o presidente não embarca.

O policial perdeu a parada, mas não a pose:

— Então levarei as algemas comigo durante o voo. Se for necessário elas serão utilizadas.

Zanin foi seco:

— Isso não será necessário, não acontecerá.

Às 20h45 o ex-presidente estava pronto para decolar rumo a Curitiba. Lula viajou na única aeronave descaracterizada disponível naquela noite, um monomotor turbo-hélice Cessna Grand Caravan cinza-claro, de matrícula PR-AAC, aparelho de aparência frágil mas considerado pelos pilotos como o "jipe do ar", pela robustez e segurança. Com vinte anos de uso pela Federal, o avião registrava apenas um incidente em seu histórico. Com um pneu murcho, em 2016 a aeronave fizera um pouso forçado em Campo Grande (MS), quando transportava US$ 2,4 milhões em dinheiro vivo, apreendidos com um casal dentro de um ônibus. Entre outros passageiros conhecidos, o PR-AAC já levara a bordo os políticos Delúbio Soares e João Cláudio Genu, também acusados pela Justiça, e o traficante de drogas Fernandinho Beira-Mar. E cinco meses depois da prisão de Lula, o mesmo Grand Caravan da Federal seria utilizado para transportar de Juiz de Fora, em Minas Gerais, para uma prisão de segurança máxima em Mato Grosso do Sul o pedreiro Adélio Bispo de Oliveira, acusado de esfaquear o candidato e futuro presidente da República Jair Bolsonaro.

O pequeno grupo se dividiu no interior do avião, que tem capacidade para dois tripulantes e nove passageiros, estes distribuídos em duas fileiras de poltronas grudadas às janelas, cinco no lado direito e quatro no esquerdo, deixando um vão para a porta de acesso ao aparelho. O delegado Allanic ocupou a primeira poltrona do lado direito, Lula sentou-se na segunda e logo atrás dele instalou-se Sigmaringa Seixas. Cristiano Zanin viajou na terceira poltrona da fila esquerda, separado de Sig pelo estreito corredor entre os assentos. No assento extra do vão da porta viajou o tempo todo um agente da Polícia Federal, de coturnos, farda de camuflagem e com o rosto coberto por um gorro ninja preto, levando nas mãos um fuzil HK417.

Quando o aparelho taxiava para pegar a cabeceira da pista, alguém sintonizado na mesma faixa de ondas ouviu — e logo vazou para as redes sociais — um trecho do diálogo entre os pilotos e a torre de Congonhas. "Leva e não traz nunca mais!", exclamou a voz não identificada. Pressionada pela imprensa, a Força Aérea Brasileira confirmou a autenticidade do vazamento, mas assegurou que a provocação não fora pronunciada por um controlador de voo. Com relação aos pilotos, a Aeronáutica manteve silêncio. Estes, no entanto, parecem inocentados pela lógica, já que ninguém diria a si mesmo "leva e não traz nunca mais".

Limitado à velocidade máxima de 350 quilômetros por hora, o Grand Caravan levou uma hora e quinze entre São Paulo e Curitiba.

Uma hora e meia de absoluto silêncio no interior do aparelho. O preso, seus acompanhantes e os policiais não deram um pio. A chegada ao aeroporto Afonso Pena transcorreu sem sobressaltos. Como em Congonhas, também ali o espaço aéreo havia sido fechado para helicópteros civis. Sempre acompanhado dos advogados e cercado por um nervoso vaivém de delegados e agentes federais, Lula entrou no helicóptero que o conduziria à sede da Superintendência da Polícia Federal onde, por decisão de Moro, começaria a cumprir a pena.

Quando o aparelho, voando baixinho, se preparava para pousar no heliporto do teto da PF, os passageiros puderam observar, na rua, um pelotão de choque reprimindo com violência os manifestantes que haviam se deslocado para o local para saudar o ex-presidente. Os lulistas tinham ficado encurralados de um lado pela tropa e do outro por enfurecidos moradores de Santa Cândida, o bairro de classe média alta onde fica a Superintendência da Federal. Do alto, supunha-se que era a Polícia Militar quem reprimia os manifestantes, mas na verdade eram homens da própria Federal. No fim da tarde o deputado federal Doutor Rosinha, então presidente do PT estadual, já se entendera pessoalmente com o coronel Péricles de Matos, da Polícia Militar, de quem conseguira a garantia de que a força não interferiria na chegada de Lula — o que de fato aconteceu. Da janela do helicóptero em voo rasante Lula pôde ver a pancadaria e muita gente ensanguentada. Foi sua última visão antes de ser encarcerado. Em resposta à violência de que foram vítimas, ativistas de vários movimentos sociais e sindicais decidiram instalar ali, na porta da Federal, a Vigília Lula Livre, onde acamparam e de onde prometeram só sair quando o ex-presidente fosse libertado.

Na hora em que o Grand Caravan decolava em Congonhas, num jatinho fretado pelo PT embarcaram a presidente Gleisi Hoffmann, Lindbergh Farias, Emidio de Souza, o assessor de imprensa de Lula, José Chrispiniano, o fotógrafo Ricardo Stuckert, o jornalista Ricardo Amaral e Otávio Antunes, do Instituto Lula. No entanto, embora tenham chegado a Curitiba meia hora antes do avião oficial, os passageiros do

Lula tenta sair do sindicato, mas a multidão derruba o portão de ferro, quase esmaga Paulo Okamotto e obriga o ex-presidente a retornar para só depois, protegido por um pelotão de parrudos metalúrgicos, deixar o local e receber voz de prisão.

Quando tudo parecia solucionado pacificamente, o policial Jackson Rimac Rosales Allanic tem um surto inesperado de valentia na escada do avião que voaria para Curitiba: "Vamos algemar o presidente". Como resposta, levou uma entortada do polido Zanin, advogado de Lula: "Nada disso! Não, senhor! Algemado ele não embarca!". Lula embarcou sem algemas.

jatinho não puderam se despedir do ex-presidente, tão rápidos foram os procedimentos de formalização da prisão.

Se entrasse pela porta principal da Superintendência, no andar térreo, e não pelo heliporto, Lula teria podido ver uma ironia materializada em bronze: uma placa de um metro de comprimento, afixada à parede de mármore, registra que o prédio em que estava sendo encarcerado fora construído em seu governo e inaugurado por ele em fevereiro de 2007. Nas seis amplas celas instaladas no primeiro andar do edifício encontravam-se cerca de quarenta presos. Alguns eram traficantes estrangeiros à espera de deportação, como o mafioso calabrês Domenico Pelle, da 'Ndrangheta, acusado de negociar cocaína com os membros da organização criminosa PCC (Primeiro Comando da Capital). Mas a maioria deles eram acusados de envolvimento na Lava Jato, alguns dos quais haviam feito delações premiadas contra Lula: Antonio Palocci, ex-ministro dos governos Lula e Dilma, o ex-diretor da Petrobras Renato Duque, os empreiteiros Marcelo Odebrecht, José Adelmário Pinheiro Filho, conhecido como "Leo Pinheiro", e Agenor Franklin, os dois últimos da OAS, Gerson Almada, da Engevix, Aldemir Bendine, ex-presidente do Banco do Brasil e da Petrobras, e os empresários Adir Assad e Jorge e Bruno Luz, pai e filho.

Levado diretamente ao segundo andar, Lula foi recebido pelo delegado Igor de Paula e pelo superintendente da Federal no Paraná, o magro, pálido e educado delegado Maurício Valeixo, e foi tratado com respeito e polidez pelos policiais. Para acompanhá-lo até a cela, junto com Zanin e Sigmaringa, Valeixo destacou outro delegado e o agente federal Jorge Chastalo Filho, um galalau louro de 45 anos e 1,83 metro de estatura, coordenador de escoltas e carcereiro-chefe da Superintendência da PF. Os cinco subiram um lance de escadas (os elevadores só chegam até o terceiro andar), caminharam alguns passos pelo corredor, e finalmente chegaram à cela.

Pela lei brasileira, algumas autoridades — entre elas os ex-presidentes da República — têm direito a cumprir pena no que chamam "salas de estado-maior". A que coube a Lula não tinha mais que 25 metros quadrados, com duas janelas gradeadas e de vidro opaco no alto da parede, uma cama de solteiro larga, um pequeno boxe com cortina plástica, chuveiro elétrico, pia e privada, uma mesa, quatro cadeiras e uma mesinha de cabeceira. Dormitório para agentes federais de passagem por Curitiba, o cômodo nunca fora usado antes como cela. Quando os policiais pediram a Lula que tirasse o cinto, os cadarços dos tênis e os cordões dos shorts, ele sorriu:

— Fiquem tranquilos, eu não vou me suicidar. Ainda tenho muita coisa a fazer pelo Brasil.

Zanin e Sig abraçaram-no, emocionados, e partiram. Exausto com o estresse dos últimos dias, o ex-presidente recusou os sanduíches que lhe ofereceu um carcereiro (o mesmo funcionário que o despertaria na manhã seguinte com café e pão com manteiga), tirou apenas o paletó e os sapatos, e nem chegou a desfazer a mala. Como costuma fazer sempre que dorme em algum ambiente desconhecido, Lula não apagou as luzes, mas ao deitar cobriu os olhos com uma dessas vendas utilizadas em voos noturnos. Assim, diz ele, se durante a noite quiser ir ao banheiro ou tomar água, evita o risco de sair no escuro, à cata de interruptores, e tropeçar em móveis e objetos.

Não rezou, não praguejou, não xingou ninguém. Desabou na cama e dormiu tranquilo, sem precisar recorrer a soníferos.

Adormeceu com a certeza de que, fosse por razões políticas ou jurídicas, em uma semana, dez dias, no máximo, estaria em liberdade.

5

Depois de enfrentar a vizinhança e a Polícia Federal, uma centena de pessoas passa 581 dias saudando Lula, que não as via, só ouvia.

Lula errou. Se soubesse o que estava por vir, no lugar do sono tranquilo teria tido pesadelos naquela primeira noite na cela da Superintendência da Polícia Federal, em Curitiba. O cubículo em que fora encerrado converteu-se em sua casa não por uma, como ele imaginava, mas por intermináveis 83 semanas de reclusão e isolamento do mundo exterior.

Na manhã seguinte, quando acordou, recebeu do carcereiro de plantão uma xícara de café com leite e um pão com manteiga. A "sala de estado-maior" que lhe coubera não permitia que ele tivesse visão da rua, onde 1500 pessoas vararam a noite — eram sindicalistas vindos de vários estados e militantes do Movimento dos Trabalhadores Sem Terra. No cruzamento de duas ruas asfaltadas, a trezentos metros da Polícia Federal, o grupo pintou no chão, com cal, uma enorme circunferência no meio da qual escreveram-se, também em letras gigantes, visíveis até de um prédio de dez andares, os dizeres "Praça Olga Benario", nome dado em homenagem à primeira mulher do líder comunista brasileiro Luís Carlos Prestes, judia morta numa câmara de gás na Alemanha nazista. Estava instalada a Vigília Lula Livre, por onde passariam personalidades de todo o mundo e que enfrentaria sucessivas encrencas com as autoridades policiais e com a vizinhança do Santa Cândida, bairro de classe média alta onde funciona a Superintendência da Polícia Federal do Paraná. Em revezamento permanente, durante os 581 dias em que Lula esteve na prisão, os organizadores da vigília não arredaram pé do local por um minuto sequer. Às vezes o grupo reunia duas, três dezenas de pessoas, mas em datas especiais — Dia do Trabalho, aniversário do ex-presidente, julgamento de algum recurso importante, dia de visita de um chefe de Estado estrangeiro — chegavam a mais de 2 mil as pessoas arranchadas no lugar.

Sem contar as dezenas de sindicalistas, empresários, economistas, estrelas do cinema, artistas e cantores do Brasil e do exterior, religiosos das mais diversas confissões, amigos pessoais, familiares e políticos brasileiros de todos os estados que por lá passaram durante as 83 semanas de prisão, visitaram Lula cinco ex-chefes de Estado estrangeiros, como Massimo D'Alema (Itália), Eduardo Duhalde (Argentina), Ernesto Samper (Colômbia), José "Pepe" Mujica (Uruguai), e um futuro presidente, o argentino Alberto Fernández, que interrompeu uma campanha presidencial difícil, foi à prisão em Curitiba e de lá saiu usando o boné vermelho com o dístico "Lula Livre"; dois prêmios Nobel da Paz, o indiano Kailash Satyarthi e o argentino Adolfo Pérez Esquivel; os políticos estrangeiros Cuauhtémoc Cárdenas (ex-governador do Distrito Federal do México), Jean-Luc Mélenchon (deputado pelo partido França Insubmissa e ex-candidato à Presidência da França, quando obteve quase 20% dos votos), o economista argentino Juan Grabois, representante do papa Francisco (impedido pela PF de visitar Lula e entregar-lhe um rosário abençoado pelo pontífice "por não se tratar de dia de visitas religiosas"), Laurence Cohen (senadora comunista francesa), Martin Schulz (deputado social-democrata alemão) e Roberto Gualtieri (deputado italiano do PD e membro do Parlamento Europeu); e, ainda, os dirigentes sindicais Richard Trumka (presidente da AFL-CIO, o maior sindicato de trabalhadores dos Estados Unidos), Pepe Álvarez (UGT, Espanha), Sharan Burrow (secretária-geral da Confederação Sindical Internacional) e Stanley Gacek (sindicalista norte-americano).

Embora a imprensa brasileira pouco ou nada publicasse sobre a vigília — ainda que lá pudessem estar desde pensadores como Noam Chomsky a artistas de Hollywood, como Danny Glover —, a atividade eletrizante que se desenrolava nas barbas da Polícia Federal transfor-

LOCAL DA VIG[...]

No caso de Lula, a "sala de estado-maior" a que tem direito, por lei, todo ex-presidente da República que é encarcerado, era, na verdade, uma úmida e sombria quitinete. Construída sob a laje do heliporto da Polícia Federal, a cela onde Lula passou 581 dias não tem mais que 25 metros quadrados, com duas janelas gradeadas e de vidro opaco no alto da parede. Montadas como venezianas, não permitem a vista da rua (onde se instalara a vigília), mas apenas de uma nesga de céu e algumas folhas do alto da copa das araucárias.

Estas duas serão, aparentemente, as únicas fotos da cela de Lula feitas no período em que ele esteve preso. Foto tomada de costas para as janelas e com o fotógrafo ajoelhado sobre a cama. Os únicos móveis do local são a mesa e as cadeiras, a cama, uma cômoda, uma mesa de cabeceira. O espaço à esquerda do guarda-roupa era usado por Lula para depositar a roupa a ser lavada ou para empilhar os livros já lidos para serem levados de volta. Na parede atrás do guarda-roupa há um banheiro com pia, vaso sanitário e um chuveiro elétrico protegido por uma cortina de plástico. Semanas depois de ser preso, Lula recebeu de seus advogados um cooler para fazer as vezes de geladeira, uma TV plana com entrada USB mas sem acesso a canais pagos e uma esteira ergométrica. Ao ver a cela por fora, um jornalista que visitou Lula exclamou: "Pensei tratar-se do canil da Polícia Federal".

mou a Vigília Lula Livre, em poucas semanas, em objeto da curiosidade de viajantes e acabou sendo incluída nos sightseeings dos ônibus de turistas que visitavam a capital paranaense. Todas essas características haveriam de converter a vigília, mais que num ponto de protesto contra uma prisão arbitrária, num espaço internacional de manifestações de descontentamento e inconformismo contra iniquidades que ocorriam no Brasil e em várias partes do mundo.

Da cela onde tomava seu primeiro e frugal café da manhã, na segunda-feira, dia 9 de abril de 2018, Lula não conseguiria ver nada disso, impedido pelas janelas opacas e gradeadas, do tipo veneziana, que só lhe ofereciam a visão de uma nesga de céu e de um pedaço da copa das araucárias do terreno onde a vigília se instalaria durante seu confinamento.

A nove quilômetros dali, no modesto e sombrio hotel Petras, contemplado com imerecidas quatro estrelas, a presidente do PT, Gleisi Hoffmann, reunia na mesma segunda, numa sala alugada, a direção nacional do partido e o grupo que já estava em Curitiba desde a hora da prisão. Quando a porta da cela de Lula foi fechada, no fim da noite de domingo, o grupo, cansado e derrotado, fora todo para o Petras. As pessoas se sentiam quebradas e tensas. Muitos ali estavam sem dormir fazia três dias. Gleisi assumira o comando:

— Vamos todos tomar um banho, comer e dormir, que amanhã cedo conversamos.

Ali seria o QG não só do PT, mas dos ativistas, assessores, fotógrafos, advogados e seguranças do ex-presidente, mais alguns dos juristas do autodenominado Grupo Prerrogativas — ou apenas Prerrô —, para decidir o que fazer para que a permanência de Lula na prisão fosse a mais curta possível. Dois singulares personagens se incorporaram ao círculo mais próximo do ex-presidente, os advogados Luiz Carlos da Rocha, 62 anos, e Manoel Caetano, 65. Primos de primeiro grau, ambos filhos de pais nordestinos e respeitados pela elite jurídica paranaense, Rocha — o "Rochinha" — era comunista desde que nasceu, filho de pai comunista perseguido pela ditadura e membro do

Quatro dias após a prisão de Lula, os manifestantes do PT e do MST do Paraná, principalmente, batizaram de "Praça Olga Benario" a esquina mais próxima do setor da Federal onde Lula estava preso. Com o passar do tempo a praça mudou de lugar, para que Lula pudesse ouvir os "Bom dia! Boa tarde! Boa noite!", e se juntou a outras iniciativas, criando o que ficou conhecido em todo o Brasil como Vigília Lula Livre (abaixo, na celebração do dia Primeiro de Maio).

Comitê Central do PCB. Manoel Caetano "nascera" politicamente no MST, movimento do qual jamais se separaria. Acabaram se juntando no PT. Por uma dessas peculiaridades da formação brasileira, apesar de terem folhas corridas tão assustadoras para um estado conservador como o Paraná, Rochinha, com doutorado na Itália, apreciador de vinhos, era dono de rendosa banca de advocacia, que atendia a grandes corporações do estado e de fora dele; Manoel Caetano fizera carreira acadêmica e era professor doutor de direito da Universidade Federal do Paraná. Mais que primos, pareciam irmãos xifópagos de alma gêmea e cara diferente. E, pelas mesmas idiossincrasias paranaenses, conseguiram ser — ou ter sido — amigos de Sergio Moro e do ministro Edson Fachin, o ferrabrás da Lava Jato.

Ambos haviam sido recrutados por Roberto Teixeira, amigo de Lula e sogro de Cristiano Zanin. Fazia anos que Teixeira os conhecia e foi a eles que recorreu para representar Zanin e Valeska em Curitiba, convocação que os dois velhos esquerdistas aceitaram de bom grado, contra uma só exigência: trabalhariam pro bono, sem cobrar um centavo. Ao contrário, se fizerem as contas do que gastaram para oferecer a Lula um dia a dia minimamente seguro e confortável, a soma seria por certo muito alta. Já constituídos como advogados do ex-presidente, passariam a ter o direito legal de visitá-lo quantas vezes quisessem, a qualquer dia da semana, respeitados os horários também previstos em lei — das 8h às 19h — e excluídos os sábados, domingos e feriados, já que Lula cumpria pena não numa prisão comum, mas numa repartição pública que fechava as portas no horário comercial.

O primeiro a visitar o preso foi Manoel Caetano, que só o conhecia do noticiário. Ao dar com a porta encostada, pediu ao carcereiro Jorge Chastalo Filho que a abrisse para ter o primeiro contato com o cliente. Lula havia tomado o café da manhã e voltara a dormir. Caetano deu com ele encolhido na cama, em posição fetal, encostou silenciosamente a porta e disse ao carcereiro que preferia esperar no corredor externo até perceber que ele tinha despertado. Quando Lula acordou, o advogado entrou, apresentou-se respeitosamente, e ficaram os dois a conversar sobre o processo, a prisão e trivialidades. No fim da manhã apareceu o parceiro de Caetano, Luiz Carlos da Rocha, que também se apresentou. Como de hábito, Lula perguntava muito. Descobriu que os dois eram primos-irmãos e se espantou com a coincidência de que Rochinha nascera em Buíque, cidade do agreste pernambucano a sessenta quilômetros de Caetés, sua terra natal.

As visitas de Rochinha e Caetano nunca sofreram nenhuma limitação por parte dos carcereiros. A permanência de Lula na prisão ficou sob os cuidados de um grupo que variava entre oito e dez policiais federais do Núcleo de Operações, chefiados por Jorge Chastalo, que fez mais sucesso com o público pela aparência física do que pelo fato de comandar a carceragem de um ex-presidente da República. Inteligente, bem informado e polido, mas pouco dado a conversas e sorrisos, no final da tarefa, quando Lula foi libertado, Chastalo, que já chegara ao topo da carreira, foi destacado como adido policial do Brasil em Lima, no Peru, onde vive hoje com a mulher e as duas filhas adolescentes. Além de Chastalo, outro carcereiro de quem Lula se aproximou foi Paulo Rocha Gonçalves Jr., o "Paulão", um negro sorridente, de estatura física igual ou superior à do galã seu colega.

À direita da porta de saída da cela de Lula se revezavam dois ou três outros agentes, sentados diante de um monitor de vigilância, cujas câmeras asseguravam a visão e o controle de qualquer pessoa que quisesse ter acesso ao pavimento onde o ex-presidente ficava. Junto do monitor, um televisor permitia que o tédio do trabalho não fosse tão grande — já que o serviço de controle funcionava 24 horas por dia, todos os dias. Uma porta no fim do corredor dava para um espaço aberto — com muros altos, mas sem teto. Um lugar de aparência sinistra que dava a impressão de ser um canil abandonado. Até então ali era o fumódromo, onde os policiais tabagistas se encontravam para um cigarrinho. Com a chegada de Lula à Superintendência o espaço retangular de aproximadamente três metros por dois, com um volume de concreto no meio, semelhante a uma caixa-d'água, converteu-se na área onde ele desfrutava do banho de sol diário, previsto por lei.

Durante todo o período em que esteve preso, não se passou uma semana sem que Lula recebesse a visita de um político ou de uma personalidade estrangeira. Acima, o ex-premiê italiano Massimo D'Alema e o ex-governador do Distrito Federal do México Cuauhtémoc Cárdenas, filho do célebre general Lázaro Cárdenas.

O ex-presidente uruguaio Pepe Mujica, que passou catorze anos preso. Abaixo, o ator norte-americano Danny Glover, velho amigo de Lula e do Brasil.

Alberto Fernández abandonou uma campanha dificílima na Argentina para vir a Curitiba em seu nome e da sua vice, Cristina Kirchner, visitar Lula — mesmo sabendo que a viagem era um prato cheio para seus adversários de direita. Veio e ganhou a eleição.

Richard Trumka, presidente da AFL-CIO, a maior central operária dos Estados Unidos, e Pepe Álvarez (de megafone), presidente da União Geral de Trabalhadores da Espanha.

O teólogo Leonardo Boff, o prêmio Nobel da Paz Adolfo Pérez Esquivel e o ex-chanceler Celso Amorim, visitas frequentes aos atos da vigília.

Mesmo quando não estava de plantão, Chastalo não abandonava o walkie-talkie permanente conectado com os aparelhos portáteis dos carcereiros que se revezavam na porta da cela.

Lula, que nunca fora exatamente um sedentário, aproveitou o tempo da prisão para se exercitar. Além das tiras de borracha para exercícios peitorais, conseguiu que Rochinha comprasse para ele uma esteira de ginástica, usada, que semanas depois teve que ser trocada por outra, nova.

— Rochinha, acho que você comprou essa esteira num desmanche — reclamou o ex-presidente. — Para fazê-la funcionar sou obrigado a apoiar um dos pés no chão, como se andasse de patinete.

Sorridente, o advogado providenciou a troca — sem jamais aceitar que o partido ou Zanin o reembolsasse por despesa alguma. A julgar pelas declarações gabolas que Lula fazia aos amigos que o visitavam, a atividade física parecia estar dando resultados.

— Virei um senhor muito jovem — repetia com um sorriso maroto. — Tenho 72 anos do ponto de vista biológico, energia de trinta anos e tesão de vinte anos.

Uma das primeiras atividades do grupo do hotel Petras foi visitar a vigília. A vizinhança já estava incomodada com a presença daquela multidão de estranhos zanzando pelas ruas de calçadas cuidadosamente gramadas do bairro Santa Cândida. Em poucas semanas conseguiram que as autoridades municipais obtivessem um mandado de reintegração de posse de área pública — o que, teoricamente, matava a vigília. Uma vaquinha realizada às pressas entre sindicalistas, militantes do MST, advogados e ativistas políticos transformou o problema numa solução ainda melhor que a ideia original. Alugaram um terreno baldio bem em frente ao prédio da Polícia Federal e, poucas horas depois de assinado o contrato de locação, cerca de 1200 pessoas se dividiram para pôr ordem no local. Com a experiência de ocupações, em poucas horas o pessoal do MST ergueu em parte do terreno uma barraca gigante, uma cozinha coletiva e uma banca de café. Além do terreno, "o coletivo", como eles se autodenominavam, alugou, a cinquenta metros

Luiz Carlos da Rocha e Manoel Caetano chegaram à cela de Lula como advogados locais, contratados pela defesa do ex-presidente. Recusaram a remuneração e insistiram em trabalhar pro bono — de graça. Com o passar do tempo viraram anjos da guarda de Lula, depois amigos. Hoje os três se consideram irmãos.

da vigília, um sobrado com quartos para quem precisasse pernoitar e uma garagem transformada em estúdio de internet onde um grupo de voluntários gravava as imagens mais importantes do dia na vigília, editava e gerava o material captado para toda a rede mundial.

Como não podiam mais reclamar da presença física dos ativistas, os moradores dos casarões do Santa Cândida registraram uma queixa na polícia, alegando que as cantorias viravam as noites, impedindo o sono e o descanso das pessoas. O prefeito de Curitiba, Rafael Greca (DEM-PR), acatou a reclamação e propôs a aplicação de multa diária de R$ 500 mil às infringências das posturas municipais. Dois vizinhos registram boletins de ocorrência denunciando "manifestantes do PT, CUT e MST por estarem invadindo as ruas onde moram" e pedindo o fim da "perturbação do sossego, com barulho o dia todo, e festas à noite, com consumo de bebidas alcoólicas e drogas". A vigília acabaria fazendo um acordo com a fiscalização municipal e com a Polícia Militar: a Lei Municipal do Silêncio seria rigorosamente respeitada, dentro dos limites de 45 decibéis das 22h às 7h. Mas os manifestantes não abririam mão de algo que se tornaria uma tradição até o último dia da prisão de Lula: todos os dias, às 9h, às 14h30 e às 19h, os acampados repetiriam treze vezes, em coro: "Bom dia, presidente! Boa tarde, presidente! Boa noite, presidente!". O tratado de paz não impediu que, semanas depois, o vizinho Gastão Schefer, delegado da Polícia Federal de 45 anos, quebrasse a pontapés, durante o dia, as caixas de som que amplificavam a voz dos simpatizantes. O policial escapou de ser linchado por intervenção de seguranças da própria vigília, e foi detido em seguida por perturbação da ordem. Candidato a deputado federal pelo PSL (o então partido de Bolsonaro) nas eleições de 2018, Schefer recebeu modestos 4670 votos, ficando na 111ª suplência. Transferido para a cidade gaúcha de Caxias do Sul, Gastão Schefer viria a falecer no dia 9 de agosto de 2021 — segundo a Polícia Federal, suicidou-se.

Aparentemente pacificadas, as visitas a Lula eram determinadas por um calendário rigoroso. As tardes das segundas-feiras, das 16h às

17h, eram reservadas às visitas de lideranças religiosas. No período em que esteve preso, Lula recebeu padres, frades, monges budistas, pastores evangélicos, religiosos islamitas, rabinos e pais de santo. Eventualmente, mediante autorização da juíza da Vara de Execuções Penais, Carolina Lebbos, lideranças políticas nacionais poderiam visitá-lo às terças. Conhecida pela má vontade com Lula, a juíza Lebbos proibiu que oito deputados federais da Comissão de Direitos Humanos da Câmara Federal vistoriassem as condições em que se dava o cumprimento da pena. Derrubada pelo ministro Fachin, do STF, a decisão da juíza caiu por terra e a Comissão acabou sendo recebida pelo ex-presidente. Foi também a juíza Lebbos que impediu que dois amigos de Lula — o jornalista Mino Carta e o autor deste livro —, que já tinham visita agendada e já se encontravam em Curitiba, pudessem vê-lo, alegando que as entrevistas do preso à imprensa estavam proibidas. Isso mesmo depois de saber que nenhum dos dois o visitaria na condição de jornalista. Filhos e netos do ex-presidente podiam ficar com ele às quintas-feiras das 9h30 às 12h e das 13h30 às 16h. Em pelo menos uma dessas visitas a família recebeu autorização para almoçar com ele.

Quando os familiares não utilizavam toda a quinta-feira nas visitas, parte do dia era destinada a visitantes estrangeiros. E foi numa quinta, dia 21 de junho, após a visita do ex-presidente uruguaio José "Pepe" Mujica, que Lula recebeu uma notícia que se converteria numa crise de bom tamanho entre seus defensores. O advogado Zanin, titular da defesa do ex-presidente, impetrara junto ao STF um pedido de habeas corpus, mais um, para que Lula fosse libertado. Sem que nenhum dos dois — Lula e Zanin — fosse consultado, o jurista José Paulo Sepúlveda Pertence, que também fora constituído advogado pelo réu, aditou ao HC de Zanin um requerimento para que Lula pudesse responder ao processo em liberdade. Esse privilégio, na "jurisprudência" firmada pela Lava Jato, implicava, caso fosse concedido, a aplicação de uma tornozeleira eletrônica na canela do réu. Apesar de ser velho amigo de Lula, o respeitado octogenário Sepúlveda Pertence ignorava, aparentemente, que o ex-presidente preferia ver o capeta a ouvir falar nestas duas alternativas: prisão domiciliar e tornozeleira. Ele deixara isso muito claro no dia 7 de abril, no discurso pronunciado na porta do sindicato, em São Bernardo, horas antes de ser preso.

E até antes disso. No dia 3 de dezembro de 2016, dois anos e quatro meses antes de ser preso, Lula voava para Santiago de Cuba em companhia de um pequeno grupo que participaria do funeral do presidente Fidel Castro. Em meio às oito horas de viagem, quando se começou a falar da Lava Jato, um dos dez passageiros do avião executivo fez-lhe a pergunta cuja resposta todos os demais pareciam querer saber:

— Presidente, se o juiz Moro decretasse sua prisão e decidisse que o senhor poderia recorrer em liberdade, desde que usando tornozeleira eletrônica, o senhor concordaria?

A reação de Lula foi espantosa. Possesso, seu rosto ficou vermelho, com as veias do pescoço saltadas, como se estivesse para infartar. Com o cinto de segurança preso à cintura, o que o impedia de movimentar-se livremente, o ex-presidente esmurrava os braços da poltrona, com os punhos cerrados:

— Se o Moro quiser colocar tornozeleira em mim, vai ter que mandar cortar minha canela antes! E se ele juntar dez marmanjos para me segurarem e prenderem a tornozeleira contra minha vontade, vou à oficina da primeira esquina, pego um alicate e arranco ela fora! Sabe por quê? Porque eu sou inocente! E também não aceito prisão domiciliar. O Moro que vá colocar tornozeleira na canela da mãe dele! Na minha, jamais, porque eu sou inocente!

A ex-presidente Dilma Rousseff, os líderes populares João Pedro Stédile e Guilherme Boulos e os demais passageiros permaneceram em silêncio. O clima de velório começou antes que se chegasse ao túmulo de Fidel. Não se falou mais no assunto no resto da viagem. A crise interna da defesa de Lula provocada pelo incidente criado pelo requerimento de Pertence — feito, evidentemente, com a melhor das intenções — trazia à tona, na verdade, uma guerra de egos que já se estendia por meses. Muitos dos grandes nomes da advocacia e do direito afirmavam, sotto voce, que Cristiano Zanin, que ainda

Monja zen-budista Sensei Coen, missionária oficial da tradição Soto Shu, com sede em Tóquio: "Lula é digno. Incomoda porque é honesto, correto e pensa em todos".

Rabino Jayme Fucs, do Kibbutz Nachshon, de Israel (ao centro), depois de visitar o ex-presidente: "É impressionante a força que Lula tem. Na situação que está, isolado em uma cela, tem uma força enorme. Ele sabe que não está sozinho. Estão com ele, naquela cela, simbolicamente, milhões de brasileiros".

Pastor Ariovaldo Ramos, da Frente de Evangélicos pelo Estado de Direito: "Esperava ver um homem marcado pelo que vivemos hoje no Brasil e vi um Lula com força, certo de que o povo voltará a ter esperança".

não completara quarenta anos, era um calouro que trabalhava com direito processual, sem intimidade alguma com o direito criminal. Havia mais: quase unanimemente, sussurravam que Zanin só fora escolhido para defender Lula por ser casado com a advogada Valeska Teixeira, sua sócia e filha de Roberto Teixeira, o velho amigo de Lula. Passada a "crise da tornozeleira", e no final do processo, com a vitória de Lula, até os juristas que tinham apoiado a iniciativa de Pertence, muitos deles ligados ao grupo Prerrogativas, tiveram de concordar que, mesmo vindo de um noviço em direito criminal, a estratégia de enfrentamento de Zanin, sempre por orientação do ex-presidente, havia sido a mais correta.

No início da manhã de 8 de julho, um domingo, os assessores, seguranças e advogados de Lula e toda a direção nacional do PT começaram a se convocar uns aos outros, com urgência absoluta, para uma reunião no QG improvisado no hotel Petras: Lula seria imediatamente libertado por decisão do desembargador federal Rogério Favreto, de plantão naquele fim de semana no TRF4 (Tribunal Regional Federal da 4ª Região), com sede em Porto Alegre. O juiz decretara a libertação atendendo ao pedido de habeas corpus impetrado pelos deputados petistas Wadih Damous (RJ), Paulo Pimenta (RS) e Paulo Teixeira (SP). Tratava-se de uma medida tão inacreditável que ao ser convocado por Marcola, o assessor do ex-presidente, para ir à Superintendência da PF e buscar Lula, o advogado Manoel Caetano reagiu com ceticismo e bom humor:

— Vamos à Federal tirar o presidente? Cadê minha metralhadora, porra?

Minutos depois já estavam dentro da cela, com o mandado de soltura nas mãos, além de Caetano e Rochinha, o deputado Damous e o carcereiro Paulão. Pimenta ficou na portaria, com o carro ligado, esperando para se arrancar dali com o ex-presidente tão logo ele descesse, e Paulo Teixeira estava a caminho de Curitiba. Lula olhou com ar de desconfiança para o grupo. Foi Damous quem comunicou a ele a decisão de Favreto:

— Presidente, viemos tirar o senhor daqui.

Em vez de festejar, Lula parecia ter relaxado. Depois soube-se que ao ver o grupo dentro da cela, num domingo, àquela hora, ele imaginou que estivessem lá para comunicar-lhe a morte de Vavá, seu irmão mais velho, que já se encontrava tomado por um câncer terminal. Ao ouvir os detalhes da decisão judicial, ele respondeu calmamente, com uma pergunta:

— Vocês vieram me soltar, mas quanto tempo vou ficar lá fora?

Diante do espanto generalizado, continuou:

— Meus caros, não se iludam. Isso é uma liminar de um juiz de plantão. Vai ser revogada amanhã, segunda-feira. Não posso entrar num avião aqui e ao chegar em São Paulo me dizerem: entra de volta, você está preso.

Enquanto Chastalo e Paulão preparavam a mala de Lula, certos de que em seguida ele seria libertado, o grupo, ao qual se incorporara o capitão Moraes, chefe da escolta de Lula, desceu para o segundo andar para entregar o mandado de soltura ao superintendente. Na ausência de Maurício Valeixo, quem respondia pela Polícia Federal paranaense era seu substituto, o delegado Roberval Vicalvi. Com uma batata quente nas mãos, o policial remanchou, ofereceu café, rodeou, rodeou... Mas a insistência de todos era legítima: tratava-se de uma indiscutível decisão de um juiz — com autoridade legal superior à de Moro, que, aliás, estava em férias — a respeito da qual não cabia interpretação, mas cumprimento. Damous, Caetano e Rochinha batiam pesado: não havia o que discutir, a ordem era para libertar o preso, mas o desnorteado Vicalvi tentava relativizar:

— Sim, sim, é um preso. Mas não se trata de um preso qualquer. É o Lula que estão mandando soltar.

Até os carcereiros Chastalo e Paulão tiveram que intervir:

— Senhor diretor, aos carcereiros compete cumprir a lei. Se um desembargador mandou soltar o preso, nossa obrigação legal é levá-lo até a catraca e colocá-lo na rua.

Naquele nervoso entra e sai, alguém apareceu com uma novidade:

— O dr. Moro ligou dizendo que tem que esperar antes de soltar.

A decisão não pode, segundo ele, ser de um desembargador, mas do pleno do TRF4.

Enquanto não se tomava uma resolução — e Lula esperava na cela, tranquilamente —, o juiz relator do caso no TRF4 optou por revogar a decisão de Favreto. Os procuradores da Lava Jato, assustados com a possibilidade de ver seu troféu de guerra escapar entre os dedos, mobilizaram o que foi possível. Já eram duas da tarde quando Favreto resolveu que a decisão do relator era inconstitucional e que Lula devia ser libertado imediatamente, sob pena de punição de todos os envolvidos, do superintendente da PF até os carcereiros responsáveis por sua guarda. Foi Chastalo quem procurou Lula na cela para desabafar:

— Presidente, o senhor tem que ir embora, não podemos ficar com o senhor aqui, senão a corda vai arrebentar na nossa mão.

Lula quis saber o que aquilo significava:

— Porra, mas quanto tempo eu vou ficar lá fora?

O carcereiro respondeu, desapontado:

— Não sei, mas o senhor permanecer aqui é ilegal.

— Então vou para a casa do dr. Rocha tomar um vinho e amanhã volto para cá e você não terá nenhuma responsabilidade nisso.

Já estava escurecendo quando o presidente do TRF4, desembargador Carlos Eduardo Thompson Flores Lenz, determinou que Lula permanecesse preso, anulando a decisão que fora tomada pelo desembargador Favreto. O ex-presidente tinha razão. Decididamente, ele não iria dormir em São Paulo.

Mas o tiro de misericórdia ainda estava por vir.

No dia 31 de agosto, em sessão extraordinária de mais de dez horas de duração, seis dos sete ministros do TSE (Tribunal Superior Eleitoral) votaram por proibir a candidatura de Lula à Presidência da República, com base na chamada "Lei da Ficha Limpa", deixando-o fora da eleição. A corte decidiu ainda que o PT teria dez dias corridos para substituí-lo por outro nome. Enquanto isso não fosse efetivado, o partido não poderia fazer campanha nem utilizar seu tempo no rádio e na TV para promover Lula — nem mesmo na internet. O favorito, dizia-se, era o ex-prefeito paulistano Fernando Haddad, registrado como vice, que deveria assumir a cabeça da chapa. Nos termos do voto do relator, Luís Roberto Barroso, que foi acompanhado pela maioria, a decisão do plenário do TSE era a palavra final sobre a candidatura e passava a valer imediatamente, mesmo que a defesa recorresse ao próprio tribunal ou ao Supremo Tribunal Federal.

Nem só de amargores, porém, se desenrolaram as centenas de dias de prisão. O extenso e difícil cotidiano de Lula na cadeia costumava ser quebrado por episódios curiosos e às vezes anedóticos. Num 26 de julho, aniversário da Revolução Cubana, alguém se lembrou de levar para ele um pen drive com "Guantanamera", a célebre música cubana de Joseíto Fernández à qual foram adaptados versos de José Martí. A velha televisão que Lula encontrara na cela havia sido aposentada por Rochinha e Caetano não apenas pela idade, mas também pela suspeita de que pudesse conter algum bug ou câmera filmadora em seu interior, que captasse conversas e imagens da cela. No lugar dela os dois advogados instalaram uma TV de LCD, moderna e equipada com entrada USB. E foi dela que começaram a sair os primeiros acordes de "Guantanamera".

Con los pobres de la tierra
Quiero yo mi suerte hechar
El arroyo de la sierra
Me complace más que el mar
Guantanamera, guajira guantanamera
Guantanamera, guajira guantanamera

Feliz, Lula pôs-se a cantarolar e dançar pela cela, no que foi seguido por amigos, advogados e até pelos carcereiros — isso num cubículo de pouquíssimos metros quadrados. Situação semelhante já havia ocorrido no dia 25 de abril, aniversário da Revolução dos Cravos, em Portugal. Alguém levara de presente para Lula um pen drive com a música de José Afonso, "Grândola, vila morena", que serviu de senha para que os militares se amotinassem em todo o país, pondo fim à ditadura salazarista. Antes que comecem as primeiras notas, a gravação traz o áudio com o som de coturnos militares batendo cadencialmente no chão. Quatro anos antes Lula estivera em Lisboa como convidado especial para as festividades do quadragésimo aniversário da Revolução de Vinte e Cinco de Abril. Na prisão, ao ouvi-la, Lula se pôs de pé e saiu pela cela dando pisadas fortes de tênis no chão — tum! tum! tum! —, acompanhando o som dos coturnos, e cantando:

> *Grândola, vila morena*
> *Terra da fraternidade*
> *O povo é quem mais ordena*
> *Dentro de ti, ó cidade*

Atrás dele, cantando e batendo os pés no chão, em fila indiana, seguiram carcereiros, seguranças, advogados e amigos que lá se achavam para o que seria uma visita como outra qualquer. Antes que José Afonso encerrasse o último verso da música-símbolo, estavam todos chorando.

Noutra ocasião, numa tarde destinada a visitas de religiosos, um padre conseguiu ocultar, em algum lugar, sob sua batina, um pequeno frasco de água benta — e passar com ele pela revista da catraca de entrada. As policiais encarregadas das vistorias costumavam ser mais rigorosas com pessoas que pudessem trazer objetos pontiagudos ou cortantes e acabaram deixando passar o religioso com seu vidrinho. Durante a visita o padre chamou Lula num canto, enfiou a mão por baixo da sotaina negra e, sorridente, entregou-lhe o misterioso presente, quase cochichando no ouvido do preso:

— Presidente, esta é a melhor cachaça do Nordeste. Foi colhida na cabeça do alambique especialmente para o senhor. Beba devagarzinho, para que ela dure algumas semanas.

Lula simulou emoção, agradeceu o presente e, encerrada a visita, chamou o carcereiro:

— Chastalo, por favor, guarde essa garrafa em algum armário ou depósito da Federal. Aqui dentro é proibida a entrada de bebidas alcoólicas e isso pode trazer problemas para o pessoal da revista, lá na catraca, para vocês e para mim. Mas não jogue fora. Guarde que eu vou bebê-la com o pessoal da vigília no dia que sair daqui.

Não eram apenas as bebidas alcoólicas que deixavam Lula com a pulga atrás da orelha. Uma tarde os dois advogados curitibanos apareceram com um presente de Adriana França, casada com Rochinha: um enorme queijo francês, embalado numa caixa redonda. O presente viera acompanhado de um brinde do fabricante, um facão especial para ser usado no corte das fatias. O queijo subira para a cela, mas o facão ficara retido pelas moças da revista, na catraca. Diz o povo que gato escaldado tem medo de água fria, e Lula sabia disso. Delicadamente agradeceu a gentileza do presente, mas pediu que ele fosse repartido entre o pessoal da vigília:

— Muito obrigado pela lembrança. Mas por causa de um pedaço de queijo de cabra, francês, o ex-governador Sérgio Cabral perdeu o direito a qualquer privilégio na prisão de Gericinó, no Rio. Até o banho de sol dele foi cortado. Não levem a mal, mas não posso correr riscos.

Os dois entenderam a preocupação e desceram com o queijo que faria a festa do pessoal da vigília. Na saída do prédio da Federal, Manoel Caetano pegou de volta o facão e atravessou a pé os poucos metros que o separavam da vigília. Para sua surpresa, ao cruzar o pequeno trecho empunhando o facão francês, foi recebido com gritos e gargalhadas dos acampados:

— Olhem só! Foi ele! Foi o dr. Caetano que sangrou o milico e veio aqui se exibir para a vigília! Bravos, dr. Caetano! Isso é que é um macho de verdade!

Só então é que se soube que minutos antes, em Juiz de Fora, Minas Gerais, a mil quilômetros dali, um cidadão anônimo, aparentemente um desequilibrado mental, acabara de esfaquear o candidato da extrema direita a presidente da República, o deputado federal e ex-militar Jair Bolsonaro. Segundo as pesquisas eleitorais, Bolsonaro era o principal adversário de Lula nas eleições de outubro daquele ano. Sim, porque, mesmo preso, Lula mantivera sua decisão de se candidatar a presidente nas eleições de outubro, quando se encerraria o mandato-tampão de Michel Temer, adquirido após o golpe contra Dilma Rousseff. A pesquisa de opinião pública mais recente, realizada pelo instituto Datafolha, dava a Lula grande vantagem sobre Bolsonaro. Pelo Datafolha de 22 de agosto, Lula contava com 39% das intenções de voto; Bolsonaro (PSL), 19%; Marina Silva (Rede), 8%; Geraldo Alckmin (PSDB), 6%; e Ciro Gomes (PDT), 5%.

O que podia entrar à vontade eram livros, dos quais Lula passou a ser um voraz consumidor. Ou títulos indicados por amigos ou dicas que ele recebia nas cartas, formavam uma pilha de livros já lidos, cuidadosamente depositada — Lula dá a impressão de ser obsessivamente organizado com as coisas à sua volta — no canto, atrás do guarda-roupa, a qual subia com rapidez de surpreender os visitantes que retornavam à cela depois de algumas semanas. O ex-presidente abrira mão do direito à remissão da pena em troca de cada livro lido. E não se envergonhava de perguntar a algum dos advogados o significado de uma expressão ou palavra, como fizera certa vez com Rochinha:

— Dr. Rocha, me explique uma coisa: o que é essa história de pauta identitária?

Para poupar amigos e visitantes, encomendou dois excelentes instrumentos de informação: um bom dicionário de português e um grosso atlas nos quais conseguia, sozinho, resolver as dúvidas que surgissem durante a leitura de uma obra — podia ser um romance, uma biografia, um áspero ensaio acadêmico. Mas o que mais interessava era a história das revoltas populares que haviam eclodido no Brasil desde a chegada dos portugueses e que eram escamoteadas dos currículos escolares.

Às vezes visitas de pessoas formais acabavam gerando surpresas não só para o povo acampado na Vigília Lula Livre, mas para a opinião pública em geral. Em meados de maio de 2019 Lula recebeu o renomado economista Luiz Carlos Bresser-Pereira, ex-ministro dos governos Sarney e Fernando Henrique Cardoso. Dois dias depois, em sua página no Facebook, Bresser publicou um resumo de seu encontro em Curitiba:

— Na última quinta-feira eu visitei Lula. Ele está em ótima forma física e psíquica. Sua grande preocupação agora é com a defesa da soberania; com a união dos brasileiros para defender o Brasil e seu povo contra isso que está aí. Sua maior demanda é a de ter reconhecida sua inocência.

No final do parágrafo e perdida em meio a temas políticos nacionais, o economista cometeu uma inesperada "inconfidência", com cara de declaração en passant mas que tinha toda a aparência de ter sido combinada com o preso:

— Lula está apaixonado e seu primeiro projeto ao sair da prisão é se casar.

O namoro de Lula fora mantido em segredo durante um ano e quatro meses. No dia 23 de dezembro de 2017, havia sido inaugurado, com festa e feijoada, o campo de futebol Doutor Sócrates Brasileiro — nome escolhido em homenagem ao falecido craque do Corinthians, petista e lulista declarado —, construído junto à Escola Nacional Florestan Fernandes, do MST, no município de Guararema, no interior de São Paulo. A principal atividade era uma partida de futebol entre o time Amigos do Chico Buarque, e um misto de homens e mulheres que juntava, além de Lula e Stédile, dezenas de artistas e militantes políticos. O prélio, apitado pelo jornalista Juca Kfouri, terminou empatado por 5 a 5.

Foi ali que Lula conheceu e se apaixonou pela socióloga Rosângela da Silva, de cinquenta anos, uma morena bonita, de longos cabelos castanhos, sorridente, petista de carteirinha que há dezesseis anos trabalhava em Curitiba, na sede da Itaipu Binacional. "Janja", como é chamada pelos amigos, era encarregada, na empresa brasileiro-paraguaia, da supervisão social dos assentamentos de famílias residentes em cidades que tiveram que se mudar após a instalação da hidrelétrica multinacional. O projeto do casamento anunciado por Bresser-Pereira acabou sendo adiado em virtude da campanha de Lula para presidente da República, decorrente da anulação dos processos contra ele e da restituição de seus direitos políticos. Embora pretendam casar de papel passado o mais breve possível, desde que Lula foi posto em liberdade ele e Janja vivem juntos numa casa alugada em São Bernardo do Campo.

Apesar dos raros momentos de alegria e brincadeiras, o ex-presidente tinha um grosso e cascudo pepino para descascar na prisão. Como ele fora impedido de concorrer pelo Tribunal Superior Eleitoral, acusado de incurso na "Lei da Ficha Limpa", o partido dispunha de escassos dez dias corridos para registrar o candidato que o substituiria na cabeça da chapa, sob pena de não disputar a eleição majoritária. De dentro da cela, o ex-presidente nunca deixou absolutamente claro quem seria seu candidato, mas para os poucos confidentes com quem conversou, ele tinha na cabeça três nomes, nesta ordem: o senador Jaques Wagner, da Bahia, o ex-prefeito de São Paulo, Fernando Haddad, e a senadora Gleisi Hoffmann, presidente da executiva nacional do PT. Cada um tinha seus prós e contras, mas sem outras alternativas, era daquela trinca que sairia o nome que enfrentaria Bolsonaro nas urnas. Este, por sua vez, tirou partido eleitoral da facada de Juiz de Fora: em menos de um mês, suas intenções de voto subiram 63%, dando um salto de 19% para 31% dos eleitores que apoiavam sua candidatura.

O primeiro convocado a Curitiba para o consistório eleitoral foi o senador baiano. Além dele, participaram do encontro mais dois ou três dirigentes do partido — nem Haddad nem Gleisi estavam presentes. Lula entrou direto no assunto:

— O candidato à minha sucessão está entre nós, aqui nesta cela.

Ninguém falou nada, e Lula, sem rodeios nem narizes de cera, abriu o jogo, chamando Wagner pelo apelido com que o trata:

— E aí, Galego? Você não fala nada? O candidato é você.

Com seus olhos profundamente azuis, pele queimada de sol e cabelos que dão sempre a impressão de quem acabou de sair do banho, o senador não parecia um carioca criado na Bahia, mas uma velha raposa mineira:

O economista Luiz Carlos Bresser-Pereira (ao lado de Celso Amorim) anuncia ao povo da vigília, em maio de 2019: "Tenho uma novidade para vocês. O Lula está apaixonado e pretende se casar assim que for colocado em liberdade".

O namoro de Lula com Rosângela da Silva, a Janja, vinha sendo mantido em segredo fazia meses. Os dois se conheceram e se apaixonaram no dia da inauguração do Campo Doutor Sócrates Brasileiro, do MST, quando o time de Lula e de Chico Buarque empatou com um combinado organizado pelo MST, do qual faziam parte, além de artistas, ativistas e apoiadores do movimento.

— Presidente, o senhor sabe que seria uma honra substituí-lo nessa disputa, mas talvez eu não esteja preparado para alçar esse voo.

Lula avançou na jugular do amigo de tantos anos:

— Galego, você ainda está longe dos setenta anos [na época Wagner tinha 67]. Foi petroleiro, sindicalista, deputado, secretário de Estado, se elegeu governador da Bahia duas vezes seguidas, no primeiro turno, enfrentou e derrotou o império do ACM, elegeu seu sucessor no primeiro turno, foi ministro da Casa Civil, ministro de Relações Institucionais, do Trabalho, da Defesa... Porra, Galego, quem no Brasil tem um currículo como o seu? Só falta ser presidente.

A conversa inconclusiva deixara claro que o baiano pretendia disputar o mandato de senador, para o qual se elegeria "sem sair de casa", como dizem os políticos, e não estava interessado em incluir em seu currículo uma derrota de tal dimensão. Como a estrada da política costuma ser um interminável cipoal, se Wagner tivesse sido o escolhido Lula certamente iria enfrentar forte oposição na base de seu próprio partido, já que o baiano nunca escondera que seu nome preferencial para a candidatura à Vice-Presidência seria Ciro Gomes — o temperamental cearense cujo fígado metade dos petistas queria comer.

De toda forma, a decisão final recaiu sobre o economista e professor Fernando Haddad. Embora tivesse sido surrado pelo noviço e elitista João Doria, na tentativa de se reeleger prefeito de São Paulo (as urnas deram 53% para Doria e 16,7% para ele), Haddad tinha formação, carisma e prestígio suficientes para não se converter naquilo que os norte-americanos chamam de forma depreciativa de *lame duck* — ou "pato manco", o político que perde uma eleição majoritária mas insiste em permanecer na vida partidária. Era natural, portanto, que fosse ele o escolhido, e não Gleisi. Além de ter se revelado uma leoa na tribuna do Congresso, durante as discussões do golpe contra Dilma, ela vinha, na opinião de Lula, dirigindo de forma exemplar o partido num dos piores períodos da história do PT.

— Não se mexe em time que está ganhando — declarou o ex-

-presidente —, então o melhor é que a Gleisi permaneça na direção nacional do partido.

Ao se decidir por Haddad, Lula chamou-o a Curitiba, quando tiveram um breve diálogo:

— O candidato será você.

— Bom, se for pra cumprir uma missão, eu aceito.

— Ótimo, então eu vou fazer um esboço da carta anunciando o seu nome e aí a gente torna a decisão pública.

Assim como tinha empurrado até a undécima hora a decisão de desistir da candidatura — e só o fez ao ser compelido pelo TSE —, Lula não teve tanta pressa em escrever o copião da carta pública. A renitência era compreensível, em ambos os casos, e foi ela que só o levou a desistir quando não havia mais tempo nem meios legais de sustentar a candidatura. Na sua cabeça — não só no inconsciente, mas era algo de que ele falava sem rodeios — a renúncia, mesmo sob coerção legal, poderia soar como algo que jamais admitira ou admitiria: o reconhecimento de culpa. Permanecer candidato até o fim, como ele e muitos amigos defendiam, seria mais uma demonstração objetiva, palpável, de que era inocente.

— Ao desistir da candidatura, abri mão do meu mais importante instrumento de defesa — desabafou ao advogado Manoel Caetano. — Naquele momento assinei minha sentença de morte eleitoral.

O problema era que sustentar essa posição implicava tirar do jogo o PT, uma agremiação com trinta anos de vida, quase catorze anos no poder e o segundo maior partido de esquerda do mundo em número de filiados — 1,5 milhão —, só perdendo para o monumental Partido Comunista Chinês, que abarca 95 milhões de membros.

Depois de passar por várias mãos e com o documento pronto para ser tornado público, o ex-presidente decidiu que, em vez de distribuí-lo para os meios de comunicação, blogs, sites, rádios e TVs, o ideal era que ele fosse lido na porta da PF, na Vigília Lula Livre. Todos estavam de acordo até que surgiu mais um espinho: quem o leria? Gleisi? O próprio Haddad? Algum dos líderes do partido na Câmara ou no Senado? Sábio, Lula escolheu alguém que não fazia parte de tendências, não tinha pretensões eleitorais e era, certamente, de todos os que o cercavam, um dos mais antigos e fiéis amigos: o advogado Luiz Eduardo Greenhalgh. Ao saber disso, o "Mococa" disse ao próprio Lula que a tarefa deveria ser atribuída a Gleisi, afinal era ela a presidente do partido. Lula bateu o pé, disse que não mudaria de opinião e pediu a Greenhalgh que fosse pessoalmente até o hotel Petras, onde se encontrava a executiva nacional do partido, para comunicar sua decisão à direção do PT. À exceção de Gleisi, a reação não podia ter sido pior: todos os demais achavam que não tinha sentido um documento de tal relevância ser lido por alguém que, embora fosse fundador e fizesse parte da executiva do partido, não tinha a expressão política nacional para segurar aquela tarefa. O advogado voltou à cela de Lula e revelou a ele que, como temia, a rejeição era quase unânime. O ex-presidente foi curto e grosso:

— Volta lá, diz que a decisão é minha e não se fala mais nisso.

No meio da tarde do dia 11 de setembro, diante de uma pequena multidão de jornalistas, militantes, ativistas e de todos os que se encontravam de plantão na vigília, Greenhalgh, de paletó marrom, pulôver preto e camisa polo vermelha, cofiou a basta bigodeira grisalha, ouviu o breve discurso de Gleisi Hoffmann e começou a ler a carta de Lula, todos no palanque montado na porta da Polícia Federal. À sua volta podiam-se ver a ex-presidente Dilma Rousseff, o casal Ana Estela e Fernando Haddad, Gleisi Hoffmann, o senador fluminense Lindbergh Farias, o deputado Paulo Pimenta e a deputada do PCdoB gaúcho Manuela d'Ávila. Intitulado "Carta de Lula ao povo brasileiro", o documento de sete páginas foi lido em treze minutos.

Encerrados os aplausos, Greenhalgh passou o microfone para o novo candidato a presidente da República, Fernando Haddad, que falou durante cerca de dez minutos:

Sinto a dor de muitos brasileiros e brasileiras que vão receber hoje a notícia de que não vão poder votar naquele que gostariam de ver su-

Doutor Rosinha, Fernando Pimentel, Wellington Dias, Ana Estela, Lindbergh Farias, Haddad, Manuela d'Ávila, Gleisi Hoffmann, Dilma Rousseff e Paulo Pimenta ouvem Luiz Eduardo Greenhalgh ler a carta em que Lula, proibido de disputar a eleição para presidente, anuncia que seu substituto na chapa será o ex-prefeito de São Paulo, Fernando Haddad.

bindo a rampa do Palácio do Planalto e liderar o país a partir de 1º de janeiro. É uma dor sentida pelo povo mais pobre deste país, que sabe o que representaram os nossos governos do ponto de vista da história, de uma história tão cruel, de uma história tão injusta, de uma história que penalizou tanto e por tantos anos dois terços do povo brasileiro. [...] Nós vamos ganhar essa eleição, pelo Lula, pelo PT, pelo PCdoB, pelos movimentos sociais e pelo Brasil, porque o Brasil merece essa vitória.

Os dados estavam lançados, mas os fados não pareciam sorrir para o Partido dos Trabalhadores. A pesquisa publicada na véspera pelo instituto Datafolha afirmava que, se a eleição fosse realizada naquele dia, Bolsonaro teria 24% dos votos e Fernando Haddad não chegava a dois dígitos, obtendo apenas 9% das preferências do eleitorado.

Cartas do cárcere

Durante os 581 dias em que esteve preso em Curitiba, Lula recebeu 35 mil cartas de admiradores anônimos de todo o Brasil — cerca de sessenta cartas por dia. Nas mais de trezentas que escreveu a Marcola, há orientações políticas, agendas a serem cumpridas e muito estímulo à luta democrática. Este, por sua vez, escreveu 482 para Lula, quase sempre em resposta às que recebera. Os números não incluem as quinhentas cartas escritas por Lula à namorada, Janja, nem as quinhentas escritas por ela — sim, quinhentas de cada um. Nem uma a menos ou a mais. Aqui estão algumas das cartas escritas por Lula. As dirigidas a Janja (e respectivas respostas) não foram liberadas pelo casal.

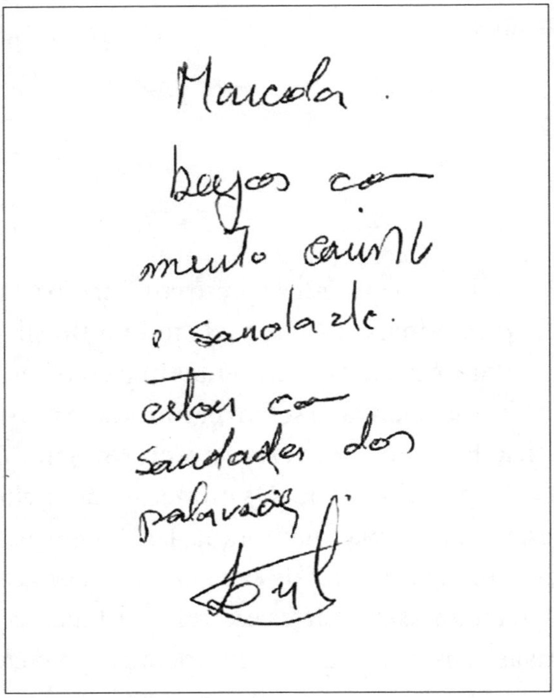

Marcola.

beijos com
muito carinho
e saudade.

estou com
saudades dos
palavrões

Lu

Primeiro bilhete de Lula para Marcola (17/04/2018).

Querido Moraes, Moura,
Carlão - Rodrigo - Ricardo
Azevedo Mirael Elias.
quero que voces tenham
tranquilidade e cuidem das
familias

quero agradecer o Moura e
Elias que vão para São Paulo.
portudo que fizeram esta
semana.

Moraes. qualquer problema
me chame estou as ordens.
mesmo estando preso.
Sem voces eu não seria o
que sou. abraço do Lula.

Carta para o capitão Valmir Moraes e demais membros da sua escolta (18/04/2018).

Queridos e Queridas companheiros
Vocês são o meu grito de liberdade
todo dia, Se eu não Tivesse feito
nada na vida e Tivesse construído
eu vocês essa amizade. Já me
faz um homem realizdo. Por
Vocês valeu a pena nascer. e por
Vocês valerá a pena-Morrer Lula

Bilhete para a Vigília, lido por Gleisi Hoffmann (01/08/2018).

Querido Fernando
Parabéns pelo depoimento e pelo enfrentamento ele se comporta com se fosse superior é preciso colocar repeito e você foi muito bem. estou orgulhoso do meu Biografo não do Lula mas de nossa luta e do nosso governo.

A luta continua até a vitória final

beijos para Família

Bilhete para o autor deste livro, após ser interrogado pelo então juiz
Sergio Moro sobre as palestras de Lula no exterior (03/06/2018).

DOM SEG TER QUA QUI SEX SÁB
DOM LUN MAR MIÉ JUE VIE SÁB
☐ ☐ ☐ ☐ ☐ ☐ ☐ ___/___/___

Querida Beth Carvalho

Fiquei sabendo que você está
internada, e fiquei muito triste
porque se tem uma pessoa, que
passou a vida inteira fazendo
alegria para os brasileiros, foi
você querida Beth,

E também você faz parte de
um grupo seleto de artistas
que nunca teve medo de
definir o lado que você estava.
Você foi aliada do nosso saudoso
e querido Brizola, e esteve
comigo em muitos momentos
importantes.

Quero de coração dizer
que TE Amo como ser humano,
maravilhosa mulher, e Deusa
do Samba.

Beth estou torcendo!
beijos Lula

Carta para a artista Beth Carvalho, então hospitalizada. Beth faleceria
de infecção generalizada em abril de 2019 (10/01/2019).

Querido Marcola, Nicole
Crispiniano e Stuckinha.

O julgamento de ontem
já era esperado. Não acabou
minha cabeça e nem a
minha vontade de continuar
lutando.

A minha prisão é Política
só sai daqui com Política
e não com ações Jurídicas
portanto nada de desanima
temos uma Batalha
longa e dura pela frente.

Eu estou com toda disposição
e lutar. Tenho vitalidade, saúde
e muito Tesão para livrar
o Brasil do mál que
tomou conta do País

Carta para Marcola, sua mulher Nicole, Chrispiniano e Stukert no dia em que o STJ mantém a condenação de Lula e reduz sua pena para oito anos e dez meses (24/04/2019).

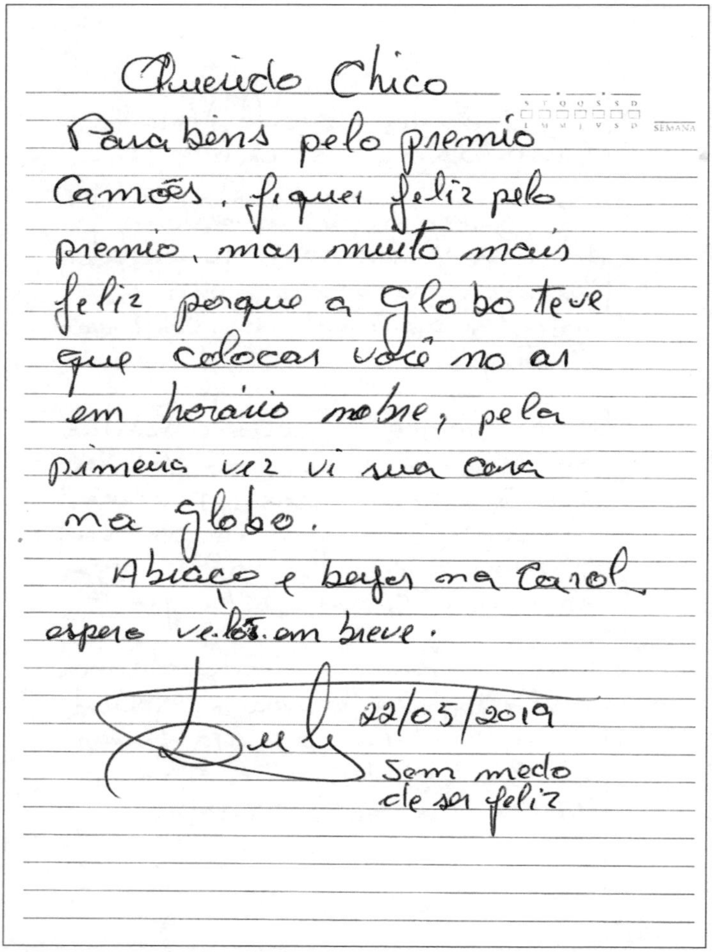

Querido Chico

Parabéns pelo prêmio Camões, fiquei feliz pelo prêmio, mas muito mais feliz porque a globo teve que colocar você no ar em horário nobre, pela primeira vez vi sua cara na globo.

Abraço e beijos na Carol, espero ve.los. em breve.

22/05/2019

Sem medo de ser feliz

Chico Buarque recebe o prêmio Camões e Lula debocha: "A tv Globo teve que colocar você no ar, em horário nobre" (22/05/2019).

> Querido Amigo
> Agnaldo Timóteo
> Fiquei sabendo do seu
> problema de saúde, este
> bilhete é para dizer que
> estou torcendo pela sua
> recuperação.
> Tenha Fé e Acredite
> que Deus esta olhando
> por você.
> Sorte Amigo
> que Deus lhe Abençõe
> 28/05/2019

Internado após um AVC, o cantor mineiro Agnaldo Timóteo faleceria em abril de 2021, aos 84 anos, contaminado pela covid (28/05/2019).

Queridos Marcola e Nicolas

Espero que vocês tenham passado bem o final de semana.

1º Marcola alguns lembretes - o Mauro Lopes já fez 16 aulas sobre retratos do Brasil, eu só recebi 8. gostaria que você pudesse falar com ele e pedisse todas em sequência.

2º Eu gostaria de receber uma analise de conjuntura das pessoas que mandavam antes Genoino, Franklin, Gleisi, Emir Sader, e algumas pessoas de fora. alguns sindicalistas, alguns intelectuais, alguns deputados. MST. MSST. contag. CUT, sei que é dificil mais não custa tentar gostaria de ouvir a opinião do Paulo Okamoto, aliás, acho que ele esta precisando um aqui.

3º Marcola se as pessoas não puderem escrever pode ser uns dez minutos ms PEU Drive.

Em carta para Marcola e Nicole, uma lista de tarefas políticas e um pedido: quem não tiver tempo para escrever, que grave a fala num pen drive (08/07/2018).

Marcola bom dia prá você e Nicole.

Diga ao Mauro Lopes que assisti a aula sobre a revolução de 1817.

Gostaria de tirar algumas dúvidas,

1º O Pooho não fala do Padre Roma ele parece que era pai do Abreu e Lima O Padre Roma foi morto na frente do Abreu e Lima, que foi para os EUA depois para a Venezuela, vilou amig. do Bolivar durante longo período

O Chavez admirava o General Abreu e Lima (brasileiro não sei se era filho do Padre Roma.

Parece que um dos primeiro texto sobre socialismo foi do Padre Roma.

Tente verificar p/ favor

eu não tenho como!

Pelo que sei o Chaves nunca me falou. Mas o Abreu e Lima, ficou enamorada de uma sobrinha de Bolivar, e por isso veio embora para o Brasil!

Pesquise por favor.

Lula pede informações a respeito das relações entre o general Abreu e Lima, Simón Bolívar e o Padre Roma (31/07/2019).

Ao Povo Brasileiro

Não Troco minha dignidade pela minha
Liberdade.

Tudo que os procuradores da Lava Jato
realmente deveriam fazer é pedir desculpas ao
Povo Brasileiro, aos milhões de desempregados e
à minha família, pelo mal que fizeram à
Democracia, a Justiça e ao país.

Quero que saibam que não aceito
barganhar meus direitos e minha Liberdade
Já demonstrei que são falsas as
acusações que me fizeram. São eles e
não eu que estão presos às mentiras que
Contaram ao Brasil e ao Mundo.

Diante das arbitrariedades cometidas
pelos Procuradores e por Sergio Moro, cabe agora
à Suprema Corte corrigir o que esta errado,
para que haja Justiça Independente e impar-
cial. Como é devido a Todo cidadão.

Tenho plena consciência das decisões
que tomei nesse processo e não descansarei
enquanto a verdade e a Justiça não
voltarem a prevalecer.
Curitiba 30/09/2019

Carta aberta em que rejeita o benefício da progressão de pena (30/09/2019).

Querido amigo Alberto Fernandez

Parabéns pela eleição na Argentina, peço que transmita um grande Abraço para a companheira Cristina e a todo povo da Argentina. Agradeço de coração, a solidariedade que vocês têm demonstrado a mim e ao povo brasileiro.

A América Latina pouco a pouco vai reemcontrando seus laços de fraternidade e respeito.

Desejo que vocês façam uma boa governança e cuidem com muito carinho dos nossos irmãos e irmãs Argentinos.

Boa sorte pra você e Cristina Que Deus mantenha seu Amor na ajuda ao Povo Pobre da Argentina

Que o Papa Francisco siga ajudando o querido Povo Argentino.

Abraços do seu amigo de Sempre

29/10/2019.

sem medo de ser feliz

Lula celebra a vitória do amigo Alberto Fernández, eleito presidente da Argentina. Fernández interrompera uma campanha difícil, em seu país, para visitar Lula na prisão (29/10/2019).

6

Vermelho, o hacker, escancara as portas do inferno e o STF sepulta Moro e a Lava Jato. Lula sai da cadeia candidato a presidente do Brasil.

A paúra parecia ter tomado conta dos petistas e dos setores progressistas brasileiros quando saíram as primeiras pesquisas com o nome de Haddad substituindo o de Lula. Enquanto aparecia como candidato, Lula beirava os 40%, quase o dobro das intenções de voto pró-Bolsonaro. A entrada de Haddad não conseguiu fazê-lo sequer atingir os dois dígitos — enquanto Bolsonaro, tirando todo o proveito possível da facada de Juiz de Fora, subia a cada enquete eleitoral, fosse ela do Datafolha, do Ibope ou dos institutos regionais. Mas o susto durou pouco. Nas semanas seguintes o ex-prefeito de São Paulo mostrou que tinha pique e disposição e começou a subir, e se aproximou cada vez mais de Bolsonaro. A distância que separava o ex-capitão do candidato de Lula ainda era grande, variando entre 10% e 15%, conforme o instituto de pesquisa ou a metodologia adotada, mas o risco de que a fatura fosse liquidada no primeiro turno por Bolsonaro parecia cada dia mais remoto.

A arena da disputa, diferentemente do que o eleitorado brasileiro estava habituado a ver, não era mais a televisão nem os debates entre os candidatos, mas a internet. E aos olhos do cidadão comum, os bolsonaristas pareciam dominar o campo digital com larga vantagem sobre os petistas. Sem absolutamente nenhum escrúpulo ou senso de medida, a campanha fizera uso, ao extremo, das chamadas fake news — o novo nome para a velha mentira, cascata, chute.

Quanto mais a campanha avançava, maiores eram as semelhanças entre os métodos adotados por Bolsonaro e as táticas utilizadas dois

anos antes, nos Estados Unidos, na campanha presidencial norte-
-americana. Naquela disputa, o milionário republicano Donald Trump
derrotou a democrata Hillary Clinton, ex-secretária de Estado de Barack Obama e casada com o ex-presidente Bill Clinton. Ficou famosa
a "notícia", multiplicada aos milhões, nas redes sociais dos EUA, de que
Hillary promovia orgias sexuais com crianças quando ocupava a Casa
Branca. Os repórteres que se aventuraram a apurar a origem da informação descobriram que ela "teria sido" reproduzida de uma pequena
nota num jornal do interior do país — um jornal que já não existia na
época em que Hillary e Bill Clinton ainda eram adolescentes. Quando
a história foi desmentida pela imprensa e pela campanha democrata,
milhões e milhões de eleitores já tinham sido envenenados pela fake
news. Em alguns comitês de Trump eram distribuídas gratuitamente
camisetas estampadas com uma enorme foto de Hillary ao lado de uma
única palavra, impressa em letras gigantes: PUTA. Para o eleitorado mais
pudico, a palavra "puta" era substituída por "Procurada pela polícia".

A pesada artilharia disparada contra Fernando Haddad, no Brasil,
parecia um decalque da estratégia adotada com sucesso por Trump
nos Estados Unidos. Centenas de milhares de cards eram postados nas
redes sociais afirmando que o ex-prefeito de São Paulo iria distribuir às
creches de todo o país as chamadas "mamadeiras de piroca", nas quais
a chupeta era substituída por um pênis de borracha. Uma cartilha de
educação sexual para jovens, se o candidato do PT fosse eleito, seria
incluída no currículo escolar oficial, instruindo meninas e meninos
sobre as melhores formas de se converterem ao "homossexualismo".
Segundo a campanha bolsonarista, Haddad defendia o incesto e, se
virasse presidente, legalizaria a pedofilia. Milhões de postagens publicadas em sites e blogs apócrifos exibiam uma fotomontagem da
candidata a vice na chapa de Haddad, a jovem gaúcha Manuela d'Ávila,
dirigente do Partido Comunista do Brasil, vestida com uma camiseta
que tinha no peito os dizeres "Jesus é travesti".

O mistério que explicava tão grandes semelhanças entre a vitória
de Trump e a campanha de Bolsonaro foi decifrado pelo próprio Zero

Três, apelido à la caserna pelo qual o opositor de Haddad trata um de seus filhos, o escrivão de polícia e deputado federal por São Paulo (embora viva no Rio de Janeiro) Eduardo Bolsonaro. No auge da campanha, em agosto, Zero Três publicou nas suas redes sociais uma foto em que aparece em Nova York abraçado a seu novo guru, o controvertido estrategista político americano, o sessentão Steve Bannon. Vários livros foram publicados nos Estados Unidos e no Brasil com retratos dele, mas *Fogo e fúria*, do jornalista norte-americano Michael Wolff, que revela os bastidores da campanha de Trump, contém o que talvez seja o mais fiel perfil de Bannon.

Antes de se converter em figura de expressão internacional, Bannon dirigia o Breitbart News, site de extrema direita financiado e difundido por neonazistas, supremacistas brancos, antissemitas e nacionalistas radicais. Ao exumar os podres da folha corrida de Bannon, os jornais americanos encontraram suas impressões digitais, entre outros delitos, na venda de informações, pela empresa Cambridge Analytica, de perfis pessoais do Facebook para traçar eleitores e influenciá-los virtualmente a votar em Trump.

Mas foi seu desempenho no Breitbart que levou Trump a recrutá-lo para o estado-maior de sua campanha, onde ocuparia o disputado posto de estrategista-chefe. Gorducho, de baixa estatura, rosto suarento, cabelos desgrenhados e o único malvestido de uma turma que só usava ternos da londrina Savile Row, com frequência Bannon era humilhado publicamente pelo chefe, no meio das reuniões. "Steve, acho que você devia tomar banho pelo menos uma vez por semana", costumava dizer-lhe o futuro presidente dos Estados Unidos. Trump descobriu logo no começo da campanha que ele não era apenas um cara de má aparência. Isso ficou claro quando Bannon fez uma brevíssima exposição ao staff do candidato a respeito do rumo a ser tomado por Trump:

— A campanha está a caminho da derrota porque estamos enganando os norte-americanos com o mesmo discurso e as mesmas promessas de qualquer candidato à Casa Branca.

Em visita ao estrategista-chefe da campanha de Donald Trump, Steve Bannon, em Nova York, Eduardo Bolsonaro (à esq.), filho de Jair Bolsonaro, aprende os truques para ganhar uma eleição mentindo e entupindo milhões de redes sociais com notícias falsas sobre o adversário.

O estudante de direito de Araraquara Walter Delgatti, o "Vermelho" (dentro do camburão da PF), invade os celulares dos cabeças da Lava Jato e entrega toda a farsa de Moro ao site The Intercept. Como resultado do seu trabalho, a Suprema Corte desmonta a "República de Curitiba", degola Sergio Moro, anula os processos da força-tarefa e põe Lula em liberdade.

O que Bannon defendia como sendo "a Verdade" revelou-se uma tática infalível: por que não ser honestos? Por que não dizer aos americanos o que de fato pensavam e defendiam? Por que ter vergonha de dizer ao povo que nós somos supremacistas brancos, que vamos construir um muro separando os Estados Unidos do México para impedir a entrada dos *hispanos* esfomeados que invadem nosso país aos milhares, como ratos, todos os dias, clandestinamente, para roubar os empregos dos trabalhadores ianques? Por que não dizer, com a mais absoluta clareza, que eram contra a entrada nos Estados Unidos de famílias islamitas que escondem terroristas como os que derrubaram as Torres Gêmeas no Onze de Setembro? Por que os Estados Unidos deveriam continuar associados ao Nafta [o acordo de livre comércio firmado entre os EUA, o Canadá e o México], "que só chupa nossos recursos sem nos dar nada em troca"? Por que permitir que *cucarachas* como a Venezuela ameacem o poderio militar americano? Que responsabilidade os Estados Unidos têm com o colonialismo europeu na África e na Ásia para receber em seu território as hordas de refugiados paquistaneses, indianos e magrebinos que batiam às suas portas?

— A Grã-Bretanha, a França e a Bélgica que recebam lá os filhos dos negros que escravizaram, isso não pode ser jogado na nossa conta.

Diante da pequeníssima e estupefata plateia, na verdade uma pequena mesa-redonda, Bannon concluiu:

— Ou dizemos aos nossos compatriotas que queremos uma América Grande, uma América forte, uma América para os americanos, ou vamos perder as eleições. Não há saída: é isso ou a derrota.

A campanha virou de ponta-cabeça, como prescrito por Bannon, e foi tornada pública com uma inacreditável artilharia de milhões e milhões de mentiras diárias, disseminadas pela internet. Embora Trump seja multimilionário, capaz de sustentar os custos daquela revolução digital, os democratas insinuavam que quem patrocinava a guerra cibernética era a Rússia. Segundo o Partido Democrata, o presidente Vladimir Putin acreditava que Hillary era uma belicista infinitamente mais perigosa que Trump e, se eleita, desequilibraria a geopolítica internacional.

Trump começou a subir nas pesquisas de opinião, mas a despeito de seu crescimento, passou a bater num bordão em todas as manifestações públicas: os democratas estavam se preparando para fraudar as eleições e colocar Hillary na Casa Branca à custa de tramoias eleitorais no complicado sistema eleitoral norte-americano — um país em que o candidato pode ter mais votos que o adversário e, ainda assim, perder as eleições. A estratégia de Steve Bannon deu certo, e no dia 20 de janeiro de 2017 o presidente Barack Obama entregou as chaves da Casa Branca ao histriônico e desequilibrado Donald Trump.

Dois anos depois, no Brasil, já havia suspeitas de que uma tempestade nunca vista de fake news contra Haddad e a favor de Bolsonaro ia ocupando todos os espaços da internet, forçando a subida aparentemente incontrolável do ex-capitão nas pesquisas. Haddad resistia com as armas convencionais, mas o PT e a direção de sua campanha pareciam atordoados e desnorteados com o que acontecia. Quanto mais os setores democráticos denunciavam o caráter racista, xenófobo e belicista de Bolsonaro, mais ele subia nas pesquisas. Suas falas na internet defendiam inequivocamente o estupro, ele tratava os quilombolas como animais que deveriam ser pesados em arrobas, investia contra todos os rastros dos defensores dos movimentos LGBTQIA+. Os adversários eram comunistas pedófilos, "uma corja que merecia ser fuzilada por querer transformar o Brasil numa Cuba, numa Venezuela". Ocupando todo o largo da Batata, no bairro de Pinheiros, uma megamanifestação popular intitulada #EleNão foi considerada a mais numerosa manifestação de massas desde as Diretas Já. Liderada por mulheres e pelos demais partidos da aliança antibolsonarista, a #EleNão pretendia ser um tiro de misericórdia popular na campanha do ex-capitão. Mas, sem que houvesse explicação racional, a bala saiu pela culatra e Bolsonaro continuou subindo nas pesquisas.

No fim da noite de domingo 7 de outubro, data do primeiro turno, o último andar do hotel Pestana, na esquina da avenida Brigadeiro

Luís Antonio com a rua Tutoia, no bairro do Paraíso, onde funcionava o comitê de Haddad, tinha a aparência de um velório. O Tribunal Superior Eleitoral acabara de divulgar os resultados finais, recolhidos das urnas eletrônicas de todo o Brasil: Bolsonaro recebera 46,03% dos votos (quase 50 milhões de votos), contra 29,28% (pouco mais de 30 milhões de votos) dados a Haddad. A guerra ia ser decidida no segundo turno, marcado para dali a três semanas.

Onze dias depois da proclamação dos resultados, a repórter Patrícia Campos Mello, do jornal *Folha de S.Paulo*, publicou uma reportagem especial denunciando o que estava por trás da vertiginosa campanha de Bolsonaro na internet. A manchete principal do jornal — "Empresários bancam campanha contra o PT pelo WhatsApp" — era a pontinha de um monumental iceberg que vinha sendo utilizado, fazia tempo, pela família Bolsonaro, acima de tudo por seu filho Zero Dois, o vereador carioca Carlos Bolsonaro. Já fazia quatro anos que a jornalista farejava e investigava, em várias partes do mundo, o uso de redes sociais e de aplicativos de mensagem como instrumento de propaganda política para manipular a opinião pública — recurso empregado basicamente por regimes populistas de direita e extrema direita. Patrícia pôde identificar isso com clareza primeiro em 2014, na Índia, quando Narendra Modi obteve a maioria do Parlamento, tornando-se primeiro-ministro do país com uma campanha estruturada sobretudo em instrumentos oferecidos publicamente pela web, como os populares e universais Twitter e WhatsApp.

Em 2016 a repórter fora destacada pelo jornal para cobrir as eleições presidenciais nos Estados Unidos, onde já trabalhara como correspondente fixa. Lá ela identificou os mesmos métodos adotados por Modi, em volumes estratosfericamente maiores e dessa vez contando, além do Twitter e do WhatsApp, com uma nova e eficiente arma de identificação e invasão de dados pessoais, o Facebook.

Ao ser chamada para entrar na cobertura, ela já sabia que o volume avassalador de notícias falsas, segundo a alegação dos trumpistas, tinha origem orgânica, de apoiadores espontâneos do candidato re-

FOLHA DE S.PAULO ★ ★ ★

Documento confirma oferta ilegal de mensagens por WhatsApp na eleição

Proposta não aceita pela campanha de Alckmin pediu R$ 8,7 milhões por disparos via aplicativo; empresa afirma que não sabia de ilegalidade

Patrícia Campos Mello

SÃO PAULO Trocas de emails e a proposta de um contrato obtidas pela **Folha** confirmam a oferta de disparos em massa por WhatsApp a campanhas políticas, utilizando base de usuários de terceiros, em desacordo com a lei eleitoral.

A Croc Services formalizou proposta de R$ 8,7 milhões à campanha de Geraldo Alckmin (PSDB) à Presidência, usando nomes e números de celulares obtidos pela própria agência, e não pelo candidato.

A oferta de contrato da empresa, com data de 30 de julho e obtida pela **Folha**, cita opções diversas de disparos

Serviço foi oferecido por até R$ 8,7 milhões

ORÇAMENTO

SERVIÇO	VOLUME DE DISPARO	VALOR TOTAL	
DISPARO MASSA *	10.450.000	R$	1.018.875,00
DASHBOARD WHATSAPP **	180.000	R$	24.300,00
DISPARO BASE BEMOBY ***	119.310.002	R$	8.709.630,15

SERVIÇO	SET UP		MENSAL	
CHATBOT	R$	10.000,000	R$	3.000,00

2- WHATSAPP – (DASH BOARD)

- Envios em massa de textos, links, imagens e vídeos;
- Dashboard para efetuar disparos, com painel de interação e acompanhamento dos relatórios de entrega contendo data, hora, números disparados e conteúdo disparado;
- Números destinatários exclusivos.

Ao lado, proposta da Croc Services, não aceita pela campanha de Alckmin (PSDB), com serviço de disparos por WhatsApp

A ri······ort····· o TS⎯ ··· so o ···· lidato esteja ·iente.

Uma semana antes do segundo turno das eleições presidenciais, a repórter Patrícia Campos Mello, da *Folha de S.Paulo*, prova que Bolsonaro e seus aliados utilizaram no Brasil os mesmos métodos de Trump/Bannon: a artilharia de notícias falsas. Por R$ 8,7 milhões você podia desmoralizar seu adversário atingindo até 120 milhões de eleitores.

publicano, sem ligações entre si. Mas a quantidade era grande demais e havia indícios de automatização por trás do mecanismo. Era algo que necessitava fundamentalmente de recursos materiais, de dinheiro, para ser posto em funcionamento. A técnica, para qualquer hacker de fundo de garagem, era simples: a partir de um software, computadores emulam, sob a forma de programas de redes sociais, as notícias que o operador quiser divulgar. Aí ligam-se esses softwares em dezenas de computadores — ou num aparelho chamado vulgarmente de chipeira, uma colmeia de chips — e dá-se início aos disparos.

Como é possível adquirir os perfis dos usuários, seja no mercado negro, seja nas empresas telefônicas, o cliente pode, por exemplo, dizer que deseja enviar determinada mensagem a xis milhões de pessoas e escolher a região do país em que essas pessoas vivem, suas faixas etárias, gêneros, classe econômica etc. etc. Como declarou um hacker, "pode-se escolher até a cor das meias usadas pelo alvo, ou descobrir se ele é vegano ou canibal". Assim, quando o destinatário recebe uma mensagem afirmando que Haddad vai distribuir "mamadeiras de piroca" ou cartilhas induzindo crianças ao "homossexualismo", ela chega a seu computador em meio a dezenas de ofertas de produtos reais, como camisas, viagens ou escovas de dentes — o que, em tese, aumenta a credibilidade da fake news.

Um negócio tão simples, de investimento baixo e altíssimo rendimento despertou a cobiça do submundo da internet e da política. Patrícia foi atrás e descobriu dezenas de empresas que ofereciam aos candidatos e aos partidos pacotes de prestação de serviços em que o eleitor era identificado como se tivesse sobre si uma mira telescópica. A palavra-chave era "segmentação". Os destinatários podiam ser divididos por faixa de renda, profissão, localização, se a pessoa era solteira, casada ou divorciada, sua faixa de idade, se vivia numa zona rural ou num local urbano. Para deixar claro ao leitor que não se tratava de uma reportagem de ficção científica, Patrícia reproduziu no jornal a foto de um orçamento ofertado pela Croc Services (e aparentemente rejeitado) à campanha de Geraldo Alckmin, que em 2018 disputou pelo

PSDB as eleições com Bolsonaro. Pelo orçamento da Croc foi possível saber que por R$ 8,7 milhões qualquer candidato poderia enviar a mensagem que quisesse a cerca de 120 milhões de eleitores.

Embora tenha entre seus filiados e simpatizantes alguns dos maiores especialistas brasileiros em internet, todos dispostos a enfrentar o moloch bolsonarista, o PT parece ter optado por outro caminho para o embate com o ex-capitão. Sem que Lula, preso em Curitiba, fosse consultado, a direção da campanha de Haddad decidiu, na investida rumo ao segundo turno — marcado para o dia 28 daquele mês de outubro —, dar um cavalo de pau no marketing da campanha. A primeira medida, sem dúvida resultado das insistentes acusações de filocomunismo de que tanto falara Bolsonaro no primeiro turno, foi desavermelhar e, de certa forma, despetizar a propaganda. Lula não gostou da virada "rumo ao centro" que a campanha estava processando. Como sua inconformidade com a mudança não parece ter produzido resultados no comitê, e preocupado com a derrota iminente, Lula quis saber de quem era a responsabilidade pela virada na publicidade do segundo turno. Filho feio não tem pai, diz o ditado popular. Assim, a culpa acabou recaindo sobre as costas do marqueteiro oficial da campanha, o publicitário baiano Sidônio Palmeira, que já tinha feito as vitoriosas campanhas de Jaques Wagner e Rui Costa ao governo da Bahia. Da cela de Curitiba, Lula bateu o pé:

— Então deem a ele uma passagem de avião e digam a esse Sidônio para vir a Curitiba falar comigo.

Sem que Gleisi ou Haddad participassem ou soubessem disso, havia uma disputa surda pelo mailing list, a lista dos fidelíssimos seguidores de Lula nas redes sociais, avaliada em números que giravam em torno dos 10 milhões de pessoas, em cujo arquivo os marqueteiros de Haddad queriam botar as mãos. A guerra surda não chegou às páginas dos jornais, mas virou uma queda de braço entre os dois grupos. Dar nomes aos bois é sempre arriscado, mas entre os lulistas estavam, certamente, Paulo Okamotto, Marcola e a assessora de imprensa e responsável pelos tuítes do presidente, Nicole Briones. O pequeno grupo, que pode ter tido mais dois ou três nomes a seu lado, temia que, de posse da lista de seguidores de Lula, os publicitários a serviço de Haddad pudessem usá-la para repetir o que faziam na campanha eleitoral: tentar ganhar votos de Bolsonaro empurrando os tuítes e manifestações de Lula para o centro. Tática que na opinião deles, lulistas, não tiraria votos do adversário e desfiguraria o perfil progressista de Lula. Com o peso e o prestígio de Paulo Okamotto, que nunca foi um esquerdista, o pequeno grupo entrou na batalha e "segurou na unha" o que Okamotto tinha recomendado: "As ideias e propostas que são do Lula ficam com o Lula. Quem quiser mudar o rumo que mude. Mas o que é Lula é Lula". Pequenas mudanças foram realizadas, e a campanha prosseguiu. Sem que ninguém saiba, ou não queira revelar, o marqueteiro não apareceu em Curitiba. E ninguém jamais saberá identificar pessoalmente se de fato houve um só responsável pelo que viria a acontecer, mas a verdade é que no dia 28 de outubro de 2018 o capitão reformado e por três décadas obscuro deputado do submundo da Câmara Federal era anunciado como 38º presidente do Brasil, com 57,8 milhões de votos.

Além da derrota e de todos os percalços vividos até então, Lula iria ter o peito dilacerado nos meses seguintes pela perda de três seres humanos pelos quais, em graus diversos, tinha profundo afeto. Primeiro foi no dia de Natal, quando chegou a notícia da morte de seu querido amigo de tantos anos, que o acompanhara de São Paulo a Curitiba no avião da Federal e que estivera com ele até o último minuto de sua última noite em liberdade: o ex-deputado Sigmaringa Seixas fora derrubado pela mielodisplasia que o infernizava — uma forma incurável de câncer que ataca a medula do paciente. A segunda morte foi ainda mais dramática, mas como a de Sig já era, de alguma forma, esperada. Seu irmão mais velho, Genival Inácio da Silva, o Vavá, de 79 anos, que já padecia de uma diabetes que o levara a amputar uma das pernas, morrera de câncer em São Bernardo do Campo no dia 29 de janeiro de 2019. A defesa de Lula requereu à Justiça autorização para que ele pudesse ir a São Bernardo velar o corpo do irmão. O pedido inicial foi negado pela juíza responsável pela Vara de Execuções

Penais de Curitiba, Carolina Lebbos. A decisão de Lebbos se baseava em manifestação dos procuradores da força-tarefa da Lava Jato. Como revelariam os diálogos difundidos pelo site The Intercept, o procurador Carlos Welter se manifestou a favor:

— Eu acho que ele tem direito a ir.

Em resposta, seu colega, também procurador federal, Januário Paludo, um funcionário de cabeça grande, inteiramente raspada, e prognata, rebateu com uma frase digna de constar de um epitáfio:

— O safado só queria passear e o Welter com pena...

A defesa de Lula recorreu ao STF reiterando o pedido para que o ex-presidente pudesse velar o corpo do irmão. Excluído seu caráter inacreditavelmente indecente, a decisão, de autoria do ministro Dias Toffoli, então presidente do STF (nomeado por Lula), caberia, sem que nela se mexesse uma vírgula, em qualquer obra do realismo fantástico latino-americano:

> Por essas razões, concedo ordem de habeas corpus de ofício para, na forma da lei, assegurar, ao requerente Luiz Inácio Lula da Silva, o direito de se encontrar exclusivamente com os seus familiares, na data de hoje, em Unidade Militar na Região, inclusive com a possibilidade do corpo de cujos ser levado à referida unidade militar, a critério da família.

Em português fluente, esvurmado do linguajar jurídico, Toffoli propunha uma inversão dos funerais conhecidos em qualquer cultura ou religião: em vez de receber no velório a visita do irmão, o defunto seria transportado para um quartel — no caso, uma *Unidade Militar na Região* — e que para lá se dirigisse o irmão e velho companheiro de peladas no Capibaribe de São Bernardo do Campo. Prolífico em palavrões, Lula mandou dizer ao presidente do Supremo que não se submeteria a tamanha humilhação. Para sorte da biografia de Dias Toffoli, quando a inacreditável decisão foi publicada no *Diário da Justiça*, o corpo de Vavá já estava sob a terra, no Cemitério Pauliceia.

Mas a marretada insuperável ainda estava para vir. No começo da tarde de 1º de março, uma sexta-feira, Lula estranhou que Jorge

Chastalo viesse buscá-lo na cela para o banho de sol. Que banho de sol, se lá fora o que havia era uma fria e nevoenta garoa, típica da capital paranaense? Na verdade tinha sido retirado da cela para não saber da notícia pela TV que transmitia a morte do menino a todo tempo. A desconfiança aumentou quando entraram o advogado Manoel Caetano e o delegado Luciano Flores, novo superintendente da Federal no Paraná. Diante de um Lula tenso, foi Caetano quem deu a trágica notícia:

— É o Arthur, presidente…

— Que Arthur?

— Seu neto, o Arthur.

— O que aconteceu com ele?

— Ele teve um problema grave de saúde e faleceu agorinha em Santo André, presidente.

— Como morreu? Como assim? Há dois dias ele estava ótimo, bem de saúde! Morreu? Como morreu? Morreu de quê?

Na véspera, dia de visita familiar, Sandro Luis, pai de Arthur, um garoto de sete anos e grande amigo do avô, não aparecera em Curitiba. Os demais familiares explicaram sua ausência, dizendo que tinha ficado no ABC cuidando do garoto, que estava febril. Moleque, Lula fizera uma brincadeira:

— O preguiçoso cabulou a visita a Curitiba com a desculpa da febre do Arthur, eu sei como é isso.

Diante da notícia da tragédia, Lula não sabia como reagir e repetia a mesma frase:

— O Arthur, meu neto? Mas como foi isso? Há dois dias o menino estava bom, o que pode ter acontecido?

Alguém tentou explicar que tinha sido uma surpreendente meningite meningocócica, diagnóstico desmentido pelos serviços de Saúde da Prefeitura de Santo André. Lula não se consolava:

— Mas meningite não mata, era pra ele ter vindo aqui ontem.

Sentou, chorando muito, e ficou ali, repetindo:

— Mas por que ele, uma criança de sete anos, com a vida toda pela frente? O normal é que fosse eu, que tenho setenta anos, mas uma criança como o Arthur, que nem começou direito a viver?

Sem as proibições e exigências estapafúrdias ocorridas após a morte de seu irmão Vavá, Lula não teve maiores dificuldades para ir ao velório de Arthur, no ABC, transportado por um avião da Polícia Federal.

Lula foi autorizado a sair da prisão para o sepultamento, direito previsto no artigo 120 da Lei de Execuções Penais. Abatido, chegou por volta das onze horas de sábado ao cemitério, onde desde a noite anterior seu neto estava sendo velado. Mesmo rodeado por forte aparato militar, tratado como se fosse um perigoso delinquente, o ex-presidente encontrou o cemitério Jardim da Colina, em São Bernardo, cercado por PMS e pela Polícia Federal, que formavam uma parede humana para evitar que a multidão pudesse vê-lo de perto. Na chegada e na saída, Lula mal pôde acenar para os populares que se aglomeravam em torno dos túmulos. Durante a hora e meia em que esteve ao lado do corpo, três helicópteros militares sobrevoaram o local.

Aquela havia sido a primeira vez que Lula pusera os pés fora da prisão de Curitiba. Nesse período a única grande e surpreendente notícia política, desde a ascensão de Bolsonaro, ocorrera quando ele anunciou o nome de seu ministro da Justiça: Sergio Moro, o juiz que fizera o diabo para que Lula não pudesse disputar a Presidência da República. Coberto de glórias, para os olhos da multidão Moro não era apenas um colaborador a mais do primeiro escalão do presidente, mas um protoprimeiro-ministro. Em troca dos privilégios de 22 anos de magistratura — que por lei Moro teria que abandonar, para assumir o cargo de ministro —, Bolsonaro prometera fundir o Ministério da Justiça com o da Segurança Pública, deixar sob sua alçada a poderosa CGU, a Controladoria Geral da União, e, cereja do bolo, entregar a Moro o Coaf, Conselho de Controle de Atividades Financeiras, entidade subtraída do outro superministro do governo, o economista e Chicago Boy Paulo Guedes — que exibia no currículo os serviços prestados à ditadura do general Augusto Pinochet, do Chile.

O principado de Moro não durou nem meio governo. Depois de sucessivas humilhações públicas impostas a ele pelas grosserias do presidente, na manhã de 24 de abril de 2020 Moro não era mais juiz federal, nem ministro, nem nada. Como o náufrago de Gabriel García Márquez, o antigo homem forte da República parecia fadado a ser esquecido para sempre.

Ao contrário da armadilha solitária a que Moro fora relegado pelo destino, seu desafeto Lula, a despeito dos penares que vivera durante os quase vinte meses na prisão de Curitiba, não ficara um só dia sem companhia. A vigília, tal como prometera no primeiro dia o ativista Roberto Baggio, não arredou pé um só instante da porta da Polícia Federal, chovesse ou fizesse sol. Depois do pacto entre a Prefeitura e os assentados, o cotidiano decorreu sem maiores transtornos. Até os delegados e policiais da Federal, que ficavam do outro lado da rua, tinham estabelecido uma forma de convivência pacífica com aquela horda vermelha. O grave incidente com o agente federal que destruíra o equipamento de som da vigília (e que se mataria meses depois) parecia esquecido pelos dois lados.

Apenas a Polícia Militar do Paraná, cujo comandante em chefe, legalmente, é o governador do estado — no caso o bolsonarista Ratinho Júnior, filho do conhecido animador de TV, também bolsonarista —, continuava estorvando o dia a dia da vigília. Sempre que podia, a PM dava um jeito de perturbar o cotidiano do acampamento. Fosse porque os limites das calçadas estariam sendo ultrapassados em centímetros, fosse porque as posturas municipais de silêncio ti-

Ao lado: cercado de policiais portando armamento pesado, como se custodiassem um traficante internacional, Lula é autorizado a participar do velório de seu neto Arthur, morto inesperadamente aos sete anos de idade. Meses antes a Justiça o impedira de assistir ao sepultamento de Vavá, seu irmão mais velho. Ao saber que o ex-presidente pretendia participar do enterro do irmão, o procurador federal Januário Paludo debochou da dor de Lula, em comentário vazado por Vermelho: "O safado está querendo é passear...".

vessem sido desrespeitadas. Num desses dias apareceu um oficial não identificado da PM paranaense. Alto, magrelo, narigudo, autoritário e cercado de um pelotão de soldados armados, já chegou aos berros:

— A vizinhança foi à PM se queixar que vocês não estão respeitando a Lei do Silêncio. Recebi ordens do comandante para vir aqui e evacuar a vigília. Vocês têm dez minutos para desmontar tudo e cair fora. Hoje não vai ter "boa noite, presidente".

No meio da discussão saiu da barraca de náilon onde estavam os acampados um jovem de aparentes cinquenta anos, barba grisalha, terno escuro, gravata, fala mansa e iniciou com o militar um diálogo em que o paisano falava baixo, respeitoso, e o militar respondia aos gritos:

— Desculpe, mas o senhor tem ordem judicial para fechar a vigília, para prender essas pessoas?

— Eu não preciso de ordem de ninguém, eu sou oficial da Polícia Militar do Paraná.

— Eu respeito muito a sua corporação, mas todo mundo precisa de ordem judicial para o que o senhor está pretendendo fazer. Essas pessoas estão em uma propriedade alugada e, portanto, estão ocupando um espaço que legalmente lhes pertence.

— Isso não faz a menor diferença. A orientação que eu recebi foi para limpar a área e prender quem resistir.

— O senhor quer dizer que vai prender todo mundo que permanecer aqui?

— É exatamente isso que você ouviu!

— Então pode começar me prendendo, porque não pretendo sair daqui.

— Sem problemas, então você vai ser o primeiro a ser preso.

— Ocorre que eu sou juiz federal. Para o senhor me prender será necessária a presença de um desembargador.

Tratava-se, soube-se depois, do juiz federal paulista Edevaldo Medeiros, de 47 anos, que acabara de entregar a Lula um memorial de apoio, em nome da Associação Juízes para a Democracia. O oficial,

Sem mandado judicial, um oficial da PM do Paraná (à dir.), cercado por um pelotão armado, ameaça Roberto Baggio, do MST e líder do movimento (de boné): a vigília tem que ser evacuada imediatamente, e quem permanecer lá será preso. Falando manso, o homem de barba e cabelos grisalhos (à esq.) intervém, sem gritar nem se identificar: "Então pode começar me prendendo, porque eu não vou sair daqui". Era o juiz federal Edevaldo Medeiros, que entregara a Lula um ofício da Associação Juízes para a Democracia. O oficial e a tropa se retiraram em silêncio. A vigília permaneceu.

cujo nome ou patente ninguém ficou sabendo, baixou o tom de voz, caminhou até a tropa armada que o esperava, metros atrás, dispersou os militares e silenciosamente foi-se embora.

"Até milagre teve na vigília", comenta, às gargalhadas, o advogado Manoel Caetano. Ele se referia ao casal Gerson e Renata Arruda, amazonenses que estavam a caminho do Rio Grande do Sul quando o ônibus que os transportava aproveitou a escala em Curitiba para mostrar aos passageiros a tão falada Vigília Lula Livre. Casados havia muitos anos, Gerson e Renata tinham um problema de saúde que nenhum médico, nenhum tratamento conseguira solucionar: por mais que tentasse, ela não engravidava. Durante a rápida parada na rua Professora Sandália Monzon, onde ficava a vigília, enquanto tomava um cafezinho, revelou seu problema de saúde a Neude, uma das moças que se revezavam no acampamento:

— Ué, dizem que o Lula pode tudo, quem sabe ele não me dá sorte e eu acabo engravidando?

Os presentes acharam a história engraçada, os passageiros embarcaram e o ônibus retomou o rumo de Porto Alegre. Passados três meses, o advogado Manoel Caetano levou à cela do ex-presidente uma imagem de ultrassom que acabara de receber de uma crédula Renata Arruda: depois da visita à vigília ela não só conseguira engravidar, mas além disso o bebê aparecia na imagem com o indicador e o polegar esticados, fazendo o L de "Lula":

— Presidente, agora é que o Moro vai se foder mesmo: o senhor começou a fazer milagres.

Temerosos de que a notícia se espalhasse e a vigília virasse um ponto de romaria, convertendo Lula num novo Padre Cícero, seus assessores trataram com superficialidade a história, da qual ninguém mais falou.

Da parte de Lula não havia o menor risco de que a história vazasse. Afinal, embora não houvesse nenhuma lei nesse sentido, Moro, o Ministério Público Federal do Paraná, a juíza da Vara de Execuções Penais, Gabriela Hardt, e a direção da Polícia Federal o proibiam de dar entrevistas. Mais do que isso: jornalistas profissionais que tentassem

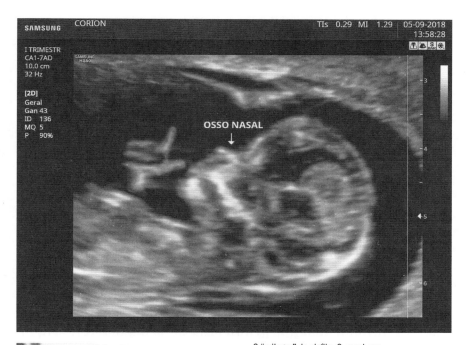

O "milagre" da vigília. O casal que tentava, insistia e não conseguia engravidar faz uma visita à vigília "para ver se dava sorte". Três meses depois o advogado de Lula entra na cela com uma imagem de ultrassom em que os dedos do bebê fazem o L de "Lula": o casal tinha conseguido engravidar. "Agora é que o Moro vai se foder mesmo", anunciou numa gargalhada. "Estão dizendo que o senhor começou a fazer milagres." Na foto ao lado, Lula beija Maria Luiza de Arruda Shatkoski, a menininha que, no ventre da mãe, fizera o L com os dedos.

visitá-lo na prisão tinham suas solicitações rigorosamente negadas pelas autoridades. Isso durou por quase todo o período de sua prisão. No final de 2018 o advogado Cezar Britto, ex-presidente nacional da OAB (Ordem dos Advogados do Brasil), decidiu enfrentar o problema. Britto se escandalizava ao ver na televisão e nos jornais entrevistas com traficantes internacionais de armas e de drogas, chefes de quadrilhas e comandos criminosos sem que nenhuma instância judicial se opusesse. Se delinquentes trancafiados em prisões de segurança máxima podiam falar ao público, por que esse direito era negado a um pacífico ex-presidente da República, alguém cuja voz não sujeitaria a sociedade a risco algum?

Indignado com a discriminação, ele procurou o jornalista Florestan Fernandes Jr., na época diretor e âncora do programa *Voz Ativa*, uma roda semanal de entrevistas realizada em parceria com o diário espanhol *El País*, jornal do qual Florestan era também colaborador eventual. Britto perguntou ao jornalista se ele se interessava em ingressar junto à juíza das Execuções Penais do Paraná, Gabriela Hardt, por seu intermédio, com um requerimento solicitando autorização para que ele pudesse realizar uma entrevista com Lula — ideia que Florestan, naturalmente, autorizou e recebeu de muito bom grado. Conhecida desafeta de Lula e de seus advogados, a juíza Hardt, como era de esperar, negou o pedido. Raul Jungmann, ministro da Justiça de Temer, também manifestou-se contrariamente à entrevista, sob o pretexto de que a fala de Lula aos jornalistas poderia perturbar "o clima eleitoral". Ocorre que a ideia não tinha sido uma iniciativa apenas de Britto. Mais ou menos na mesma época a repórter Mônica Bergamo, titular de uma coluna diária do jornal *Folha de S.Paulo*, tentava, representada pelo advogado da *Folha*, Luís Francisco Carvalho Filho, o mesmo que fora sugerido por Britto a Florestan: entrevistar Lula na cadeia. Tanto Britto quanto Carvalho Filho recorreram da decisão ao Supremo Tribunal e o ministro sorteado para decidir foi Ricardo Lewandowski, que concedeu a autorização para a entrevista, desde que o preso estivesse concorde com o pedido dos jornalistas.

VERMELHO, O HACKER, ESCANCARA AS PORTAS DO INFERNO | 151

Os ministros Luiz Fux, vice-presidente, e Dias Toffoli, presidente, conseguiram com tanto empenho procrastinar a entrevista, que quando ela por fim foi concedida, em abril de 2019, Bolsonaro já tinha sido eleito presidente da República. Ao circular nos meios jornalísticos que Florestan e Mônica entrevistariam Lula, os jornalistas do site O Antagonista e da revista *Crusoé*, desafetos declarados do ex-presidente e defensores de Moro e da Lava Jato, também se candidataram. O entrevistado mandou avisar que topava falar com o *El País* e a *Folha*, mas de forma alguma aceitaria receber Diogo Mainardi, Mario Sabino ou quem quer que fosse do Antagonista e da *Crusoé*. O superintendente da Polícia Federal, Luciano Flores, alegando defender a liberdade de imprensa, autorizou que os nomes vetados por Lula participassem da entrevista. Às vésperas do dia marcado para a entrevista, a jornalista Mônica Bergamo manteve com o policial um desconcertante diálogo por WhatsApp:

MÔNICA BERGAMO Olá, dr. Flores. Tudo bem? Recebi a informação de que a PF, em Curitiba, pretende colocar outros jornalistas na sala em que a *Folha* e o *El País* farão a entrevista com Lula. No entanto, a decisão do STF diz expressamente que a entrevista será feita com a anuência do entrevistado. E ele não quer falar com outros jornalistas. Ninguém pode forçá-lo a isso. Eu creio que a *Folha* e o *El País* estão com a entrada garantida, já que temos autorização do entrevistado, anuência do STF e já seguimos todas as orientações da PF. Os outros jornalistas devem tentar convencer o ex-presidente a recebê-los, e não tentar invadir a entrevista, tentando forçar o ex-presidente a fazer algo que ele não quer e que a lei não exige dele.

LUCIANO FLORES Bom dia Mônica, você está certa. Somente farão perguntas ao ex-presidente os jornalistas que ele permitir. Os demais, somente poderão acompanhar sem se manifestar.

MÔNICA BERGAMO Isso é uma afronta ao nosso trabalho jornalístico. Na prática, todos se aproveitarão do nosso trabalho. E entendi, pela decisão do STF, que Lula tem o direito de receber apenas quem ele quer.

Os outros jornalistas sabem disso. Estão tentando forçar uma entrevista coletiva, que não está autorizada pelo STF.

LUCIANO FLORES Poxa, realmente não era isso que pretendíamos. Jamais cogitamos afrontar quem quer que seja. Pelo contrário, pretendemos sempre prestigiar a liberdade de imprensa num caso em que não se trata de direito de entrevista exclusiva e sim, justamente, de um direito do livre exercício da profissão, liberdade de imprensa e dos atos administrativos que não estão sob sigilo.

MÔNICA BERGAMO Dr. Flores. Os outros jornalistas estão forçando a barra. Todos sabemos que uma pessoa só dá entrevista para quem ela quer e o Lula não quer receber outros jornalistas. É uma decisão dele, garantida pelo STF e pela lei.

LUCIANO FLORES Vamos fazer assim: vou pedir para o chefe de gabinete da Superintendência intimar formalmente os advogados, dando cópia de meu despacho, para que eles possam submetê-la à apreciação judicial em tempo de ser revertida. Se vocês preferirem, podemos remarcar a data da entrevista para sexta-feira da semana que vem, de modo que vocês tenham tempo de reverter minha decisão, fica bom assim?

MÔNICA BERGAMO Eu não sabia que era decisão do senhor. Vamos então fazer assim. Entendemos que apenas jornalistas que Lula aceite receber devem entrar. Se ele aceitar receber mil jornalistas ao mesmo tempo, não fazemos, nem poderíamos fazer, qualquer oposição. Mas trata-se de uma entrevista e não de uma audiência pública. Ele não pode ser forçado. Nunca jamais houve na história do mundo uma entrevista de um determinado veículo acompanhada por centenas de outros, que publicariam tudo ao mesmo tempo.

LUCIANO FLORES O problema é que os demais jornalistas que estão pedindo já estão tendo acesso à decisão, apesar de talvez nem queiram participar nestes termos, pois apenas estariam como ouvintes.

MÔNICA BERGAMO Há dois dias o site O Antagonista anunciou essa coletiva. Pensei que fosse mentira.

LUCIANO FLORES O problema é que os demais jornalistas que estão pedindo já estão tendo acesso à decisão. Todos os jornalistas do Brasil vão quererem.

Os ministros Luiz Fux e Dias Toffoli e a Polícia Federal fizeram o possível para impedir que Lula falasse à imprensa, mas Ricardo Lewandowski bateu o pé e manteve sua decisão: Lula acabou falando, com exclusividade, para os jornalistas Florestan Fernandes Jr. (de óculos e cavanhaque), do espanhol *El País*, e Mônica Bergamo (de óculos e blusa clara, sentada), da *Folha*. Ao fundo, à dir., de farda preta, Jorge Chastalo, chefe da carceragem de Lula. A transmissão pelo *El País* e seus canais espalhados pelo mundo foi vista por cerca de 170 milhões de pessoas.

MÔNICA BERGAMO Querer, e não "quererem". Mas Lula precisa querer também.

LUCIANO FLORES Com certeza.

MÔNICA BERGAMO Ele não quer. Ele não quer receber, não pode ser obrigado. Ele concordou em dar entrevista a dois jornalistas. E não de participar de um evento com vários outros assistindo. É uma entrevista, não uma audiência. Todos os jornalistas sabem disso. Estão induzindo a PF a erro e tentando inviabilizar a entrevista. Mas isso não vai ocorrer porque a lei garante o direito dele de falar apenas com quem quiser. Sem plateia.

Na véspera da entrevista Chastalo passou pela cela de Lula para ver se estava tudo em ordem. Encontrou o ex-presidente suado, em meio a uma sessão de esteira ergométrica. Espiou o marcador, viu que ele corria à média de 6,5 quilômetros por hora, encostou-se no batente da porta e deixou-o desabafar:

— Chastalo, sabe por que não falarei para esse Antagonista? Porque eu não falo com fascistas. Esses caras, especialmente esse Diogo Mainardi, é um canalha, é um mentiroso dos mais nojentos que já vi. Para ter que falar com eles, prefiro não dar entrevista para ninguém. O STF determinou que só darei entrevistas para quem eu quiser. Vou falar com a Mônica Bergamo e com o Florestan, para o *El País*. Depois vou pensar se dou entrevistas para outros veículos. Quem decide para quem falo sou eu e não a Polícia Federal, porra.

O ex-presidente interrompeu a corrida por alguns minutos, enxugou o rosto e reclamou com o carcereiro que seu desempenho físico naquele dia estava abaixo do normal porque a correia pendia para um dos lados. Chastalo buscou um pote de silicone, corrigiu o defeito e continuou ouvindo Lula falar enquanto retomava, vagarosamente, a ginástica:

— Já estou velho, Chastalo. Já vivi muito e não troco minha dignidade pela minha liberdade. Estes caras não sabem quem eles prenderam, não sabem o que estão fazendo, mas a história vai condená-los. Eles serão lembrados, sim, mas como o lixo da história. No caso do tríplex, caralho, tudo começou com uma matéria do jornal O Globo, que foi acolhida por um delegado canalha da PF, que passou para as mãos do canalha do Dallagnol, chegou ao canalha do Moro. Por fim chegou ao TRF4, um bando de covardes, que mesmo sem ler ou analisar as provas, confirmaram o absurdo da sentença do Moro, porra.

No dia seguinte, de paletó cinza, calça preta e camisa branca, sem gravata, Lula falou durante uma hora e cinquenta minutos com os dois jornalistas. Fez uma breve introdução sobre as injustiças de que era vítima e respondeu a 27 perguntas de Mônica e 21 de Florestan Fernandes. No dia seguinte a entrevista tinha sido vista por mais de 200 milhões de leitores e espectadores — só nos sites do El País, difundidos em várias línguas pelo mundo, 170 milhões de pessoas leram e viram Lula contar sua história.

Duas semanas após a entrevista concedida aos dois jornalistas, no domingo 12 de maio, Dia das Mães, de 2019, a história de Lula iria sofrer uma reviravolta — talvez a mais importante, ou uma das mais importantes de seus 74 anos de vida. Sem que ele soubesse, na cidade de Araraquara, a cerca de trezentos quilômetros da capital paulista, Vermelho comia biscoitos e bebia leite na cozinha da casa da avó, com quem vivia. Minutos depois ele iniciaria um processo que poria fim ao calvário de Lula e transformaria num traque a Operação Lava Jato e todos os seus mandachuvas, de Moro ao ogro Januário Paludo — esse mesmo, o procurador federal paranaense que considerava "safadeza" o ex-presidente pretender sepultar o irmão que morrera de câncer. O maremoto levaria também Deltan Dallagnol, o jovem procurador que prometia acabar com a corrupção no Brasil e fazia negócios com casas populares, vendidas a juros negativos para trabalhadores de renda baixa.

Aos trinta anos o estudante de direito Walter Delgatti Neto, o "Vermelho", tinha tido uma vida sofrida e polêmica. Com a separação dos pais, quando ele ainda era uma criança, foi viver com a avó materna.

— Nessa briga de quem fica, quem não fica, como se fosse uma peteca, minha mãe acabou me colocando na casa da minha vó, no portão da minha avó, com mala e tudo, com roupa, e eu fiquei lá — revelou em entrevista à CNN.

"Vermelho" não era um apelido decorrente de suas ideias, mas da cor da barba e dos poucos cabelos encaracolados — de vermelho, do ponto de vista político, não tinha nada. É possível que ele nem sequer soubesse o significado ideológico do nome pelo qual era conhecido de todos. Sem pai nem mãe, passou a vida morando de favor em casas de parentes — como a da avó Otília Delgatti. Depois de se meter em rolos bancários, inadimplências em compras de automóveis de luxo, acusações de ter em casa, na gaveta da mesa de cabeceira, oitenta pílulas — que a polícia afirma serem anfetaminas e ele jura que eram comprimidos de antidepressivos, disponíveis em qualquer farmácia —, Vermelho parece ter baixado a bola ao começar a estudar direito na Unaerp, universidade privada de Ribeirão Preto, a menos de uma hora de viagem de Araraquara.

Para sobreviver, ganhava algum dinheiro fazendo trabalhos acadêmicos para socorrer colegas pouco dados aos estudos. Não poderia ser considerado um hacker, como nos habituamos a ver nos filmes e no noticiário, mas se interessava por celulares, computadores e informática e entendia do assunto mais que a média dos usuários. Esse apetite por tecnologias que mudam da noite para o dia acabou fazendo dele um aficionado na área. Valendo-se da vulnerabilidade do aplicativo de comunicações russo Telegram, que permitia que seus usuários solicitassem um código de acesso por meio de uma ligação telefônica, Vermelho adquiriu expertise que lhe permitia acessar qualquer conta do tal sistema.

Mais por esperteza do que por ser um aluno aplicado, Vermelho costumava assistir às palestras que a universidade promovia. Nem tanto pelo conteúdo que transmitiam os palestrantes, mas por saber que o estatuto da escola não considerava ausente o estudante que deixasse a sala de aula para assistir a uma palestra — fosse que assunto fosse. E foi numa dessas tramoias que Vermelho viu de perto o convidado da noite, o simpático paranaense Deltan Dallagnol, procurador do Ministério Público Federal e chefe da força-tarefa da Operação Lava Jato. Sobre a operação, que não saía das manchetes, Vermelho já tinha lido, sem conhecer a fundo do que se tratava, mas deixou-se encantar com o que ouvira Dallagnol falar sobre corrupção, propinas milionárias para políticos, os rombos provocados pelos partidos políticos nas contas públicas e na Petrobras. Além disso, o procurador de Curitiba não parecia um bicho de outro mundo — sentiu afinidade com o jeito ansioso de Dallagnol, muito semelhante ao dele próprio. Vermelho saiu de lá convencido de que aqueles caras de Curitiba estavam salvando o Brasil dos ladrões.

Cada novo segredo que descobria nas contas do Telegram que acessava por computador o deixava mais excitado com aquele misterioso universo cibernético. Passava as noites em claro, diante da luz azulada da tela do micro, na casa da avó Otília. Semanas depois, no meio da madrugada, ao esgravatar o computador, Vermelho começou a invadir aleatoriamente contas de celebridades políticas, sem muito critério partidário — o alvo tanto poderia ser o senador Cid Gomes, do PDT cearense, ou a deputada federal Joice Hasselmann (PSL-SP), então uma fanática bolsonarista, passando por tentativas de acessar a conta do ex-deputado Jean Willys (ex-PSOL-RJ), autoexilado na Europa, e a da ex-deputada Manuela d'Ávila (PCdoB-RS). E foi pelas mãos da jovem gaúcha, que havia sido candidata a vice-presidente da República na chapa de Fernando Haddad, que Vermelho conseguiu transferir ao jornalista Glenn Greenwald, editor do The Intercept, o material com que conseguira abrir as portas do inferno. A partir da captação de mensagens trocadas entre procuradores de Curitiba e o juiz Sergio Moro, Vermelho, até então um lavajatista entusiasmado, passou a desconfiar que toda a operação era uma monumental farsa para sepultar para sempre a liderança popular de Lula — tarefa que já tinha dado resultados objetivos com a prisão do ex-presidente e o banimento de seu nome das eleições vencidas pelo ex-capitão Jair Bolsonaro meses antes.

Vivendo há vários anos no Brasil, onde se casara com o político David Miranda, do PSOL, Glenn Greenwald, um norte-americano de 52 anos, deixara de ser apenas um jornalista famoso para se converter num pop star universal depois de vencer o prêmio Pulitzer — uma espécie de Oscar do jornalismo nos Estados Unidos — ao liderar a equipe do diário britânico *The Guardian* com a série de reportagens que revelava segredos da NSA, a National Security Agency, o mais poderoso órgão de segurança dos EUA, instituído teoricamente para a proteção de telecomunicações. Além disso, Greenwald foi um dos personagens principais do longa-metragem *Snowden*, dirigido pelo cineasta Oliver Stone, sobre a revelação de segredos militares e de espionagem global pelo ex-agente de inteligência americano Edward Snowden, hoje exilado em Moscou.

De posse de um oceano de informações, Greenwald utilizou a versão brasileira de seu site The Intercept para tornar público, a conta-gotas, aquele que talvez tenha sido o maior vazamento de informações secretas da história do Brasil. Apelidada pelos leitores de "Operação Vaza Jato", um trocadilho com a Lava Jato, o processo de desova do material captado por Vermelho teve mais de cem etapas, sob a forma de reportagens publicadas no The Intercept Brasil e em outros veículos entre junho de 2019 e março de 2021. Num infalível golpe estratégico, o Intercept passou a compartilhar a divulgação do material com veículos conservadores, de grande prestígio, ou com jornalistas considerados "anti-Lula", ou "anti-PT". Com isso, o site de Greenwald não só propagava ainda mais as informações como, de sobra, se protegia da acusação de estar arquitetando uma operação midiática para desqualificar as acusações contra o ex-presidente e seu partido. Foi assim que o Intercept se aliou com a TV Bandeirantes, com o site UOL, do grupo Folha, com o jornalista Reinaldo Azevedo, com a *Folha de S.Paulo*, a revista *Veja*, a versão brasileira do diário espanhol *El País*, com o site de economia BuzzFeed e com a Agência Pública, esta considerada sem ligações com grupos ou partidos políticos.

O estrago provocado pelas revelações do The Intercept e de seus codivulgadores já seria suficiente para sepultar para sempre a Operação Lava Jato, mas a Polícia Federal descobriu que ainda havia muita coisa podre em poder de Vermelho. Depois de prender o hacker, que passou seis meses no presídio da Papuda, em Brasília, a Federal montou a chamada Operação Spoofing, por meio da qual os policiais recolheram e entregaram ao Supremo Tribunal Federal mais um megalote de informações — material que o ministro Ricardo Lewandowski, do STF, liberou para o advogado Cristiano Zanin, defensor do ex-presidente Lula, que também aos poucos tornou pública toda a urdidura da chamada "República de Curitiba".

Segundo dados da Polícia Federal, o hacker de Araraquara conseguira subtrair da Lava Jato algo como sete terabytes — o equivalente, aproximadamente, a 45 milhões de páginas de documentos. A gravidade das informações provocou um terremoto jurídico e político no Brasil. Diante do escândalo causado pela divulgação dos vazamentos pelo Intercept e pela Operação Spoofing, dois ministros da Suprema Corte viraram o Brasil de pernas para o alto. No dia 8 de março de 2021 o ministro Edson Fachin, numa decisão espantosa e inesperada, considera que a 13ª Vara Federal de Curitiba — que fora comandada por Moro e recebera as acusações da força-tarefa da Operação Lava Jato — não tinha competência para julgar os casos de que Lula era acusado, e anula todas as condenações do ex-presidente relacionadas às investigações da Operação Lava Jato. Com a decisão, Lula recupera a liberdade, os direitos políticos que lhe tinham sido cassados, e volta a ser elegível. Um dia depois, o ministro Gilmar Mendes decide acatar o pedido que já dormia nas gavetas do STF desde novembro de 2018 e declara o ex-juiz Sergio Moro suspeito por haver tomado as decisões no caso Lula, tornando-as nulas.

No mês de novembro de 2019 o STF determinou que um réu só viria a cumprir pena após a utilização de todos os recursos judiciais, o que determinava a libertação, entre outros, do ex-presidente Lula. Entre a ordem de liberdade do Supremo e a abertura da cela, porém,

Contra a vontade das autoridades, que pretendiam que ele, depois de libertado pelo STF, deixasse a prisão de helicóptero e seguisse de avião diretamente para São Paulo, Lula sai da cela e vai direto para a vigília, onde desde cedo uma pequena multidão o esperava para festejar a liberdade.

Já solto, Lula se abraça ao neto Thiago, à namorada, Janja, e à filha, Lurian.

Lula ainda teve que enfrentar um incidente. Reunidos na enorme sala da Superintendência, o chefe da Federal no Paraná e o estado-maior da Polícia Militar do estado queriam acrescentar, por conta própria, um adendo às decisões de Fachin e Gilmar, um castigo adicional. Temerosos de que a festiva recepção a Lula pelo povo da vigília pudesse se converter em agitação política, exigiam que ele saísse do prédio de helicóptero para o aeroporto Afonso Pena e fosse imediatamente transportado num avião oficial para São Paulo. A resistência à proposta foi unânime. Advogados, Moraes e seus auxiliares, e até os carcereiros insistiam que aquilo seria uma afronta a uma decisão da Suprema Corte. Até Chastalo, em última instância o responsável legal pela libertação do preso, tratou de tirar a responsabilidade pela grave infração que as autoridades queriam cometer:

— O mandado determina que o preso seja colocado em liberdade. Minha responsabilidade é abrir a porta da cela, acompanhá-lo até o andar térreo e abrir a cancela de saída. Isso feito, ele vai para onde quiser.

O golpe dos policiais militares e do dirigente da Federal não colou. O grupo subiu até a cela, onde Lula assinou o mandado de soltura e pegou a mala que já tinha sido feita por Paulão e Chastalo. Este, para evitar aglomerações nos espremidos elevadores do prédio, resolveu descer com ele pela escada de incêndio, que fica fora do prédio mas é fechada por uma parede de concreto. Nas portas de acesso da escada ao prédio central, a cada pavimento por que passavam, nos quatro andares até a rua, agentes federais armados e com a cabeça coberta por balaclavas negras se despediam sorridentes do ex-presidente, que os tratava pelos próprios nomes ou pelos das cidades de origem de cada um:

— Ô Paranaguá, tira essa merda do rosto, rapaz! Quero ver sua cara! Ô Polaco, obrigado por tudo! Adeus, fulano, muito obrigado! Tchau, sicrano, fique com Deus e dê um abraço na patroa.

Em cada lance de escada, uma despedida. Alguns dos agentes tentavam disfarçar o choro abaixando a cabeça. Nos andares finais já era possível ouvir o ruído do coro que gritava, com uma pequena multidão cercando o prédio da Federal:

— Lula livre! Lula livre! Lula livre!

Faltavam poucos minutos para as seis da tarde do dia 8 de novembro de 2019, uma sexta-feira, quando Lula, libertado, atravessou o portão da Superintendência do Paraná, onde passara 581 dias preso. De paletó preto, camiseta azul-marinho sem gola, deixou o prédio a pé, cercado por dezenas de amigos, familiares e seguranças. Sorridente, abraçou a namorada, Janja, a filha, Lurian, e o neto Thiago. À sua volta, no meio de uma confusão de choros e abraços, as cenas transmitidas pela TV e pela internet mostravam o chefe de sua escolta, capitão Valmir Moraes, o ex-deputado e advogado Wadih Damous, o líder do MST Roberto Baggio, um dos organizadores da vigília, o carcereiro Jorge Chastalo, que lhe fizera companhia na cela durante toda a prisão, a presidente do PT, Gleisi Hoffmann, os advogados Cristiano Zanin e sua mulher, Valeska, Luiz Eduardo Greenhalgh, o assessor de imprensa José Chrispiniano, os advogados e companheiros de todos os dias Manoel Caetano e Rochinha, o ex-prefeito Fernando Haddad, o deputado Emidio de Souza, o líder petista do Rio Lindbergh Farias, Marcola, Nicole Briones, o elétrico Stuckert, que parecia disparar não uma câmera, mas uma metralhadora, diante de tantas imagens emocionantes.

Sempre com o braço sobre o ombro de Janja, praticamente arrastado até o pequeno palanque montado na porta da vigília, em torno do qual centenas de pessoas o esperavam, o ex-presidente consumiu metade dos quinze minutos do curto discurso lendo a interminável lista de agradecimentos a todos os que haviam sido solidários a ele durante a prisão.

[...] Todo santo dia, vocês eram o alimento da democracia que eu precisava para resistir à safadeza e à canalhice que o lado podre do Estado brasileiro fez comigo e com a sociedade brasileira. Que o lado, o lado podre da Polícia Federal, o lado podre do Ministério Público, da Receita Federal, trabalham e trabalharam para tentar criminalizar a esquerda, o PT, e o Lula. E eu não poderia ir embora daqui sem poder cumprimentar vocês.

[...] O lado mentiroso da Polícia Federal fez um inquérito contra mim. O lado mentiroso e canalha do Ministério Público e o Moro, mais o TRF4, essa gente tem que saber: eles não prenderam um homem, eles tentaram matar uma ideia, e uma ideia não se mata. Uma ideia não desaparece.

[...] Existe uma quadrilha e um bando de mafiosos no país que fizeram essa maracutaia para tentar, liderados pela Rede Globo de televisão, criar a imagem de que o PT precisava ser criminalizado e o Lula era bandido. Vou dizer para vocês, se pegar o Dallagnol, o Moro, e alguns delegados que fizeram inquérito, e bater no liquidificador, o que sobrar não é dez por cento da honestidade que represento neste país.

[...] Eu não tenho mágoa dos policiais federais, eu não tenho mágoa dos carcereiros, eu não tenho mágoa de ninguém. Tenho é vontade de provar que esse país pode ser muito melhor se ele tiver um presidente que não minta tanto quanto o Bolsonaro. Obrigado por tudo, de coração! Serei eternamente grato a vocês e fiel à luta de vocês! Que Deus abençoe cada homem e cada mulher!

[...] Quero apresentar para vocês uma pessoa de quem já falei, mas que nem todos conhecem. Quero lhes apresentar minha futura companheira. Vocês sabem que eu consegui a proeza de, preso, arrumar uma namorada e ainda ela aceitar casar comigo. É muita coragem dela.

Diante do coro insistente ("Beija! Beija! Beija!"), Lula dá um beijo cinematográfico em Janja, desce a escadinha do palanque e, sem precisar anunciar a ninguém, pisa no chão como candidato a presidente do Brasil.

A pedido do público, Lula beija Janja e já desce do palanque candidato a presidente da República.

7

Jardim Lavínia, abril de 1980.
Com a polícia na porta para prendê-lo, Lula ruge:
— Estou dormindo, porra! Eles que se fodam!

Já era quase uma hora da manhã de sábado, dia 19 de abril de 1980, quando o deputado Geraldo Siqueira anunciou que tinha chegado ao fim a última das quatro garrafas azuis de Liebfraumilch, vinho alemão adocicado, barato e popularíssimo no Brasil. A bebida acabara em boa hora. O sono era visível na aparência do parlamentar, com os cabelos desgrenhados como os de um hippie, e no rosto de seus três companheiros de noitada, o frade dominicano Frei Betto e os donos da casa, Lula e Marisa. Com o vinho, chegava ao fim também a enésima rodada de buraco que os quatro começaram a jogar depois do jantar — sempre as duplas Marisa e Lula versus Betto e "Geraldinho", como o parlamentar era conhecido. Os advogados de presos políticos José Carlos Dias e Airton Soares, este deputado federal pelo recém-fundado PT, que lá estavam desde cedo, decidiram ir embora. O carteado terminaria sem que o frade e o deputado conseguissem vencer uma só partida contra Lula e Marisa, conhecidos pelos amigos como imbatíveis naquele jogo de baralho.

Inusitada à primeira vista, a presença de um religioso e um político àquela hora da madrugada na casa do líder metalúrgico tinha explicação. Dois dias antes, no auge de uma greve que já paralisava mais de 140 mil trabalhadores da região do ABC, o Sindicato dos Metalúrgicos de São Bernardo do Campo e Diadema, presidido por Lula, havia sido posto sob intervenção federal e todos os diretores estavam afastados de seus cargos. Certos de que a prisão de Lula era iminente, Betto e Geraldinho passaram a dividir com o casal e o filho caçula,

Lula e Marisa na sala da casa em que viviam na rua Maria Azevedo Florence, em São Bernardo do Campo.

Lula faz panfletagem nas ruas do ABC, conclamando os trabalhadores para a greve que acabaria levando-o à prisão.

Sandro, de um ano e nove meses, a casa térrea de 33 metros quadrados em que viviam no Jardim Lavínia, em São Bernardo. Geraldinho dormia no sofá da sala, Betto compartilhava com Sandro um beliche num cômodo dos fundos, Marisa e Lula dormiam no único quarto do imóvel. Naquela emergência, os demais filhos — Marcos, de nove anos, fruto do primeiro casamento de Marisa, e Fábio, de cinco — foram deixados sob a guarda de parentes. Lurian, de seis anos, filha de um fugaz relacionamento de Lula com a enfermeira Miriam Cordeiro, vivia com a avó materna, Beatriz, também em São Bernardo.

Antes do jantar, Lula caminhara com o deputado Airton Soares até o Hospital Assunção, a quinze minutos de sua casa, para visitar dois grevistas feridos durante uma das investidas da tropa de choque contra um piquete. Um deles quebrara o pé na fuga e o outro tinha perdido parte da mão direita na explosão de uma bomba de gás lacrimogêneo. Ao voltarem para casa, lá encontraram o jurista José Carlos Dias, presidente da Comissão Justiça e Paz, preocupado com a segurança do líder metalúrgico. Os dois se conheciam desde 1975, quando Lula pediu socorro a Dias para o irmão mais velho, José Ferreira da Silva, o "Frei Chico", preso por fazer parte do PCB (Partido Comunista Brasileiro, o "Partidão"). Mesmo naquela breve caminhada até o hospital, Lula fora seguido a curta distância por homens em roupas civis, em viaturas sem identificações, sem placas ou com placas falsas.

Desde o começo do ano ele e Marisa perceberam que vinham sendo vigiados dia e noite por agentes que Lula supunha serem da Polícia Federal. Estava enganado. Eram homens dos serviços de inteligência militar do Exército e da Marinha. Aonde quer que Lula fosse — sindicato, casa de parentes e amigos, e mesmo nas paradas rápidas num boteco, para tomar uma cachaça —, lá estavam eles. Sempre nas peruas Chevrolet Veraneio, veículo preferido pelos órgãos de segurança, não faziam questão de dissimular a campana. Até nos fins de semana, nos almoços com a família ou amigos na cantina Leão de Ouro: assim que escolhia um lugar para sentar, Lula identificava os tiras, em geral em grupos de quatro ou cinco, aboletados em mesas próximas. A desenvoltura dos policiais era tão acintosa que Airton Soares chegou a sugerir uma provocação: que algumas vezes ao dia Marisa atravessasse a rua de casa e oferecesse um cafezinho fresco a eles.

A presença de grupos tão numerosos de agentes para seguir os passos de Lula, e não apenas um ou dois tiras em cada turno, como de costume, também tinha explicação. Como operavam numa região hostil e conflagrada, com permanentes choques entre a Polícia Militar e os grevistas, os agentes do Exército e da Marinha, mesmo vestindo roupa civil e portando armas de fogo, temiam ser identificados e atacados pelas hordas de piqueteiros que circulavam pela cidade. Não era paranoia. Lula em pessoa chegou a evitar uma tragédia:

— Um dia apareceram uns companheiros na minha casa propondo juntar um grupo de quarenta, cinquenta peões. Eles pegariam um balde de gasolina, viriam por trás da viatura, despejariam o combustível sobre ela e meteriam fogo, com os tiras dentro. Eu achei que era uma loucura e não deixei fazerem isso.

O plantão em tempo integral de Geraldinho e Frei Betto — que além de amigo da família era o responsável pela Pastoral Operária da diocese de Santo André — constituía o centro de uma teia de aranha que entrelaçava ativistas sindicais, setores da Igreja católica, jornalistas, advogados ligados à área de direitos humanos, intelectuais e políticos, alguns destes já comprometidos com a mais nova agremiação política brasileira, o Partido dos Trabalhadores, que havia sido criado dois meses antes e do qual Lula era presidente e a figura mais visível. A rede deveria ser acionada por um telefonema dado por Betto ou Geraldinho imediatamente após a eventual prisão de Lula. O destinatário da chamada retransmitiria a informação para outras dez pessoas, e estas para mais dez, sempre por telefone. O plano exigia a imobilização permanente dessa malha de gente, já que os envolvidos tinham que estar o tempo todo próximos de um aparelho em que pudessem ser alcançados pela ligação vinda de São Bernardo. Assim, pretendia-se que a notícia da eventual prisão chegasse o mais depressa possível à imprensa nacional e aos correspondentes estrangeiros.

Não eram preocupações exageradas. Fosse a serviço dos patrões ou do governo, a polícia tinha motivos de sobra para querer tirar Lula de circulação. Prestes a chegar à terceira semana de duração, a greve liderada por ele paralisava centenas de milhares de trabalhadores não apenas das gigantes brasileiras, como a Villares, mas de multinacionais do porte da Volkswagen, Ford, General Motors, Mercedes-Benz e Scania. Isso sem contar as centenas de pequenas e médias metalúrgicas instaladas na região metropolitana da capital paulista, fabricantes de componentes para as grandes montadoras.

A primeira vitória do movimento se dera logo no início, quando o Tribunal Regional do Trabalho, acionado pelos patrões, se declarou incompetente para julgar a ilegalidade da greve. As dimensões da paralisação acenderam os alarmes do governo federal. O Cenimar (Centro de Informações da Marinha) passou a monitorar o movimento e enviar boletins regulares ao histriônico general Newton Cruz, o "Nini", chefe da Agência Central do SNI (Serviço Nacional de Informações) em Brasília. Eram relatórios ultrassecretos sem cópia para ninguém, nem mesmo para o governador Paulo Maluf, o secretário de Segurança Pública ou o diretor do Dops (Departamento de Ordem Política e Social), Romeu Tuma. Num desses informes o Cenimar alertou o SNI para o fato de que a greve transbordara da região do ABC e já atingia municípios como Campinas, Taubaté, Sorocaba e Piracicaba. O sinal vermelho começava a piscar.

Composto de 22 dirigentes de sindicatos patronais da indústria automobilística, o chamado Grupo 14 da Fiesp (Federação das Indústrias do Estado de São Paulo) decidiu repetir a estratégia utilizada para enfrentar e derrotar os metalúrgicos na greve de 1979, um ano antes. A primeira vitória dos metalúrgicos na batalha de 1980 durou pouco: por pressão dos patrões o TRT voltou atrás e dias depois declarou a greve ilegal. Com isso a Fiesp passava a ter amparo legal para requerer ao ministro do Trabalho, o banqueiro Murilo Macedo, intervenção federal no sindicato. E dava carta branca ao governador nomeado Paulo Maluf para usar força policial e impedir piquetes, manifestações e passeatas a favor da paralisação. Enquanto tais medidas eram postas em prática, eles próprios, os patrões, se encarregaram de dar mais uma volta no parafuso e anunciaram a suspensão do pagamento dos salários dos grevistas.

A corda apertava. O arrocho nos holerites, a pressão da Justiça do Trabalho, a ameaça de intervenção e a violência das tropas da Polícia Militar, no entanto, não levaram os peões de volta às fábricas. Ao contrário. Segundo um boletim dos industriais do Grupo 14, divulgado pelo governador Maluf, o surto iniciado em São Bernardo já contaminara ainda mais empresas do que na contagem anterior, e tinha chegado a pequenas e médias metalúrgicas instaladas nas cidades de Santos, Sertãozinho, Pindamonhangaba, Guaratinguetá, Piracicaba, São José dos Campos, Santa Bárbara d'Oeste, Araraquara, Américo Brasiliense, Ribeirão Preto, Ourinhos, Mococa, Jundiaí, Lorena e Cruzeiro.

Pelas contas do governo, quase meio milhão de trabalhadores paulistas estavam de braços cruzados — metade do total de operários com carteira assinada em todo o país. Os grevistas não pareciam se intimidar com a truculência do coronel Dalter Dimas Rigonatto, homenzarrão de olhos azuis, baixa estatura e envergadura física de um búfalo, comandante do Batalhão de Choque e do Regimento de Polícia Montada. As cargas da cavalaria e da tropa de choque sobre os piquetes varavam as madrugadas e eram recebidas a pedradas, pauladas e pneus em chamas. O movimento nos hospitais da região do ABC duplicou com a chegada diária de feridos nos confrontos com a soldadesca.

Um personagem indefectível nas intermináveis jornadas da greve de 1980 era o pernambucano José Dilermando, o "Ratinho", fresador da Ford e um dos representantes do sindicato na fábrica. Baixinho, franzino ("Devo pesar umas duas arrobas", dizia), trombudo e pouco afeito a sorrisos e salamaleques, Ratinho era conhecido dos jornalistas e dos policiais pela valentia inversamente proporcional à compleição física. Numa de suas muitas detenções, Ratinho se recusou a ser conduzido ao camburão por um soldado da PM.

Em roupas civis, o bispo d. Cláudio Hummes (de óculos) circula pelas ruas do ABC com o deputado Geraldo Siqueira (à dir.), um dos "plantonistas" na casa de Lula. Já cardeal, em 2021 d. Cláudio converteu-se num dos principais assessores do papa Francisco. Preside o Conselho Internacional de Catequese.

A Polícia Militar não usava apenas a tropa fardada para reprimir as greves. Abaixo, o homem musculoso, de costas, em primeiro plano, é o soldado José Carlos Bernardino, vulgo Kojak, que fazia parte do serviço secreto da PM paulista. Condenado a três meses de prisão por agressão a populares e religiosos na Freguesia do Ó, em São Paulo, Kojak teve sua pena atenuada pelo governador nomeado Paulo Maluf.

— Para me prender tem que vir um cabo! — gritava. — Não sou vagabundo, para ser preso por soldado!

Acabou sendo levado não por um cabo, mas pelo comandante da tropa de choque em pessoa, o violento coronel Rigonatto. Nos piquetes das madrugadas geladas do largo da Piraporinha (pracinha em que estacionavam os ônibus que transportavam trabalhadores), onde ele preferia dar expediente durante as greves, era comum ver repórteres e soldados da cavalaria — montados em animais que só até o lombo mediam 1,75 metro — se juntarem em torno de Ratinho para ouvi-lo repetir, carrancudo, com o ossudo dedo em riste apontado para os policiais, o que se transformou num bordão:

— O Brasil só vai consertar quando o sangue estiver batendo nas nossas canelas.

Mais que as bombas de gás lacrimogêneo lançadas pela polícia, o que tirava o sono dos grevistas eram as contas da feira, do açougue, da padaria, da farmácia e do mercado. As fábricas pagavam os funcionários administrativos nos dias 15 e 30 e os trabalhadores da produção nos dias 5 e 20 de cada mês. Assim, após três semanas de greve, com os salários congelados, as contas domésticas da maioria já estavam no vermelho. A salvação foi a criação, pelo bispo diocesano de Santo André, d. Cláudio Hummes — que esteve na iminência de ser sagrado papa, décadas depois —, de um fundo de apoio às famílias dos grevistas. Não era pouco, naquele momento, ter como aliado alguém com o perfil de d. Cláudio.

Sob o comando desse franciscano magro e de fala suave estava a extensa diocese de Santo André, território que ia dos limites do enfumaçado bairro do Ipiranga, em São Paulo, até as escarpas cobertas pela mata atlântica da serra do Mar. Além da cidade-sede, o bispado compreendia os municípios de São Bernardo do Campo, São Caetano do Sul, Diadema, Mauá, Ribeirão Pires e Rio Grande da Serra, onde viviam 1,6 milhão de habitantes e funcionavam cem paróquias. Nos domínios de d. Cláudio, um gaúcho de 45 anos, conviviam o parque industrial responsável por 10% do PIB brasileiro e uma massa de operários organizados como nunca se vira no país desde o golpe militar de 1964.

À iniciativa de d. Cláudio se somaram outros sindicatos, movimentos sociais, partidos políticos e um número incalculável de paróquias da capital paulista. Em poucos dias o enorme salão paroquial da matriz de Santo André, transformado em centro de recebimento e estocagem das doações, não tinha mais espaço para uma caixa de biscoitos. Na Assembleia Legislativa, gabinetes de deputados passaram a receber a carga excedente que vinha de todo canto, inclusive de outros estados. À porta do imponente prédio de mármore, vidro e alumínio, em frente ao parque do Ibirapuera, caminhões faziam filas para descarregar sacos de arroz, feijão, farinha, pacotes de leite em pó e enlatados, alimentos que eram acondicionados em caixas de papelão e repassados ao sindicato para abastecer os milhares de famílias de grevistas. Artistas e intelectuais montavam espetáculos e debates para levantar fundos, e profissionais liberais se cotizavam em "vaquinhas", iniciativas que chegavam em dinheiro vivo a Santo André, recursos que eram convertidos em remédios, cestas básicas e produtos de higiene.

Os organizadores do fundo de greve programaram o que prometia ser uma gorda fonte de receita: um show artístico a se realizar no estádio de Vila Euclides com alguns dos mais importantes intérpretes da música popular brasileira, juntando no mesmo palco astros e estrelas do samba, da Bossa Nova e do Tropicalismo. Já havia confirmado presença uma galáxia que provavelmente dinheiro ou patrocinador algum seria capaz de reunir, da qual faziam parte, entre outros, Adoniran Barbosa, Chico Buarque, Gal Costa, MPB-4, Gonzaguinha, Alcione, Dominguinhos, Elba Ramalho, Fagner, Francis Hime, Ivan Lins, João Bosco, João do Vale, João Nogueira, Martinho da Vila, Paulinho Nogueira, Sérgio Ricardo, Toquinho e Zé Kéti. Os mestres de cerimônia seriam o cartunista Ziraldo e a atriz Bete Mendes. Previsto para o dia 20 de abril, o show acabou sendo adiado para o domingo seguinte. Com o ingresso vendido a Cr$ 100, se conseguissem colocar de novo 100 mil pessoas no estádio, como já acontecera em algumas assembleias, os mais otimistas esperavam arrecadar inacreditáveis Cr$ 10 milhões (cerca de R$ 2,3 milhões em 2021). O sonho durou pouco. Antes que os ingressos fossem postos à venda, a Polícia Federal proibiu o espetáculo. Quatro dias depois do frustrado show, o consolo de muitos dos organizadores e espectadores foi a notícia da morte, num acidente na cidade de Ilhabela, no litoral paulista, do delegado Sérgio Fleury, criador e chefe do Esquadrão da Morte em São Paulo e acusado de torturar até a morte dezenas de trabalhadores e presos políticos.

Descrentes de que aquela montanha de doações era fruto apenas da solidariedade pública, os órgãos de inteligência militar encarregados de bisbilhotar secretamente a greve farejaram a existência de dinheiro estrangeiro por trás da paralisação. Num informe dirigido à Agência Central do SNI, em Brasília, a base paulista do Cenimar "não descartava" a possibilidade de que tivessem enviado US$ 1,5 milhão (cerca de R$ 26 milhões em 2021) clandestinamente do exterior ao Brasil para dar sustentação material à greve. Sem afirmá-lo, o informe insinuava que a origem do dinheiro poderia ser o centenário IG Metall (Industriegewerkschaft Metall), fundado em Berlim no fim do século XIX e que se convertera no maior sindicato metalúrgico do mundo, com mais de 2 milhões de afiliados.

Havia ajuda de fora, sim, mas nada que chegasse aos pés da dinheirama imaginada pelos arapongas da Marinha. E disso foram protagonistas pelo menos dois brasileiros. No auge da greve, dois jovens interioranos, um baixinho paranaense de trinta anos e um gaúcho de vinte, ambos metalúrgicos ligados à Pastoral Operária, faziam um giro pela Europa, destacados pela Igreja para participarem de cursos e estágios em sindicatos e organizações sociais. O objetivo era aprender como consolidar no Brasil uma conquista dos operários europeus que já vinha sendo posta em prática informalmente no ABC: as comissões de fábrica, uma extensão do sindicato dentro do local de trabalho.

Em Paris, última escala da viagem, os dois brasileiros foram incumbidos de uma tarefa política: entregar à diocese de Santo André um envelope pardo e razoavelmente gordo. Dentro dele havia US$ 20 mil

Vigiado pela polícia desde os primeiros dias do ano, a "segurança" do casal era a "peãozada". Um grupo de metalúrgicos pensou em incendiar um carro da repressão, com os policiais dentro, mas foi dissuadido pelo próprio Lula.

doados ao fundo de greve pela CFDT (Confederação Francesa Democrática do Trabalho), conglomerado operário que abriga centenas de sindicatos de trabalhadores de toda a França. Embora nunca tivessem visto tanto dinheiro (cerca de R$ 340 mil em 2021), decidiram levar a bolada para o Brasil como fariam legítimos caipiras: no bolso. Dividiram as cédulas em oito pacotinhos e os enfiaram nos bolsos das calças, paletós e agasalhos. Apesar de primitivo, o meio de transporte se revelou eficaz: depois de cruzar barreiras e alfândegas, o dinheiro chegou intacto às mãos de d. Cláudio Hummes. A inesperada contribuição era tão generosa que o bispo chamou Lula à matriz para receber pessoalmente das mãos dos rapazes a valiosa ajuda vinda da França e os apresentou ao líder da greve. Trêmulos com o privilégio de ver o ídolo de perto, nenhum dos dois poderia, naturalmente, sonhar que vinte anos mais tarde ambos seriam ministros de Estado daquele barbudo descabelado que os recepcionava. D. Cláudio os anunciou:

— Lula, este garoto é o Miguel Rossetto, de São Leopoldo, no Rio Grande, e o colega dele é o Gilberto Carvalho, paranaense de Londrina.

Além da doação francesa, vigários de igrejas católicas espalhadas pelo mundo — Estados Unidos inclusive — recolhiam donativos entre os fiéis de suas paróquias e arranjavam maneiras de fazer o dinheiro chegar ao ABC. Lula e os diretores do sindicato sabiam que as contribuições, vindas de onde viessem, somadas ao surpreendente sucesso da campanha de doação de alimentos, davam um oxigênio adicional à greve — e por quanto mais tempo conseguissem manter a paralisação, mais força teriam nas negociações com os patrões.

Protegida pelo manto de d. Cláudio, mesmo depois de afastada, a diretoria do sindicato continuava a se reunir todos os dias na matriz de Santo André. Tudo isso, porém, apontava para o risco iminente da radicalização do governo. Se nem a intervenção no sindicato fora suficiente para cortar a ligação entre Lula e os grevistas (ainda que com o sindicato fechado as assembleias prosseguiam, ora no estádio de Vila Euclides, ora na matriz), a única saída que restava ao governo e aos patrões era mandar prendê-lo — temor que explicava a mudança de

JARDIM LAVÍNIA, ABRIL DE 1980 | 179

Frei Betto e do deputado Geraldinho, com malas e escovas de dentes, para a casa do líder metalúrgico.

À uma e meia da madrugada Geraldinho cobriu com um lençol o sofá onde dormiria. Frei Betto entrou silenciosamente e sem acender as luzes do quarto que dividiria com Sandro. Sentou-se em posição de ioga e meditou por alguns minutos. Não fez nenhum apelo especial a Deus. Apenas rezou o pai-nosso e a ave-maria de sempre e se deitou. Todos ali sabiam que a noite ia ser curta, pois uma nova assembleia dos grevistas tinha sido convocada para a manhã seguinte, sábado, no estádio de Vila Euclides. Lula sempre preferiu convocar as assembleias para a parte da manhã, um truque para evitar que a peãozada já chegasse à concentração com algumas doses de cachaça ou conhaque na cabeça e radicalizasse demais nas reivindicações.

Quando se apagou a última luz da casa do Jardim Lavínia, a vinte quilômetros dali, na avenida Radial Leste, do outro lado da capital paulista, uma perua Chevrolet Veraneio, sem placas e sem nenhuma outra caracterização, em alta velocidade, deu um cavalo de pau no meio da via, obrigando a frear bruscamente o carro que rodava na pista lateral. O automóvel interceptado era um Opala preto com placas pretas de bronze em que havia a insígnia AL-92, que o identificava como um veículo oficial a serviço de algum deputado da Assembleia Legislativa de São Paulo. No caso, Geraldo Siqueira, o Geraldinho, que dormia na casa de Lula. Da Veraneio desceram quatro homens à paisana, todos armados de fuzis ou metralhadoras. Ameaçadores, arrancaram do volante Luís Blefari, motorista do deputado, um rapaz moreno, de trinta anos, enfiaram-lhe um capuz na cabeça e o puseram no banco de trás do veículo clandestino. Um dos homens o tranquilizou:

— Não vai te acontecer nada. Sabemos que você faz parte da escolta do Lula e vamos rodar com você até a hora em que ele for preso.

Blefari não era segurança de Lula nem de ninguém, mas as pilhas de tabloides e panfletos pró-greve que ele transportava para o ABC, no porta-malas e no interior do carro oficial, eram mais que suficientes, naqueles dias ínvios, para incriminá-lo. Com a cabeça coberta pelo capuz, o motorista rodou a noite inteira estarrecido, sem saber onde se encontrava nem para onde o levavam. Às seis horas da manhã deixaram Blefari, aliviado, no mesmo local em que tinha sido apanhado e ele recebeu de volta as chaves do carro sem que o molestassem. Os fardos de panfletos foram transferidos para a viatura dos sequestradores e o rapaz pôde seguir caminho sem sequer ser identificado.

Naquela hora, em São Bernardo, Geraldinho foi despertado pelo pá-pá-pá das palmas que alguém batia no portão da casa. Através da espessa neblina com que a serra do Mar costuma cobrir as manhãs da cidade nessa época do ano, viu por uma fresta da porta duas peruas Veraneio sem placas e vários homens vestidos de roupa civil, todos carregando armas longas. Tomou coragem e deu três passos até a grade do portão. Com os olhos injetados, a gaforinha revolta e o terno bege amarfanhado pelas poucas horas de sono no sofá, o deputado dirigiu-se ao que parecia ser o chefe da turma, um homem forte, de meia-idade e bigode grisalho:

— Bom dia. O que é que o senhor deseja?

Embora portassem um pequeno arsenal nas mãos, os homens estavam visivelmente nervosos, olhando para os lados, como se temessem algum enfrentamento com grupos de metalúrgicos que zanzavam entre as portas das fábricas, convocando para a assembleia que aconteceria dali a pouco. O de bigodes respondeu rispidamente:

— Viemos prender o sr. Luiz Inácio da Silva.

Geraldinho fez uma inesperada, insólita pergunta:

— O senhor tem mandado judicial para prendê-lo?

Não deixava de ser uma irônica ousadia exigir determinações da Justiça para prender alguém em plena ditadura, mas em silêncio o homem enfiou a mão no bolso interno do casaco de couro, tirou um pedaço de papel datilografado, mal o desdobrou e guardou-o de volta, sem tempo para que o deputado conseguisse ler uma só sílaba do que estava escrito ali. Podia ser uma ordem da Justiça e podia não ser nada. Tratava-se, na verdade, de um mero impresso policial preenchido às pressas e assinado apenas por alguém denominado "escrivão Nilton", porém as circunstâncias não recomendavam discussões jurídicas. Sobretudo porque a paciência do interlocutor parecia curta:

— Se ele não se entregar imediatamente, vamos entrar e prendê-lo.

Geraldinho tranquilizou-o, disse que ia acordar Lula e que em poucos minutos ele estaria pronto para ser preso. Correu para os fundos, despertou Frei Betto com a notícia de que a polícia estava na porta e pediu a ele que acordasse Lula. Enquanto isso, pegou o telefone da sala e discou o número do apartamento da jovem cientista social e líder estudantil Beatriz Tibiriçá, a "Beá", sua assistente no gabinete parlamentar, e cumpriu, com cinco palavras, a tarefa para a qual vinha se preparando fazia vários dias:

— Lula está sendo preso agora.

De calças jeans e camisa listrada, de mangas curtas, Betto bateu suavemente na porta do quarto do casal e percebeu que marido e mulher dormiam pesado. Entrou e cutucou Lula pelo ombro:

— Levanta, os homens estão aí para te prender!

Para espanto do religioso, Lula virou-se para o outro lado da cama e praguejou:

— Eles que se fodam! Eu estou dormindo, porra!

Preocupado, Betto insistiu:

— Lula, os caras estão aí! Estão gritando que vão entrar e te prender!

Ele acabou se levantando. De pés no chão e sem camisa, saiu para a rua abotoando a braguilha. Sem aparentar medo, mas bastante mal-humorado, travou com o suposto chefe do grupo um diálogo tenso:

— O que que é? O que é que o senhor quer?

— Você está preso!

— Preso por quê?

— Nós também não sabemos. Só mandaram te prender.

— Então vocês esperem um pouco, porque eu vou escovar os dentes, me vestir e tomar um café.

Reapareceu logo, com Marisa, Betto e Geraldinho. Foi colocado no banco de trás da perua, guardado por seis homens: um de cada lado dele, dois na frente e mais dois acocorados no compartimento de bagagens, todos armados. Assim como estavam armados mais quatro civis campanados em outra Veraneio, parada a poucos metros da casa. Em alta velocidade, as duas viaturas pegaram o rumo de São Paulo.

O mesmo Lula que minutos antes falara grosso com os tiras agora estava com muito medo. Não havia nenhuma garantia de que aqueles homens fossem de fato da polícia ou de outro órgão de segurança do governo. As torturas a que seu irmão, Frei Chico, fora submetido pelo DOI-Codi (sigla para Destacamento de Operações de Informação — Centro de Operações de Defesa Interna), cinco anos antes, não saíam da sua cabeça. Quase quarenta anos depois, já ex-presidente da República, ele ainda se lembraria do pesadelo que viveu ao ser posto no veículo clandestino:

— Começou a dar medo na hora que entrei na perua. Era eu sozinho com seis caras armados. Comecei a lembrar de gente que tinha sido assassinada e que tinham desaparecido com o corpo. Porra, ali não tinha testemunhas... Para onde aqueles caras estavam me levando? E se eles me matassem, passassem o carro por cima de mim e dissessem que eu fui atropelado?

Por sorte os macabros vaticínios duraram pouco. Minutos depois, quando passavam em frente ao restaurante Leão de Ouro, a um quilômetro da casa de Lula, o silêncio foi interrompido pelo som do rádio do veículo, ligado pelo homem que conduzia a Veraneio. O aparelho estava sintonizado em *O Pulo do Gato*, popular programa matutino de noticiário e variedades da Rádio Bandeirantes, dirigido pelo jornalista José Paulo de Andrade. E foi o próprio diretor quem interrompeu a programação e entrou no ar:

— Atenção, muita atenção! O sindicalista Luiz Inácio da Silva, o Lula, acaba de ser preso em São Bernardo. A informação foi transmitida por uma fonte segura, a Cúria Metropolitana de São Paulo.

A notícia divulgada por d. Paulo Evaristo Arns, de que ele estava

De paletó e gravata, o jovem deputado Geraldo Siqueira, o "Geraldinho", dá plantão com Marisa na casa dela e de Lula, em São Bernardo do Campo, para prevenir o risco de que o líder sindical seja preso ou sequestrado sem testemunhos ou sem alguém para denunciar a violência.

A rede de proteção montada por ativistas, deputados, sindicalistas e pela Igreja funcionou: minutos depois da prisão de Lula, o primeiro a ser informado foi o cardeal d. Paulo Evaristo Arns. E foi ele quem denunciou à imprensa que a prisão tinha acabado de ocorrer.

sendo preso pela polícia, e não por paramilitares, deixou Lula aliviado, mas não agradou ao homem que viajava ao lado dele, com a arma no colo:

— Esse bispo filho da puta tinha que se foder!

Profissional experiente e bem relacionado, o radialista Andrade enriqueceu o furo jornalístico revelando aos ouvintes as tentativas que fizera para desvendar um mistério: quem, afinal, tinha mandado prender o líder metalúrgico?

— Tentamos descobrir de onde partiu a ordem da prisão, mas nem o governador do estado, Paulo Maluf, nem o secretário de Segurança, Otávio Gonzaga Júnior, nem mesmo o diretor do Dops, delegado Romeu Tuma, souberam responder. O que podemos afirmar, com segurança, é que Lula foi preso hoje às seis da manhã em sua casa, em São Bernardo do Campo.

A "teia de aranha" dera certo. Imediatamente depois de receber a chamada de Geraldinho, Beá telefonara para Anna Maria Wey, secretária do cardeal e uma espécie de chefe da casa civil da Cúria Metropolitana, que passou a notícia a d. Paulo. Quase ao mesmo tempo ele receberia uma chamada telefônica de Santo André: era d. Cláudio Hummes transmitindo a notícia que recebera por telefone de Frei Betto (d. Cláudio era o número 1 da lista de Betto). José Paulo de Andrade encerrou o programa convencido de que as autoridades estaduais tentavam confundir a imprensa ao alegar ignorância sobre a operação daquela manhã. Uma fonte do jornal *O Estado de S. Paulo* na 5ª Seção do II Exército reagiu secamente: "O Exército não tem nada com isso: quem prende é o Dops".

8

A Marinha viola a correspondência da Cúria e revela que o cardeal Arns pediu à Igreja alemã apoio à greve do ABC.

O prédio onde Lula estava preso fora construído no começo do século xx pela Sorocabana Railway Co., propriedade do biliardário norte-americano Percival Farquhar. O belo edifício de tijolos vermelhos, projetado pelo festejado arquiteto paulista Ramos de Azevedo, permaneceu como escritório e estação ferroviária até o início dos anos 1940, quando o interventor estadual Ademar de Barros reestatizou a empresa e transformou em presídio a enorme edificação de quatro andares do largo General Osório, no centro da capital de São Paulo. Por suas celas já haviam passado desde escritores célebres, como Monteiro Lobato, até a vanguarda do modernismo paulista (entre outros, Oswald de Andrade, Pagu Galvão e Flávio de Carvalho), e religiosos como Frei Betto, o mesmo dominicano que dormira na casa de Lula.

Logo ao chegar ao prédio, o líder metalúrgico percebeu que não era o único preso do dia. Lá já estavam todos os seus colegas de diretoria e alguns sindicalistas da região, entre eles seu irmão Frei Chico. Não foi, porém, a presença do irmão e dos colegas de sindicato que fez renascer o medo de que fora tomado ao sair de casa. A paranoia bateu de novo quando viu, tão presos quanto ele, dois medalhões do direito, comprometidos com a defesa de presos políticos e estreitamente ligados à hierarquia da Igreja católica: os renomados advogados José Carlos Dias, que estivera em sua casa horas antes, e Dalmo Dallari. "Meu Deus do céu!", pensou o metalúrgico. "Se prenderam até o Dallari e o José Carlos Dias é porque teve um golpe de Estado dentro do golpe. Estamos fodidos." O próprio diretor do Dops, delegado Romeu Tuma, costumeiramente risonho e bem-humorado, aparentava um semblante soturno e preocupado, ao receber Lula na entrada do prédio.

O azedume de Tuma e as desconfianças do jornalista José Paulo de Andrade procediam. Só muitos anos depois, com a liberação de parte da papelada secreta da ditadura, é que viria formalmente à luz que, assim como acontecera com Lula, o governador Maluf, seu secretário da Segurança e o diretor do Dops também só souberam das prisões pela Rádio Bandeirantes.

A resistência dos grevistas transferira a crise de São Paulo para o Palácio do Planalto. Um "estado-maior de emergência" foi criado às pressas, comandado pessoalmente pelo presidente da República, general João Batista Figueiredo, e do qual faziam parte apenas três generais com assento no ministério: Danilo Venturini, chefe da Casa Militar, Otávio Medeiros, chefe do SNI, e Golbery do Couto e Silva, chefe da Casa Civil. O único anfíbio da força-tarefa informal era o ex-major Heitor Aquino Ferreira, secretário particular do presidente. A preocupação com a manutenção do sigilo da operação era tamanha que até o ministro da Justiça, Ibrahim Abi-Ackel, fora alijado das decisões e nem sequer tomou conhecimento do que estava sendo planejado. "O objetivo é quebrar a espinha dorsal do movimento do ABC", revelaria Golbery ao jornalista Elio Gaspari. Figueiredo estava liberado para enfrentar o problema à sua moda: na marra.

A missão de executar a operação não podia ter sido atribuída a mãos mais adequadas: as do miúdo e esquelético general Milton Tavares de Sousa, conhecido entre os colegas de farda como "Caveirinha", então comandante do II Exército, sediado em São Paulo. Liderança ativa nos setores da ultradireita militar, Caveirinha carregava uma ficha funcional de provocar pesadelos. Segundo memorando da CIA (a Agência Central de Inteligência dos Estados Unidos), Tavares de Sousa, em relato aos generais Geisel e Figueiredo, assumiu o assassinato, em apenas um ano, de 104 pessoas consideradas inimigas do governo. E

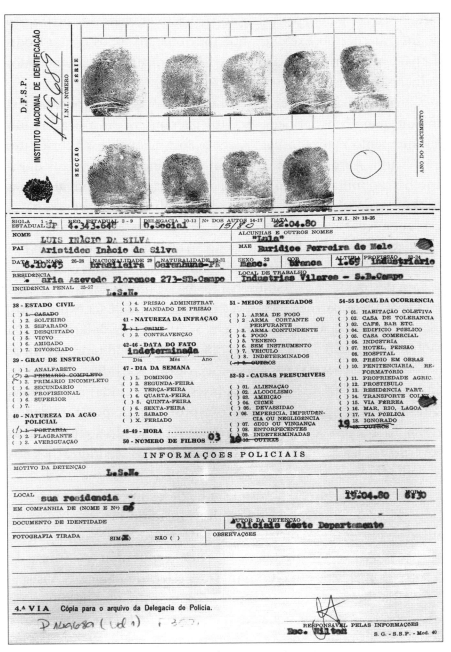

A "capivara" — ficha policial — de Lula, preenchida pelo Dops no dia em que ele foi preso, em abril de 1980. O espaço destinado à impressão digital do inexistente mindinho esquerdo foi preenchido pelo policial com uma bolinha de tinta de caneta.

foi sob seu comando, por exemplo, no posto de chefe do CIE (Centro de Informações do Exército), que funcionaram todos os DOI-Codis do país, masmorras militares onde foram torturados e assassinados milhares de opositores do regime.

A paciência do governo federal com Lula e seus grevistas terminou quando os serviços secretos fizeram chegar a Brasília um levantamento realizado pela Associação Nacional dos Fabricantes de Veículos Automotores (Anfavea) resumindo os prejuízos que a paralisação tinha causado não só na indústria automobilística, mas nas burras do tesouro público. De acordo com o estudo, a greve havia gerado, apenas nas montadoras de automóveis e fornecedoras de autopeças, prejuízos da ordem de Cr$ 18,5 bilhões (cerca de R$ 4,3 bilhões em 2021), dos quais Cr$ 5,7 bilhões (R$ 1,3 bilhão em 2021) seriam destinados ao estado sob a forma de impostos. No período, informavam os patrões, 64 mil veículos deixaram de ser exportados, o que aumentava as perdas em mais 52 milhões de dólares (R$ 806 milhões em 2021). Para atazanar ainda mais os militares, o Ministério das Relações Exteriores despejava todos os dias no Palácio do Planalto pilhas de telegramas, faxes e cartas vindas dos Estados Unidos, da Europa e do Japão com protestos de personalidades, entidades religiosas e centrais sindicais repudiando a repressão do governo e a insensibilidade dos patrões frente às reivindicações dos trabalhadores.

O mal-estar entre o governo e a Igreja — instituição que o "estado-maior de emergência" identificava como o principal pilar da greve — veio à tona poucos dias depois das prisões. Com seu jeito estabanado de falar, o presidente Figueiredo enfrentou meia dúzia de repórteres à saída de uma cerimônia no Palácio do Itamaraty. Visivelmente mal-humorado, o presidente insistiu no prejuízo de bilhões de cruzeiros que a greve já tinha custado, reclamou de Lula ("Fez alguns discursos dos mais ofensivos que eu já ouvi"), negou que o governo federal tivesse participado das prisões, rodeou aqui, desconversou ali e, por fim, fez pontaria e disparou contra a Igreja. Aproveitou a bola levantada por um dos jornalistas e travou com os repórteres um diálogo bem a seu estilo, curto e grosso:

REPÓRTER Como o senhor vê o papel da Igreja?

FIGUEIREDO Vejo mal, muito mal. Mas não é a Igreja, são só certos segmentos. Muitos bispos também têm me procurado e manifestado posição contrária àquela assumida pela Igreja em São Paulo, dizendo que não concordam com ela.

REPÓRTER Mesmo depois da nota da CNBB?

FIGUEIREDO A CNBB não é a Igreja.

REPÓRTER Então é só uma parte da Igreja que apoia os metalúrgicos?

FIGUEIREDO É verdade, a Igreja está dividida.

REPÓRTER Os sacerdotes estão liderando a greve?

FIGUEIREDO Não sei se estão liderando ou não. Mas estão dando a impressão à opinião pública de que estão se colocando contra a lei.

REPÓRTER E d. Paulo Evaristo Arns?

FIGUEIREDO Não conheço. Nunca tive contato com ele, mas pelas informações que tenho, ele está incitando a greve.

Procurado horas depois pelos jornalistas, o cardeal reagiu com perplexidade às acusações do presidente e respondeu com ironia:

— Não acredito… Talvez isso tenha vindo do coronel Erasmo, mas não do presidente da República, a quem só conheço por seus pronunciamentos.

D. Paulo comparava Figueiredo ao iracundo e desequilibrado coronel Erasmo Dias, ex-secretário de Segurança Pública de São Paulo. O cardeal reafirmou que nunca tivera nenhum contato com os grevistas, mas acreditava que o conflito poderia chegar ao fim se fossem atendidas três reivindicações:

1. A reabertura do estádio de Vila Euclides.

2. A libertação dos presos, que significaria "um desafogo para a tensão que tomou conta do país de Norte a Sul; ninguém seria prejudicado e sairia mais barato para o Estado".

3. Um encontro entre representantes dos trabalhadores e dos empresários; mas "o que queremos é um diálogo com dignidade, para que os operários voltem com alegria e não humilhados sobre as máquinas tão duras".

A segurança com que Figueiredo apontara o dedo para o cardeal Arns como incitador da greve intrigou os repórteres: para falar daquele jeito, o presidente devia ter informações que eles desconheciam.

Na mosca.

Na varredura para identificar as fontes brasileiras que alimentavam a "campanha de difamação do país no exterior", o SNI havia interceptado uma pepita: um telegrama escrito em alemão e assinado de próprio punho por d. Paulo Evaristo Arns, arcebispo de São Paulo, na véspera da prisão de Lula, dirigido ao reverendo Paul Bocklet, chefe do Comissariado do Katholisches Büro (Birô Católico da Alemanha), com sede em Berlim, na antiga Alemanha Ocidental. Na curta mensagem, o cardeal ressaltava o papel de d. Cláudio Hummes, deixava inequívoco o apoio "inteiramente solidário" da congregação de bispos de São Paulo à greve e pedia ajuda ao Birô para pressionar as gigantes alemãs Volkswagen e Mercedes-Benz a liberarem suas filiais brasileiras para que reabrissem negociações com os metalúrgicos:

> Congregação Bispos São Paulo, inteiramente solidária com o bispo Cláudio Hummes pede urgentemente ao Katholisches Büro para fazer valer sua influência. Metalúrgicos São Bernardo do Campo 17 dias em greve por aumento salarial, garantia de emprego e delegado sindical. Volkswagen e Mercedes teimam negociar junto pequenas empresas nivelando por baixo reivindicações salariais e negando delegado sindical e garantia de emprego. Estamos em impasse 17 dias sem negociações. Termomecânica empresa média nacional negociou atendendo quase todas reivindicações. Volkswagen e Mercedes têm condições melhores para atender. Insistimos direitos trabalhadores reabertura negociações e acordo também estas duas empresas operando no Brasil.

A mais prestigiosa e, portanto, surpreendente vítima do rapa da manhã de 19 de abril de 1980 foi o advogado Dalmo Dallari, professor titular da Faculdade de Direito da USP e um dos fundadores da Comissão Justiça e Paz da Arquidiocese de São Paulo.

Outra surpresa foi a prisão do consagrado jurista José Carlos Dias, então presidente da Comissão Justiça e Paz e, portanto, intimamente próximo da Igreja e de d. Paulo.

Quem prendeu Lula, Dallari, José Carlos Dias e mais dezenas de sindicalistas? Maluf ficou sabendo pelo rádio. Tuma, o diretor do Dops, também tirou o corpo fora. Só depois se soube que toda a operação tinha sido armada pelo general Milton Tavares de Sousa, comandante do II Exército, conhecido como "Caveirinha" e um dos líderes das brutalidades praticadas nos porões da ditadura. Se dependesse apenas dele, os presos daquele fim de semana teriam sido mais de cem.

Além de exercer forte influência sobre sindicatos e associações de trabalhadores em todo o país, o Katholisches Büro detinha, pela lei alemã, o poder de apresentar, por meio da Conferência Episcopal e da Associação das Dioceses da Alemanha, propostas legislativas ao governo federal, ao congresso ou aos parlamentos estaduais. O efeito do telegrama se fez sentir dias depois, quando operários da Volks, em Wolfsburg, e da Mercedes, em Stuttgart, ameaçaram cruzar os braços e fazer operação tartaruga se as filiais brasileiras das duas empresas não reabrissem negociações com os metalúrgicos do ABC.

Embora Figueiredo já tivesse conhecimento do teor do telegrama, quando falou com os jornalistas não fez referências ao documento, já que isso o obrigaria a reconhecer que seu governo cometera um crime ao violar a correspondência de d. Paulo. O veículo escolhido pelos militares para vazar a mensagem do cardeal foi o então mais importante jornal do país, *O Estado de S. Paulo*, que já havia dedicado à improvisada entrevista do presidente sua manchete principal: "Figueiredo: 'D. Paulo é quem incita a greve'". Três dias depois o jornal abriu a cobertura diária da greve com um titulão em oito colunas: "Cardeal e bispo forçam apoio do Exterior". Como não podia afirmar que tivera acesso a uma correspondência interceptada ilegalmente pelos órgãos de segurança, o jornal produziu um texto sinuoso e enigmático:

> O cardeal-arcebispo de São Paulo, d. Paulo Evaristo Arns, e o bispo de Santo André, d. Cláudio Hummes, pressionaram organizações religiosas no Exterior para que estas forcem apoio à greve dos metalúrgicos no ABC. Essa pressão teria sido feita de várias maneiras — uma delas, com envio de mensagens bastante explícitas a essas organizações, inclusive com denúncias a supostas manobras feitas por subsidiárias de empresas estrangeiras instaladas no Brasil e que estariam interessadas em dificultar as negociações.
>
> Segundo se apurou, o cardeal-arcebispo e o bispo chegaram a citar nominalmente a Volkswagen do Brasil e a Mercedes-Benz do Brasil, que

se recusariam a aceitar o delegado sindical e a garantia de emprego, dois dos itens da lista de reivindicações dos metalúrgicos do ABC [...].

Nas mensagens dirigidas a entidades internacionais, o cardeal Arns e o bispo Hummes afirmam que as negociações com os trabalhadores têm de ser reabertas, com as empresas alemãs estabelecidas no Brasil aceitando o acordo proposto.

Outra acusação dos religiosos, para ser usada no Exterior como forma de pressão, é que as subsidiárias instaladas no Brasil supostamente estariam forçando para baixo as reivindicações tipicamente salariais, para levar a reajustes menores.

Essas pressões a organizações no Exterior foram feitas na terceira semana da greve dos metalúrgicos.

Em vez de responder com uma nota oficial, ou com uma entrevista coletiva, a Cúria optou por divulgar uma "entrevista" com d. Paulo, que já vinha com as perguntas e respostas prontas. Na primeira delas o cardeal repele apenas o uso dos verbos "pressionar" e "forçar", sem desmentir a existência do telegrama:

P O que o sr. tem a dizer sobre a notícia, divulgada domingo último por um matutino de São Paulo, segundo o qual o sr. e d. Cláudio Hummes teriam "pressionado organizações religiosas no Exterior para forçar apoio à greve dos metalúrgicos do ABC"?

R A expressão, além de maliciosa, é falsa. Nos últimos anos, as Igrejas dos países desenvolvidos, onde se localizam sedes de multinacionais, estão muito atentas às exigências éticas destas organizações multinacionais ou transnacionais.

Certo de que a mensagem tinha sido grampeada pelos serviços de inteligência do governo, o cardeal afirmou que "se foi este o caso, trata-se de uma violação grave da Constituição, que proíbe a quebra de sigilo da correspondência". Era o caso. Na mesma página em que publicava a "entrevista", o *Estadão* estampava uma fotocópia do te-

O ESTADO DE S. PAULO

QUINTA-FEIRA, 24 DE ABRIL DE 1980

Alemanha e Canadá fora dos Jogos

O Canadá e a Alemanha Ocidental, que organizaram as duas últimas Olimpíadas, também deverão boicotar os Jogos de Moscou: os governos dos dois países decidiram ontem dar apoio ao movimento liderado pelos Estados Unidos em protesto contra a invasão do Afeganistão pela União Soviética. Agora, o número de países favoráveis ao boicote passa de 30. E o Brasil, que mantém os planos de ir a Moscou, teve uma decepção no basquete: a derrota por 98 a 81 diante do Canadá, em San Juan.

A França vai cobrar explicação da URSS

PARIS — "A França tem coisas a dizer à União Soviética" durante as conversações com o ministro Andrei Gromiko, avisou o chanceler François-Poncet, que considerou "inadmissível" a invasão russa no Afeganistão. Segundo observadores, Gromiko — que iniciou ontem uma visita de dois dias a Paris — tentará a reação da Europa, preocupado com o mundo dividido entre os países da Nato quanto à intervenção soviética.

Plebiscito em Quebec, teste para Trudeau

Figueiredo: 'D. Paulo é quem incita a greve'

"Não conheço dom Paulo Evaristo Arns. Nunca tive contato com ele, mas pelas informações que tenho ele está incitando a greve" — denunciou o presidente João Figueiredo. "Conheço pouco o general Figueiredo e certamente o conheço melhor do que ele a mim; e, quanto à sua declaração, ela não teria sido feita pelo coronel Erasmo Dias" — respondeu o cardeal de São Paulo. Figueiredo disse que "a Igreja se conduz mal" e dom Paulo confirmou o apoio aos grevistas do ABC.

O governo ainda evita emergência

O presidente não pensa na adoção de medidas de emergência, mas lembrou que não "pode prever o futuro" e espera que os trabalhadores "tenham juízo e voltem ao trabalho". Pouco depois, o ministro Abi-Ackel confirmou que as medidas ainda não foram estudadas e o senador

Serpa quer unir País em novo pacto social

Ao transmitir ontem o comando do Departamento Geral do Exército...

Jarbas Passarinho acrescentou que "o governo não está interessado em esmagar ninguém".

O Dops poderá soltar dirigente

O ministro Ruy de Lima Pessoa, do STM, informou que Luis Ignácio da Silva poderá ser libertado a qualquer momento, pois ele e os outros dirigentes sindicais foram detidos apenas para averiguações e podem ser soltos assim que o Dops estiver satisfeito com seus depoimentos. Luis Ignácio voltou a ser interrogado ontem por mais quatro horas e meia e seu depoimento continua hoje. Até o fim do mês o inquérito será encaminhado à Justiça Militar. O presidente da Federação Nacional dos Bancos, Théophilo Santos, considerou indispensável a retomada do diálogo para superar a atual crise. Mas em reunião extraordinária do ministro Murillo Macedo com os empresários do

Grupo 14 decidiu-se a não reabertura das negociações com os sindicatos, o recrutamento em massa de novos trabalhadores e a concessão de empréstimos ao operariado que voltaram ao trabalho. Depois da reunião, o presidente da Fiesp disse que o governo, ao adotar o INPC, "levou o ABC a essa situação".

Assembléias hoje estão proibidas

Tropas de choque da Polícia Militar ocuparam a praça da Igreja Matriz de São Bernardo para impedir a assembléia marcada para a manhã de hoje. Os metalúrgicos já aceitaram encontros em 23 igrejas de São Bernardo. Ontem, o Grupo-14 informou que 65% dos empregados das grandes empresas e quase 100% das pequenas e médias voltaram ao trabalho, na indústria automobilística, e comparecimento foi superior a 25%.

Antecipada chegada de João Paulo

Políticos e jornalistas ficam intrigados com a ousadia do general Figueiredo, presidente da República, de apontar o dedo para o cardeal-arcebispo de São Paulo e responsabilizá-lo pessoalmente por incitação à greve dos metalúrgicos que já começava a parar a economia.

A resposta veio no dia seguinte. O Cenima — serviço secreto da Marinha — violar. correspondência do cardeal Arns dirigida à Igreja alemã denunciando a greve pedindo ajuda. A Marinha traduziu telegrama, escrito em alemão e assinado de próprio punho por d. Paulo, enviou uma cópia para os destinatários e deu outra, traduzida, para o jornal O Estado de S. Paulo. Vítima de um crime — violação de correspondência —, a Igreja caiu na armadilha e foi apanhada no pulo.

"Destinatário: Pralat Bocklet — Katholisches Buro — Fritz-Euler-Strasse 4 — Bonn — Alemanha OCD: O Colegiado Episcopal de São Paulo vg estando decididamente ao lado do bispo Cláudio Hummes vg pede urgentemente ao Katholiches Buro para que faça valer sua influência a favor dos metalúrgicos de São Bernardo do Campo dezessete dias em greve por aumento salarial vg garantia de emprego e delegado sindical pt Volkswagen e Mercedes teimam negociar junto pequenas empresas nivelando por baixo reivindicações salariais e negando delegado sindical e garantia de emprego pt Estamos em impasse dezessete dias sem negociações pt Termomecânica empresa média nacional negociou atendendo quase todas reivindicações pt Volkswagen e Mercedes têm condições melhores para atender pt Insistimos direitos trabalhadores reabertura negociações e acordo também estas duas empresas alemãs operando no Brasil pt Arcebisto Paulo Evaristo Arns vg Cardeal de São Paulo"

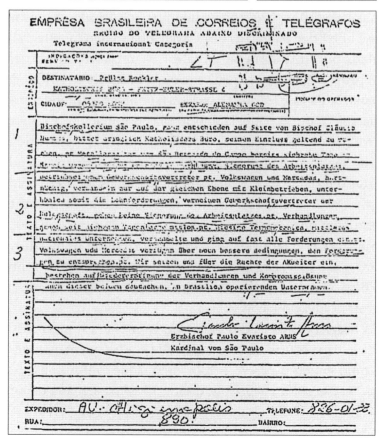

legrama original, datilografado em alemão e assinado à mão por d. Paulo Arns.

O que nem o *Estado de S. Paulo* nem nenhum outro jornal publicou foi que o plano original dos militares era muito mais ambicioso. Se a decisão coubesse apenas ao general Caveirinha, teriam sido presas 120 pessoas no dia 19, entre elas as direções do PCB e do PCdoB, sindicalistas, dezenas de deputados federais e estaduais, e os vigários de onze paróquias do ABC e da Zona Leste da capital, todos identificados como apoiadores da greve. A estratégia foi urdida sob sigilo tão rigoroso que, para evitar vazamentos, nem mesmo os executores das prisões eram do Dops ou da polícia paulista, mas centenas de agentes convocados pelo II Exército. O prédio do Dops funcionara somente como carceragem, já que o Exército não dispunha de celas suficientes para tantos presos.

A papelada dos porões do regime, liberada décadas depois, assegura que a blitzkrieg planejada por Caveirinha só não foi integralmente executada por uma derrapagem tática — um "erro de execução" do qual o próprio governo se penitenciou: a inexplicável prisão de Dalmo Dallari e de José Carlos Dias. Para a população, prender grevistas parecia algo natural naquela época. Mas o impacto e a repercussão negativa provocados na opinião pública, imprensa e até entre apoiadores do regime pela prisão dos dois advogados obrigou o governo a abortar o restante da operação. Ninguém mais foi preso e no meio da tarde Dallari e Dias foram libertados a pedido de Maluf (único momento em que o governador abriu a boca durante a crise). Antes que anoitecesse, as autoridades começaram a soltar os metalúrgicos e ativistas que não faziam parte da diretoria do sindicato — entre eles Frei Chico. Os que permaneceram presos foram enquadrados na Lei de Segurança Nacional.

As ordens de libertação de alguns nomes eram pura cortina de fumaça. A cana continuava a comer solta contra quem quer que fosse visto como solidário à greve — movimento que continuava crescendo, a despeito das ruidosas prisões do dia 19. Uma semana depois chegaram ao Dops novos inquilinos: o vice-presidente do Sindicato dos Bancários, Luís Gushiken, um nissei baixinho e parrudo, com cavanhaque e bigodes estilo Fu Manchu, escorridos pelo rosto, e o enxadrista e vice-campeão paulista Herbert Carvalho. Temido pelos patrões como agitador social, o trotskista Gushiken, ele próprio um aficionado do jogo de xadrez, decidiu armar não um mero comício-relâmpago de apoio aos grevistas do ABC, mas uma verdadeira "instalação" na Wall Street da São Paulo do século XX, a praça Antônio Prado, "o coração do dinheiro no Brasil", como se dizia. Nos horários de grande atividade, no quadrilátero formado pelas ruas São Bento, Boa Vista, Quinze de Novembro e praça Antônio Prado costumavam circular cerca de 20 mil pessoas, entre bancários e clientes.

Na segunda-feira, dia 28, aproveitando a folga do almoço, quando as agências fechavam as portas, Gushiken espalhou nas largas calçadas dez mesinhas de madeira e dez tabuleiros de xadrez, cada um com suas 32 peças dispostas para o início das partidas. O sindicalista estendeu uma ampla faixa vermelha pintada com a frase em letras gigantes: "ABAIXO A DITADURA!". E mais abaixo: "Desafie o vice-campeão paulista de xadrez, Herbert Carvalho, aqui presente. A renda das partidas será destinada ao Fundo de Greve dos metalúrgicos do ABC". Instantes depois a iniciativa já tinha convertido o local num enorme centro de agitação. Os dez candidatos paravam diante das mesas, punham o dinheiro sob o tabuleiro e começavam o jogo. Sobrancelhudo e de barbaça negra, Carvalho caminhava por entre as mesas movimentando peças — sempre acompanhado por um grupo de curiosos em ver como um campeão reagia tão rapidamente a dez ataques simultâneos. Ex-titular da coluna de xadrez dos jornais *Folha de S.Paulo* e *Folha da Tarde*, Carvalho já tivera encrencas com a polícia ao publicar que a enxadrista Iluska Simonsen, mulher do ministro da Fazenda, Mário Henrique Simonsen, usava o poder do marido para fraudar campeonatos e afastar adversários mais fortes que ela.

A atividade no centro bancário durou pouco. A aglomeração chamou a atenção da polícia e logo depois um comboio de viaturas do

Dops cercou o lugar, apreendeu tabuleiros, mesas, faixa, torres, cavalos e rainhas e atirou tudo no camburão. Junto com Gushiken e Carvalho o Dops levou o anônimo desafiante Genésio dos Santos. Funcionário do Banco do Brasil, ele estava tão concentrado na jogada que não percebeu a chegada dos policiais. Quem escapou por acaso da prisão foi Cícero Braga, medalha de bronze nas Olimpíadas da modalidade em 1978. Braga venceu dez partidas simultâneas e acabara de se retirar quando a polícia apareceu.

As consequências do "erro de execução" não tardaram. No mesmo dia da prisão de Lula, chegara às redações dos jornais e às mãos dos correspondentes estrangeiros um manifesto de protesto contra as prisões, subscrito pelos nomes mais expressivos da intelectualidade, das artes e da política, entre os quais se encontravam, além do próprio José Carlos Dias, uma das vítimas do rapa, figurões como Alceu Amoroso Lima, Alfredo Bosi, Antonio Candido, Antônio Houaiss, Augusto de Campos, Aurélio Buarque de Holanda, Barbosa Lima Sobrinho, Boris Fausto, Bruna Lombardi, Caio Prado Jr., César Lattes, Chico de Oliveira, Cláudio Lembo, Cleide Yáconis, Décio de Almeida Prado, Edgard Carone, Edgard da Mata Machado, Evaristo de Morais Filho, Fábio Konder Comparato, Fernanda Montenegro, Fernando Henrique Cardoso, Fernando Moreira Salles, Flávio Rangel, Florestan Fernandes, Francisco Iglésias, Francisco Weffort, Gianfrancesco Guarnieri, Gofredo da Silva Teles, Haroldo de Campos, Hélio Bicudo, José Aparecido de Oliveira, José Goldemberg, José Gregori, José Honório Rodrigues, José de Souza Martins, Juca de Oliveira, Lélia Abramo, Lilian Lemmertz, Luiz Carlos Bresser-Pereira, Maria Victoria Benevides, Maurício Tragtenberg, Mino Carta, Paulo Autran, Paulo Francini, Paulo Freire, Paulo José, Paulo Sérgio Pinheiro, Plínio de Arruda Sampaio, Rafael de Almeida Magalhães, Raymundo Faoro, Rogério Cezar de Cerqueira Leite e Ruth Escobar.

O fiasco da megaoperação revelou que havia discordâncias, no seio do próprio governo, com relação às prisões indiscriminadas daquela manhã de sábado. Um informe confidencial da Marinha, dirigido ao

SNI, deixava isso claro. "A abrangência dos alvos visados, sem caracterizar exatamente o crime que lhes era imputado, tornava difícil o entendimento do propósito real da operação", afirmava o documento, "que, se não pudesse ser considerada intempestiva, seria, no mínimo, inábil e desgastante para a autoridade como responsável pelo evento perante a opinião pública." O informe concluía com um balanço pouco animador:

As repercussões que se seguiram a determinadas detenções, como as dos advogados José Carlos Dias e Dalmo Dallari, por exemplo, ocasionaram uma publicidade maior do que normalmente haveria, suscitando no seio da opinião pública, do clero e dos políticos oposicionistas reflexos negativos. E a tal ponto essa pressão se fez presente que o Ministro da Justiça viu-se obrigado a alegar "erro de execução".

Seis dias depois das prisões, um furo de reportagem do jornalista Antônio Gouveia Júnior foi publicado discretamente pela *Gazeta Mercantil*. Visualmente sisuda e com grande prestígio em meio a seu público, a *Gazeta* era um diário dedicado a notícias econômicas e, eventualmente, políticas. Destinado às "classes produtoras" e à elite econômica e industrial do país, o jornal era propriedade do banqueiro e nove vezes deputado federal Herbert Levy, um dos donos do Banco Itaú e que fora ativo membro do IPES (Instituto de Pesquisas e Estudos Sociais), organização civil criada para a preparação do golpe de 1964. O milionário alimentava em sigilo revelado a poucos amigos a curiosa suspeita de que Lula era não um sovietófilo, como o irmão mais velho, mas "um agente do sindicalismo alemão" infiltrado nas bases do ABC. É possível que as bisbilhotices interceptadas pelo Cenimar reforçassem suas suspeitas, mas uma de suas fontes vinha de uma informação sem relevância: enquanto o grosso das lideranças operárias se reunia numa pajelança política internacional em Moscou, em setembro de 1975, Lula estaria em Berlim, celebrando mais um aniversário do IG Metall, o sindicato dos metalúrgicos alemães. A verdade é que Lula nunca tinha estado na Alemanha. Na época referida ele se encontrava num congresso das fábricas Toyota e Nissan, no Japão, de onde voltou às pressas para o Brasil ao ser informado de que o irmão Frei Chico, este sim, sovietófilo, estava preso e sendo brutalmente torturado nas masmorras do DOI-Codi.

A despeito do pedigree do dono, a *Gazeta* carregava a fama de acolher entre seus redatores e repórteres uma horda de comunistas de diferentes tendências. A começar pelo diretor de redação, o experiente jornalista Roberto Müller Filho, desde a juventude militante "de carteirinha" do proscrito Partido Comunista Brasileiro, o mesmo Partidão de Frei Chico. Numa coluna curta, de menos de quinhentas palavras, a *Gazeta* revelou o segredo que vinha sendo guardado pelo Planalto:

AS PRISÕES FORAM FEITAS PELO DOI-CODI SEM PRÉVIO CONHECIMENTO DO DEOPS

O relatório que o secretário do presidente da República, Heitor Ferreira, levou a Brasília, após sua passagem por São Paulo, na manhã de terça-feira, deixou o governador Paulo Maluf suficientemente tranquilo para voltar a falar mais descontraidamente com a imprensa. Ontem, no Palácio dos Bandeirantes, o governador quebrou a incomunicabilidade que se impusera desde quando se iniciaram as prisões de líderes sindicais em São Paulo.

As prisões começaram na alvorada do sábado e, segundo assessores do governador, ninguém na área estadual tinha conhecimento prévio delas. Nem o governador, nem o secretário da Segurança, Otávio Gonzaga Júnior, nem o diretor-geral do Deops, delegado Romeu Tuma. Funcionários da área de segurança estadual informaram que "os presos foram entregues na portaria do Deops", sem que eles soubessem por quê. Apanhados de surpresa, com presos postos nas celas da polícia estadual, nem Romeu Tuma, nem Otávio Gonzaga Júnior nem Paulo Maluf assumiram de imediato a autoria das prisões. Todos se recolheram em cuidadoso mutismo, à espera da evolução dos acontecimentos.

A MARINHA VIOLA A CORRESPONDÊNCIA DA CÚRIA | 201

Em Brasília, a surpresa não foi menor. Acordado de madrugada por telefonemas de São Paulo, o ministro da Justiça, Ibrahim Abi-Ackel, informou desconhecer a origem das prisões e afirmou: "O presidente não quer ninguém preso".

No Deops, funcionários de plantão não sabiam o que fazer com os presos, mas logo descobriram quem os trazia. As prisões eram feitas pelos agentes do DOI-Codi, órgão subordinado ao comandante do II Exército, general Milton Tavares. As autoridades militares chegaram a solicitar a transferência de alguns dos detidos para a carceragem da rua Tutoia, sede do DOI-Codi, mas o Deops os manteve no largo General Osório até que as coisas clareassem.

Na segunda-feira, o general Milton Tavares justificou, em entrevista, as prisões — e no mesmo dia, à noite, seguiu para Brasília. Na terça pela manhã, Heitor Ferreira desembarcou em São Paulo. Veio verificar a situação e compará-la com um relatório do II Exército, que na semana anterior servira de elemento decisivo para o Palácio do Planalto decretar a intervenção nos sindicatos. [...]

Passadas quatro décadas, ativíssimo aos 85 anos como tradutor de obras do inglês, o único sobrevivente do minúsculo grupo de detentores do segredo, o então secretário particular do presidente Figueiredo, Heitor Ferreira, nega que tenha estado no topo da operação — ainda que apenas na condição de analista político da crise. "No que me concerne, o assunto é totalmente maluco", garante o ex-major. "Minha parte aí é ficção. Nunca 'fui a São Paulo' para coisa nenhuma parecida com isso." É possível que a fonte que municiou o repórter Gouveia tenha ensanduichado Heitor Ferreira no meio das revelações — mas no restante do relato a história mostrou que o jornal acertou no alvo.

9

Depois de uma infância cruel, morando em lugares degradantes, Lula recebe a chave do paraíso: o diploma do Senai.

O torneiro mecânico e contramestre júnior Luiz Inácio da Silva, encarcerado naquela manhã de sábado por ordem do presidente da República, tinha uma história muito parecida com a da maioria das centenas de milhares de companheiros seus de greve. Nordestino do distrito de Caetés, a três léguas de Garanhuns, no Agreste pernambucano, 35 anos, migrara para o Sul de pau de arara, em 1952, aos sete, junto com a mãe, Eurídice Ferreira de Melo, a dona "Lindu", e mais sete irmãos. Lula era o penúltimo de uma escadinha que começava com José Inácio, o "Zé Cuia", nascido em 1936; Jaime (1937); Marinete (1938); Genival, o "Vavá" (1940); José, o "Ziza" — sim, havia dois irmãos chamados José na família Silva — (1942); Maria "Baixinha" (1943); Lula (1945); e a caçula Ruth, a "Tiana" (1951).

Quando virou adulto, Ziza ficou careca, e o que restou dos cabelos, semelhante a uma tonsura clerical, deu-lhe o apelido pelo qual seria conhecido pelo resto da vida: Frei Chico. Dos avós maternos ficaria na memória de Lula um mero espectro, a vaga lembrança de que a avó bebia muito. Dos paternos, nem isso:

— Não sei quem foram nem me lembro de ter tido avô ou avó — diria tempos depois.

Embora a tragédia social do Nordeste de meados do século xx impusesse à população uma expectativa de vida de 35 anos — só com muita sorte alguém vivia o suficiente para ver crescer os netos —, a verdade é que os avós paternos que Lula nunca conheceu, João Inácio da Silva, o "João Grande", e Guilhermina da Silva, contrariaram as estatísticas e morreram octogenários.

Do pai, Aristides Inácio da Silva, Lula guardaria, sim, fortes lembranças. As piores possíveis. Como ocorria com três quartos dos nordestinos, o lavrador Aristides era analfabeto "de não conseguir ler um 'o'", nas palavras do filho. Nunca exagerou na bebida, trabalhava incansavelmente, mas tinha um comportamento conflituado com a família e a mulher. Ou, mais precisamente, com as famílias e as mulheres, já que em 1945 ele largou para trás dona Lindu, grávida de Lula, tomou um pau de arara e desembarcou em Santos, no litoral paulista, levando em segredo como companhia Valdomira Ferreira de Góis, a "dona Mocinha", prima de Lindu de apenas dezesseis anos, com quem viria a ter dez filhos — o primeiro dos quais ainda estava no ventre da mãe quando ela embarcou escondida para o Sul. E de quebra, num retorno a Pernambuco, em 1950, Aristides engravidou mais uma vez dona Lindu, que no ano seguinte daria à luz Ruth, a Tiana. Só então ele conheceu Lula, que já era um menino de cinco anos. Na volta para o Sul, Aristides levou consigo o filho Jaime, de doze anos, destino que logo tomaria o primogênito Zé Cuia.

Em 1952 dona Lindu decidiu mudar de vida, vendeu por Cr$ 13 mil (R$ 18,6 mil em 2021) o sítio de dez alqueires — o valor pago incluía um casebre, uma jumenta, meia dúzia de galinhas e a vaquinha que garantia o leite da família — e subiu num pau de arara com os seis filhos que haviam ficado em Caetés. Após treze dias e treze noites no caminhão, período em que se alimentaram apenas de rapadura e farinha, a viagem terminaria em Santos. Com o que restara das economias, dona Lindu contratou dois táxis que os levaram até Itapema, que logo mudaria de nome para Vicente de Carvalho, subúrbio do balneário de Guarujá, cidade colada a Santos, local onde já viviam Aristides, dona Mocinha e a penca de filhos que o casal tivera.

Nos primeiros treze meses após a chegada da nova leva de retirantes, viveram todos em duas casas separadas, nas quais Aristides mantinha as duas mulheres e mais de uma dúzia de filhos que iam de Zé Cuia, então com dezesseis anos, até um bebê de peito, filho de dona Mocinha. A organização familiar concebida por Aristides, porém, não implicava bigamia. Desde que soube que o marido se amancebara com a sobrinha, dona Lindu nunca mais permitiu que ele tocasse um dedo em seu corpo.

As excentricidades da família Silva não terminavam aí, nem na peculiaridade de haver dois irmãos com nomes idênticos. Batizada ao nascer com o nome de Sebastiana, a caçula era "uma criança bonitinha, que não merecia um nome tão feio", comentavam as amigas da mãe, assim que os Silva chegaram a São Paulo. Dona Lindu concordou e não pensou duas vezes. Ao responder ao tabelião qual seria o nome da criança, no dia de registrá-la no cartório, já no litoral paulista, não relutou em anunciar: "Ruth". Com "th". Do nome original, ficou apenas o apelido pelo qual seria conhecida para sempre: Tiana.

Morando na zona portuária de Vicente de Carvalho, Lula foi matriculado pela mãe no antigo curso primário (atual fundamental) da escola pública Marcílio Dias, a três quadras da casa em que viviam. Nos fins de semana juntava-se aos amigos do bairro, pegava a balsa que atravessava o canal do estuário, e em Santos embarcavam na maria-fumaça, o pequeno trem a vapor até o Guarujá. A diversão, na verdade, era dar o calote no cobrador de passagens do trem, pulando de um vagão para outro, e, na volta, roubar e comer bananas plantadas às margens daquela que, décadas depois, viria a ser a rodovia Piaçaguera-Guarujá. Local que se converteria no balneário mais chique e elegante do estado, até por volta dos anos 1970, o Guarujá dos passeios de Lula, talvez pela dificuldade de acesso, não passava de uma praia inóspita, quase deserta.

Essas foram as únicas boas lembranças que ficaram de uma época dura. Pior que todas as vicissitudes da pobreza, porém, foi a convivência com o pai, de quem Lula guardaria para sempre as piores recordações. A vida e o correr do tempo se encarregariam de diminuir e racionalizar o rancor do filho pelo pai, mas não apagaram por completo o sentimento amargo deixado na alma de Lula. Aristides era um homem moreno, alto, forte mas seco, ossudo, com as orelhas de abano e o nariz adunco herdados pelo filho. Vaidoso, embora fosse um estivador que passava os dias carregando sacos de café no porto, ia e voltava do trabalho de terno e gravata. Para disfarçar o analfabetismo que tanto o envergonhava, levava sempre sob o braço um jornal dobrado. Como avulso, não sindicalizado, ganhava por produtividade — ou seja, por sacos de café embarcados — e tirava proveito da força física para trabalhar até doze horas ininterruptas. Em toda a estiva era possível contar nos dedos de uma das mãos os carregadores capazes, como ele, de levar de uma só vez três sacos de sessenta quilos de café — um sobre cada ombro e o terceiro sobre a cabeça. O desempenho acima da média fazia dele um carregador disputado pelos intermediários de mão de obra dos armazéns portuários.

Sua principal diversão era a caça. Célebre pela pontaria certeira, nos fins de semana Aristides sumia com um grupo de amigos e uma pequena matilha de vira-latas pelas brenhas da serra do Mar, empunhando sua folobé — como eram conhecidas as espingardas francesas Flobert calibre .22, que precisavam ser remuniciadas a cada disparo. Os tatus, pacas, queixadas e, eventualmente, veados abatidos nas caçadas ajudavam a matar a fome das duas famílias e às vezes até a fazer um agrado a um chefe nos armazéns. Os poucos trocados que sobravam no fim do mês Aristides torrava no jogo do bicho. Sua fé na sorte era compreensível. Foi com dinheiro ganho no bicho que ele conseguiu visitar dona Lindu em Pernambuco, em 1950. A despeito de ser um marido e pai violento, fazia de tudo para que não faltasse comida à família. Ou às famílias, porque, no arranjo conjugal que concebera, Aristides mantinha tanto os filhos de dona Lindu como a prole de dona Mocinha. Toda quarta-feira, chovesse ou fizesse sol, o verdureiro parava sua charrete nas portas das duas casas — separadas por vários quarteirões — para entregar às duas famílias o estoque semanal de legumes e verduras. Tudo pago por Aristides.

Mas o inferno dos infernos era a sua relação com os filhos, o tratamento brutal que destinava tanto aos do primeiro como aos do segundo casamento. A começar pelas regras ditatoriais que ele impunha às duas famílias: filha moça não podia frequentar escola, namorar nem dançar, ninguém podia sair para passear à noite, cinema em fim de semana era proibido e ninguém podia fumar. Nem Zé Cuia, que já tinha dezoito anos e era fumante. Castigos físicos, como surras de chinelo ou de cinto, eram algo comum na educação dos filhos em todas as classes sociais do Brasil, mas as memórias que Lula e alguns de seus irmãos têm de Aristides são relatos próximos do sadismo e da teratologia familiar. Não era um pai severo punindo um filho rebelde, mas um torturador diante da vítima. Nenhum dos filhos tinha desvios de conduta, traços delinquentes, nenhum podia ser apontado como mau exemplo. Eram jovens bem-comportados, mas mesmo assim recebiam do pai, todos, sem distinção, tratamento visivelmente cruel. E não foram só os castigos físicos que ficaram na memória dos filhos. Lula lembra de ter testemunhado repetidas vezes um desses atos de pura maldade de Aristides:

— Para todos nós meu pai comprava pão comum, e para si uma broa especial, feita de pão doce. O que sobrasse da iguaria ele guardava numa lata em que ninguém se atrevia a mexer. À noite ele voltava, pegava o resto da broa na lata. Ao vê-lo com nacos de broa na mão, minha irmã Tiana, de dois anos, chorava de fome, pedindo um pedaço. Ele não se comovia: sentava do lado de fora da casa e dividia com seus cachorros o resto da broa, indiferente à fome e ao choro da filha bebê.

Lula não conseguia entender o que se passava na cabeça de Aristides, um trabalhador obcecado em garantir café da manhã, almoço e jantar — por mais simples que fossem — às duas famílias e, ao mesmo tempo, um homem que dedicava aos filhos um tratamento tão cruel. O comportamento contraditório do pai o deixava em dúvida: seria algo cultural, fruto da áspera, difícil sobrevivência no sertão nordestino, ou Aristides era mesmo um ser humano monstruoso, com graves desvios de personalidade?

As surras aconteciam sem motivo e às vezes ameaçavam pôr em risco a vida da vítima escolhida para o castigo. Como no dia em que o velho encrencou com Rubens, o segundo de seus filhos com dona Mocinha, e resolveu aplicar-lhe um corretivo, a golpes de corrente.

Com a mão esquerda imobilizou o rapaz de dezesseis anos, acocorado no chão, enquanto com a direita vergastava-lhe as costas. Quando o corpo do adolescente já estava em carne viva, dona Lindu decidiu intrometer-se num problema familiar que não lhe dizia respeito e arrancou Rubens, ensanguentado, das mãos de Aristides. Lula, que assistiu à cena horrorizado, tinha certeza de que se a mãe não o socorresse a tempo, o meio-irmão teria sido morto pelo pai.

Passadas mais de seis décadas, Lula ainda seria capaz de reconstituir com detalhes o testemunho da última surra que Aristides aplicou num filho. Ele e Ziza haviam recebido ordens do pai para cuidarem da chata de madeira que Aristides comprara para pescar e que deixava amarrada às margens do Acaraú, um dos muitos ribeirinhos que deságuam no estuário de Santos, a meio caminho entre a casa da família e a pista de pouso da Base Aérea da FAB. Quando a maré baixava, os pequenos botes, canoas e chatas costumavam encalhar na areia, facilitando o trabalho dos ladrões de barcos que infestavam a zona portuária. O encargo atribuído aos irmãos era simples: ficar de olho na chata até que a maré subisse e a ameaça de furto desaparecesse. Mesmo sabendo o que significava desobedecer ao pai, os dois cometeram o pecado mortal de cabular a tarefa e foram jogar pelada. Ao voltarem para casa, deram com Aristides, sempre de maus bofes, à espera deles:

— E a chata, como está? Cuidaram dela direito?

Foi Ziza quem mentiu:

— Cuidamos. Ela está lá, do jeito que o senhor deixou. Está tudo bem.

Desconfiado, o pai resolveu caminhar até a boca do rio onde costumava amarrar a improvisada embarcação e recebeu a notícia de um pescador:

— A maré desceu, Aristides, e roubaram sua chata.

O velho voltou a galope para casa, furioso, e pegou o primeiro objeto ao alcance da mão: um pedaço de mangueira de borracha para água, que usou como chicote sobre o lombo de Ziza, com extrema crueldade. Só parou quando o menino, depois de urinar nas calças, desabou no chão, gritando de dor. E partiu para cima de Lula, em quem, por inexplicáveis razões, nunca tinha batido. Ao ouvir a gritaria do lado de fora, dona Lindu correu e chegou ainda a tempo de se colocar entre o ex-marido e o filho, tentando proteger o garoto. A primeira lambada atingiu a mãe em cheio, no meio do rosto. Por mais violento que fosse, Aristides jamais ousara agredir dona Lindu. Aquela seria a primeira e última vez.

Dona Lindu madrugou no dia seguinte e no meio da tarde já havia conseguido uma nova casa de aluguel, esta bancada por ela própria — pouco mais que um barraco —, para onde se mudar com a família, imóvel que ficava na mesma rua Minas Gerais em que tinham vivido com Aristides. A mudança se resumia à roupa do corpo de cada um, uma tina de madeira para lavar roupas, uma faca e uma lata vazia de leite em pó Mococa — o cofre em que a mãe guardava os tostões amealhados com os bicos e subempregos dos filhos. Na antiga casa, dona Lindu deixou apenas a filha mais velha, Marinete, encarregada de informar a Aristides que a vida em comum chegara ao fim. O velho não acreditou no que ouviu e tentou trazê-los de volta com uma tentadora chantagem: foi ao armazém e gastou o que tinha em carne-seca, bacalhau e broa de pão doce para todos. Nada feito. Dona Lindu mandou avisar que nem ela nem nenhum de seus filhos jamais tornariam a pôr os pés naquela casa. Apesar de prever um futuro turvo, estava orgulhosa por não admitir que o marido a agredisse.

Depois de três anos de vida miserável na Baixada Santista, em 1955, quando Lula fez dez anos, a severa e incansável dona Lindu, em busca de um destino melhor para a família, arrastou a filharada para a capital. A mudança obrigou Lula a interromper o curso primário iniciado na escola pública Marcílio Dias. Em Itapema ficou apenas Marinete. O escasso dinheiro que a mãe amealhou de suas economias e da dos filhos só deu para alugar uma casa de quarto e cozinha nos fundos do bar de um tio dela na rua Albino de Morais, na Vila Carioca, no Ipiranga. Um dos distritos mais antigos de São Paulo, o Ipiranga

Aristides

Dona Lindu

Lula e Maria

Zé Cuia

Na praia com dona Lindu, Lula (terceiro à esquerda), Tiana (com o peixe de madeira), Jaime, Zé Graxa (na lambreta) e Maria.

era um amontoado de indústrias de portes diversos, de gigantes multinacionais a oficinas de uma só porta. Seus limites terminavam na região que viria a ser conhecida como "o ABC", a qual abrangia os municípios de Santo André, São Bernardo do Campo, São Caetano do Sul e, depois, Diadema.

Espremidos em camas de armar, redes, beliches, esteiras e colchões espalhados pelo chão, além dos oito retirantes e de um irmão de Lindu, Odorico, sua mulher, Laura, e os filhos Leoni, Luiz e José "Graxa", ali viviam um agregado da família, Severino, e ainda dois inquilinos que pagavam aluguel para dormir num cubículo incorporado à casa. Os Silva e agregados, que às vezes chegavam a somar mais de vinte pessoas, tinham que dividir o único banheiro do imóvel com a freguesia do boteco.

— Eu sei o que que é morar no fundo de um bar — Lula não se esqueceria —, tendo que usar o banheiro em que um bêbado tinha acabado de vomitar na pia, cagar num pedaço de jornal. Era aquele banheiro que a gente utilizava, eu, minha mãe e minhas irmãs. Disso eu sei como ninguém.

Como não havia chuveiro, a água era retirada com um balde do fundo de um poço e garantia o banho de gato a cada morador. No lugar do papel higiênico havia sempre uma pilha de jornais velhos ao lado da boca de lobo que fazia as vezes de privada. Já idoso, Lula reconstituiria esse período em detalhes:

— No quarto dormiam minha mãe, duas irmãs e eu, que era o caçulinha e podia dormir junto com as mulheres. Na cozinha, naquelas caminhas de abrir, dormiam sete ou oito pessoas. E o banheiro não tinha vaso sanitário, era bacia turca, daquelas de agachar, que usam nas cadeias. De segunda a sexta o movimento do bar era pequeno e nós conseguíamos mantê-lo limpo, mas quando ia chegando sexta, sábado e domingo aquilo virava uma pocilga.

A penúria familiar não endurecera o coração de dona Lindu. Se alguém batesse palmas no portão pedindo comida, ela convidava a pessoa, por mais maltrapilha que estivesse, a entrar em casa, sentar-

-se à mesa e comer com os demais. Sentar significava acomodar-se num caixote ou banquinho. Quando Ziza adoeceu, com suspeita de pneumonia, foi chamado um médico do IAPI — a previdência social dos industriários, na época — que pediu uma cadeira para atender o enfermo. O doutor teve que realizar a consulta em pé: não havia cadeiras na casa.

Mas as precárias condições da casa e a náusea de ter que dividir um só banheiro com bêbados acabaram levando dona Lindu a mudar-se da Albino de Morais um ano depois da chegada. Já pré-adolescente, Lula conseguiu matrícula na escola pública Visconde de Itaúna, no Ipiranga, onde pretendia pelo menos terminar o curso primário. O boletim guardado até hoje na Visconde de Itaúna revela que durante o ano em que frequentou a escola, Lula teve aproveitamento acima da média em linguagem escrita e oral e em conhecimentos gerais, mas era fraco nas demais matérias:

Resultado dos exames realizados no 5º ano B masculino, sob a regência da prof. Selma de Campos em 19 de novembro de 1959. Notas: Linguagem Escrita — 45; Aritmética — 25; Leitura e Linguagem Oral — 70; Conhecimentos Gerais — 80; Média — 55. Luiz Inácio da Silva, Conservado.

Com esse resultado Lula não pôde se habilitar a fazer o antigo ginásio (o atual fundamental II). Muitos anos depois, já sindicalista, ele chegou a iniciar o curso de madureza — mais tarde rebatizado de supletivo —, mas logo percebeu que era impossível passar o dia dirigindo o sindicato e consumir a noite debruçado sobre livros e cadernos, e desistiu da ideia. Mesmo molecote, usava calças curtas de brim marrom, as únicas que tinha, penduradas por suspensórios de cores diferentes, uma tira verde, a outra amarela, feitos com restos de tecido conseguidos pela mãe. Lula cruzou o ano letivo de 1959 com três peças de roupa: as calças marrons, uma camisa branca e um calção. De segunda a sexta-feira saía de casa cedo, rumo à escola, vestindo as calças e a camisa. Retornava à tarde, esticava a roupa em cima da cama e vestia o calção. No dia seguinte o calção, que servira também de pijama, era largado num canto.

Sua rotina semanal não mudava muito. Frequentava a escola durante a manhã, almoçava, trabalhava a metade da tarde como entregador de roupas de uma tinturaria e dedicava o que restasse do dia à sua grande paixão, o futebol — às vezes jogando de quarto-zagueiro, às vezes de meia-direita. E foi no futebol que Lula revelou os primeiros traços de liderança. Era ele quem organizava os times, arranjava a bola e o campo, e armava campeonatos entre vilas, disputas que muitas vezes terminavam em pancadaria. Nessas ocasiões era Lula quem ia à frente, para desafiar e enfrentar os adversários no braço. Um pouco dessa valentia e do respeito de que desfrutava vinha de uma garantia familiar: quem o ameaçasse sabia que a seu lado estavam os irmãos mais velhos, Vavá, que sempre foi parrudo, e Frei Chico, que já começava a praticar halterofilismo. Era comum que o pugilato acabasse em guerras de estilingue e que sobrasse algum sopapo para ele. Dona Lindu já se habituara a ver os filhos chegarem em casa, à noite, com o olho roxo, o nariz amassado ou com ferimentos provocados por pedradas. Duas décadas depois Lula teria a seu lado, nos piquetes e nas greves, muitos dos seus antagonistas dessas batalhas juvenis.

Nas manhãs de sábado e domingo percorria o bairro engraxando sapatos na caixa de madeira feita por ele mesmo. Nos sábados fazia quatro, cinco pares, mas no domingo a freguesia quase dobrava. Ao contrário do modesto salário da tinturaria, o dinheirinho apurado nesse trabalho não entrava na contabilidade da mãe e tinha destino certo: os filmes de Tarzã, os faroestes de Roy Rogers e os seriados do Zorro e de Búfalo Bill. Quando a grana era insuficiente para o cinema, ele ia à casa de algum amigo que tivesse vitrola para ouvir Carlos Alberto, Trio Irakitan, Trio Los Panchos ou o insuperável "Rei do Bolero", o cubano Bienvenido Granda. Só depois é que vieram Roberto e Erasmo Carlos, Wanderléa e os demais cabeludos da Jovem Guarda. Nessa época televisão era coisa de rico. Eram raros os proprietários

Resultado dos exames realizados no 5º ano B masculino, sob a regência da prof Selma de Campos em 19 de Novembro de 1959

Ordem	Alunos	Idade	Data da Matrícula	Chamada	Ling. Escrita	Aritmética	Leitura e Ling. Oral	Conha. Gerais	Média	Promovido Conservado Diplomado
1	Ademar Soares Neger	13	16-2-59	✓	20	25	50	65	40	Conservado
2	Adilson Andrade Filho	12	16-2-59	✓	65	55	50	95	65	Diplomado
3	Alexandre Saraa Scandell	12	10-6-59	✓	70	60	50	45	60	Diplomado
4	Anísio Pairel Cadenthin	11	16-2-59	✓	20	5	70	45	35	Conservado
5	Antônio Soares Felix	11	31-8-59	✓	15	10	70	65	40	Conservado
6	Antônio d'orandi	11	16-2-59	✓	20	5	60	55	30	Conservado
7	Armando Girolamo Villago		30-4-59	–	50	60	70	75	60	Diplomado
8	Carlos Alberto Romani	11	16-2-59	✓	50	10	70	70	50	Conservado
9	Carlos Coelho i'Ascenção	11	31-3-59	✓	30	0	75	65	40	Conservado
10	Cesso Coelo da Silva	11	16-2-59	✓	20	10	70	40	35	Conservado
11	Cid Antônio Ferracioli	13	16-2-59	✓	70	50	70	40	60	Diplomado
12	Dalton Rafael Abaala	13	16-2-59	✓	90	90	75	90	90	Diplomado
13	Dário Siqueira	14	16-2-59	✓	50	40	60	70	55	Diplomado
14	Edvar Jaguar Doaa	12	16-2-59	✓	45	10	60	55	40	Conservado
15	Élcio Correa Pópo	11	16-2-59	✓	65	80	65	90	70	Diplomado
16	Hélio Queiroz Salles	10	16-2-59	✓	90	45	60	95	70	Diplomado
17	Irene Correa	11	16-2-59	✓	75	100	70	70	80	Diplomado
18	João Raphael Filho	15	16-2-59	✓	10	45	50	60	50	Conservado
19	José Coelho Quirado	14	16-2-59	✓	40	15	65	60	45	Conservado
20	Luiz de Almeida Gomes	13	16-2-59	–	50	5	65	55	40	Conservado
21	Luiz Carlos Antico	13	16-2-59	✓	30	15	70	70	45	Conservado
22	Luiz Carlos Vitoli	10	16-4-59	✓	85	15	60	40	55	Conservado
23	Luiz Sanesco Serrano	13	16-2-59	✓	90	5	60	30	50	Conservado
24	Luiz Inácio da Silva	13	16-2-59	✓	45	25	70	90	55	Conservado
25	Marco Antônio Geretim	10	16-2-59	✓	25	75	50	95	60	Diplomado

O boletim de Lula na escola Visconde de Itaúna, no Ipiranga: aproveitamento acima da média em Leitura e Linguagem Oral e em Conhecimentos Gerais, mas fraco nas demais matérias.

de um televisor na Vila Carioca. O próprio Lula viria a comprar uma TV somente nos anos 1970, já casado.

Suas tentações materiais eram infinitamente menores que a posse de um aparelho de televisão. Uma delas era uma prosaica maçã. Uma vez por semana, no caminho entre a escola e a casa, ele passava em frente à barraca de um feirante que vendia maçãs argentinas — embaladas uma a uma em papel de seda azulado onde se podia ler, impressa, a origem da fruta: "Manzanas de Neuquén" (o Brasil só se tornaria um produtor de maçãs dez anos depois). Lula sabia que bastava esticar a mão para pegar uma sem que o dono visse. E mesmo que visse, o único risco era o sujeito obrigá-lo a devolver a fruta. Mas na hora do bote o espectro de dona Lindu baixava em sua consciência e ele desistia. Outro objeto de sua cobiça era ainda mais modesto que as maçãs argentinas: os chicletes de bola Ping Pong, lançados no Brasil pela fábrica de sorvetes Kibon. Ele se roía de inveja ao ver os amigos soprando as bolas que chegavam a cobrir o rosto, de tão grandes. Nas ocasiões em que o tio Odorico pedia-lhe que tomasse conta do balcão do bar, Lula tinha comichões diante dos potes de vidro cheios de… chicletes Ping Pong. O estoicismo que impedia o adolescente de surrupiar um, apenas um chiclete, não era por medo de ser flagrado, mas pela vergonha de um dia a mãe saber que ele houvesse se apropriado de algo que não lhe pertencia. O único jeito de saciar o desejo era pedir ao amigo "Boquita", um voraz consumidor de Ping Pong, que lhe desse os chicletes já mastigados, sobejos que embrulhava num papelzinho e, em casa, lavava, salpicava de açúcar e mascava até que restasse somente uma goma rala e sem sabor. Etérea como uma sombra, a severa dona Lindu e suas lições de honestidade o acompanhavam onde quer que ele estivesse. Uma vez Lula passou por uma caminhonete vazia, com os vidros abaixados e, no porta-luvas aberto, uma tentadora nota de Cr$ 20. Por instantes ele chegou a pensar em enfiar a mão pela janela do veículo e pegar o dinheiro. Mas a mera lembrança da mãe foi mais forte que o demônio que quase o fizera cair em tentação, e os Cr$ 20 continuaram onde estavam.

Em 1960, antes de completar quinze anos, Lula havia conseguido

A família Silva dominava o Náutico do Capibaribe. Lula (terceiro, na primeira fila, a partir da esq.) às vezes era quarto-zagueiro, às vezes meia-direita. Vavá (último à dir., em pé) tanto podia jogar no gol quanto atuar como cartola e organizador de campeonatos. Frei Chico (primeiro à esq., agachado) podia jogar ou apenas orientar o time.

Quando trabalhava numa tecelagem, Vavá, irmão mais velho de Lula, se feriu gravemente ao parar com a mão uma máquina de tecelagem que engolira os cabelos da colega de bancada. Para salvar a vida da moça, perdeu os movimentos de uma das mãos. O que nunca o impediu de ter sido um goleiro respeitado nos times de várzea do ABC. Quando Vavá morreu de câncer, em 2019, a juíza paranaense Carolina Lebbos não permitiu que Lula deixasse o cárcere, sob escolta, para ver o enterro do irmão.

seu primeiro emprego de office boy com carteira profissional assinada na Colúmbia, uma empresa de armazenamento e logística. O trabalho se resumia a atender telefone, levar recados e papéis para os funcionários administrativos. Foi nessa época que soube que a Parafusos Marte, metalúrgica que ficava na Vila Carioca, entre o Sacomã e o Ipiranga, estava à procura de um aprendiz de torneiro mecânico. Ele não tinha ideia do que era e o que fazia um aprendiz de torneiro mecânico, mas o emprego vinha acompanhado de uma promessa sedutora: um processo de seleção escolheria quem ganharia um curso de aperfeiçoamento no Senai. Lula se inscreveu, conseguiu a vaga e dias depois, envergando o macacão remendado que herdara do irmão Jaime, passou a ser o primeiro filho de dona Lindu a receber salário mínimo, fixo e mensal. Aos olhos da vizinhança, dos amigos e principalmente das garotas, o macacão era motivo de orgulho. Ninguém via a carteira profissional assinada, que andava no bolso, mas o macacão era o símbolo de que o usuário tinha emprego, tinha futuro.

O começo na Parafusos Marte foi um jato de água fria no entusiasmo de Lula. Mesmo sem saber a diferença entre uma prensa e um torno, ele imaginava que já chegaria à fábrica instalado na linha de montagem, fundindo peças e construindo máquinas, e ficou decepcionado ao saber que seu trabalho se resumiria a catar no chão as limalhas e restos do ferro cortado pelas prensas, juntar tudo num latão e jogar no lixo. Na verdade aquilo era serviço para faxineiro, não para o que supunha ser um aprendiz de torneiro mecânico. Desconcertado, no fim do expediente do primeiro dia lambuzou as mãos e o macacão com resíduos de graxa, para dar a impressão, na rua e em casa, de que trabalhava como metalúrgico, não como lixeiro. A despeito da frustração, cumpria pontual e disciplinadamente as ordens e a jornada de oito horas diárias, com uma hora de intervalo para a boia — tempo que era quase todo consumido nas peladas improvisadas no pátio da empresa.

Apesar de cru na profissão e de só ter o diploma do curso primário, a dedicação dele no dia a dia chamou a atenção dos chefes, e em poucos meses de trabalho Lula acabou sendo escolhido para fazer o teste de admissão ao Senai. Fez o exame, passou e, segundo suas próprias palavras, ganhou "a chave do paraíso". Tudo o que um operário sem qualificação podia almejar era um dos cursos oferecidos pelo Serviço Nacional de Aprendizado Industrial, instituição mantida por uma fatia de 2,5% das folhas de pagamento das indústrias e que formava trabalhadores e técnicos em todo o país. Pelo convênio da Parafusos Marte com o Senai, ele poderia optar por um dos três cursos disponíveis: aprendiz de mecânica geral, torneiro mecânico ou ajudante de mecânico. Lula escolheu a segunda alternativa, o que significaria passar os três anos seguintes dando meio expediente na fábrica e meio no Senai. Os dois primeiros anos do curso eram ministrados na unidade do Ipiranga, num enorme edifício de dois andares, a poucas quadras de onde se instalaria, três décadas depois, o Instituto Lula. O último ano de formação deu-se na unidade Roberto Simonsen, também sob o regime de meio dia na produção e meio dia nas salas de aula. Muitos anos mais tarde, quando se preparava para ser presidente da República, Lula se lembraria com emoção daquele período:

— Foi o paraíso! O Senai foi a melhor coisa que aconteceu na minha vida. Por quê? Porque aí, eu fui o primeiro filho da minha mãe a ter uma profissão, eu fui o primeiro filho da minha mãe a ganhar mais que o salário mínimo, eu fui o primeiro a ter uma casa, eu fui o primeiro a ter um carro, eu fui o primeiro a ter uma televisão, eu fui o primeiro a ter uma geladeira. Tudo por conta dessa profissão, de torneiro mecânico, por causa do Senai. O período que eu passei no Senai talvez tenha sido o mais importante período na minha vida. Primeiro porque eu estava aprendendo uma profissão, segundo porque acho que foi a primeira vez que eu tive contato com a cidadania. Sabe aquele negócio de você estar numa escola de boa qualidade, de você almoçar, de você tomar café decentemente? Acho que foi a primeira vez que eu alcancei a cidadania, porque, fora do Senai, a vida era muito dura e no Senai a gente tinha o aventalzinho da gente, a gente tinha a comida na hora certa, de boa qualidade, tinha café, tinha futebol de salão, tinha basquete. Então era uma coisa grã-fina para mim.

No fim dos três anos de curso Lula empunhou orgulhoso o ambicionado diploma: agora ele era torneiro mecânico de verdade, profissional, de papel passado. O limiar de expectativas do franzino migrante era baixo. Lula não aspirava a ser rico nem importante. Para quem trabalhava desde os oito anos, ascender à condição de torneiro mecânico era um sonho. Começar como operário, acumular algum dinheiro e virar dono do próprio negócio: ou um táxi ou um botequim. Quando o delírio era alto demais, Lula se via na direção de um caminhão enorme "daqueles da Shell, prateado, transportando combustível". Em resumo, ninguém queria ter patrão. Mas a profissão escolhida já estava ótima. Provocou uma virada na sua cabeça e passou a ser motivo de orgulho por toda a vida.

— Nós não éramos simples torneiros mecânicos — diria muitos anos depois, já presidente da República. — Éramos artistas que conseguiam transformar um pedaço de ferro em uma obra de arte.

Foi na época da Parafusos Marte que Lula participou de greves pela primeira vez. Mas aquelas eram greves água com açúcar, sem confrontos. Só depois, muito depois, é que ele confessaria que para quem, como ele, não tinha consciência política, era uma alegria amanhecer com os muros do bairro pichados com cal: GREVE GERAL!

— A verdade é que ficar em casa sem fazer nada não era um grande sacrifício.

Com um movimento paredista desorganizado como o de então, sem comandos centrais nem palavras de ordem unificadas, toda vez que o sindicato convocava uma paralisação, os donos eram os primeiros a dispensar os trabalhadores e fechar as portas, temendo que os piquetes desandassem em vandalismo e quebra-quebra. Foi numa dessas refregas, no começo dos anos 1960, que Lula se animou a participar de um piquete no Jutifício São Francisco, indústria de sacos de juta e de estopa, onde trabalhava uma de suas irmãs. Para defender a fábrica dos piqueteiros que ameaçavam entrar na marra para retirar à força os fura-greves — entre os quais estava a irmã Maria Baixinha —, os guardas trancaram os portões do muro de dois andares que protegia a empresa. O muro era tão alto que de fora nem dava para ver o interior da fábrica. Mas a peãozada era muita, devia haver mais de quinhentos operários ali. Foi quando um grevista gritou: "Derruba o muro!" — e minutos depois, empurrado pela malta, o muro inteiro veio ao chão, com estrondo. O piquete invadiu a fábrica e os fura-greves, a irmã inclusive, foram postos para fora literalmente a tapas, obrigados a passar por um longo corredor polonês.

A segunda experiência do Lula grevista terminaria, esta sim, de maneira dramática, mas ele por sorte seria apenas testemunha. Caminhando pela rua Vemag, também na Vila Carioca, ele se meteu num grupo de trabalhadores que tentava entrar à força numa pequena fábrica de meias, com o mesmo objetivo: tirar fura-greves das linhas de montagem e trazê-los para o piquete. Quando menos se esperava, apareceu no portão o dono da fábrica, de revólver em punho. Aparentemente para assustar o grupo, ele fez um disparo a esmo, mas a bala atingiu o tórax de um piqueteiro, que morreria minutos depois, num hospital vizinho. Apavorado com o que acabara de fazer, o empresário entrou no prédio e subiu correndo as escadas que davam no segundo andar. Aquilo não ia terminar bem. Desarmado pelos manifestantes e encurralado numa sala pela indignada turbamulta, o homem foi atirado pela janela, linchado a pauladas e pontapés, e morto lá mesmo. Aterrorizado, Lula nem esperou chegar a polícia e se arrancou dali.

Na Parafusos Marte nunca se chegou a situação semelhante. Quando alguma paralisação era marcada, "seu Zé", o gerente, para se ver livre dos ativistas, emprestava o caminhãozinho de entregas da empresa para o deslocamento dos trabalhadores até os piquetes nas portas das outras indústrias das imediações. As relações de Lula com o patrão só azedaram uma vez, e para sempre, quando ele decidiu pedir aumento de salário. Em mais de quatro anos de trabalho, só recebera os aumentos determinados por dissídios coletivos. Aos poucos percebeu que vários colegas realizavam o mesmo trabalho e ganhavam mais que ele. Ao saber que Vitório, seu vizinho de bancada, produzia metade e ganhava o triplo do seu salário, tomou coragem e reivindicou uma equiparação. O patrão reagiu com aspereza:

— Aumento? Nem pensar! Nós financiamos três anos de estudos seus e não temos por que lhe dar aumento.

Desbocado, Lula deu o troco:

— Financiaram porra nenhuma! Quem pagou meu curso foi o Senai e eu quero ganhar o mesmo que meus colegas de trabalho. Ou vocês me dão aumento ou eu peço as contas.

O aumento não saiu e Lula trocou a Parafusos Marte por um emprego noturno na Metalúrgica Independência, pequena indústria de propriedade de um imigrante polonês, também na Vila Carioca, onde produzia discos de segredos para fechaduras de cofres-fortes bancários. Foi lá, durante uma madrugada de trabalho, em junho de 1964, que Lula perdeu o dedo mindinho da mão esquerda.

— Eu entrava às sete da noite e saía às seis da manhã, época em que fazia hora extra. Trabalhava à noite e dormia o dia inteiro. Ia sem jantar, levava lanche. De noite tinha pouca gente que trabalhava nessa fábrica, acho que uns seis ou sete.

Por volta das duas horas da manhã, no meio de um de seus turnos um parafuso da prensa transversal quebrou e, para substituí-lo, ele precisou fazer um novo. Chamou o companheiro da bancada mais próxima para ajudá-lo:

— Nem lembro seu nome, mas quando fui colocar o parafuso na prensa, ele cochilou. Eram umas duas ou três horas da manhã. Esse companheiro, visivelmente cansado, vacilou e soltou o braço da prensa. Ela fechou no momento em que eu estava entrando com a mão para trocar o parafuso. Tentei me esquivar, mas ela amassou meu dedo. Na hora nem senti muita dor.

Com a mão imobilizada pelo acidente, Lula teve que esperar o dia clarear para que aparecesse um médico no pronto-socorro do hospital mais próximo da fábrica.

— Me levaram para um hospital lá na Vila Carioca. Na minha opinião, o médico poderia ter aproveitado metade do dedo, da junta

Aos dezoito anos, Lula (o segundo da esq. para a dir.)
e um grupo de colegas do Senai, no Ipiranga.

Meses depois ele põe gravata pela primeira vez na vida, mas merecidamente: naquela noite receberia a "chave do paraíso": o diploma do curso do Senai. Agora ele tinha uma profissão. Era um torneiro mecânico.

pra cá, mas achou que era mais fácil arrancar tudo de uma vez do que fazer uma cirurgia. E preferiu amputar. Conheço um monte de gente que sofreu o mesmo acidente que eu e que não precisou arrancar tudo. Acho que foi um pouco de precipitação. Ou que fosse mais fácil arrancar do que fazer uma cirurgia. Fiquei dois dias internado no hospital, fizeram a cirurgia, com anestesia local, e aí voltei para casa. Passei quinze dias me recuperando e depois voltei ao trabalho.

Lula ignorava que cada dedo perdido em acidente de trabalho atribuía à vítima uma indenização diferente. Aproveitou os quinze dias de licença para procurar seus direitos:

— Apareceu um advogado, fui correndo até o escritório e assinei todos os papéis que ele pediu para assinar. Ao receber o dinheiro, cerca de trezentos cruzeiros, ou cruzados, sei lá, ele me cobrou 20%.

Lula começou a chorar:

— Como é que eu ia falar para minha mãe que tinha perdido parte do dinheiro? Corri até o sindicato, expliquei a história para outro advogado e ele falou pro outro: "Não cobra desse rapaz, ele é um garoto, acabou de perder o dedo. Imagine você, perdeu o dedo e ainda vai pagar pelo processo?". Voltei até lá, levei um tremendo carão, uma baita esculhambada, mas me deu meu dinheiro.

Nos primeiros meses, Lula sentiu muita vergonha, um certo complexo, tentava enfiar a mão no bolso, tinha vergonha de pegar ônibus, vergonha de que as pessoas vissem sua mão sem o dedo. Mas o tempo foi passando e ele não se preocupou mais com isso. Só estranhava a ausência do mindinho ao juntar as mãos em concha na torneira para lavar o rosto — e a água escorria pelo cotoco. Brincalhão, lamentava que o cirurgião tivesse amputado o dedo inteiro, "sem deixar nem um toquinho para coçar o ouvido". Como indenização pela mutilação, recebeu Cr$ 351 mil. É muito difícil precisar o equivalente a essa quantia seis décadas depois, já que os dois únicos indicadores disponíveis apresentam defasagens que vão de R$ 3,5 mil (IPC-Fipe) a R$ 16,3 mil (IPC-Fipe). Lula pode até não conseguir calcular quanto valeria hoje a indenização, mas não esquece como ela foi consumida:

— Parte do dinheiro dei de entrada num terreno na Vila Liviero, nas imediações do Sacomã, que acabei vendendo tempos depois. Além disso mobiliei, pagando à vista, toda a cozinha da minha mãe: um armário, uma mesa e quatro cadeiras de fórmica, material que estava na moda. E ainda sobraram Cr$ 40 mil. Guardei a metade e emprestei os Cr$ 20 mil restantes ao Jaime, meu irmão mais velho.

Apesar do acidente, Lula permaneceu na empresa por mais alguns meses. Acabou deixando a Metalúrgica Independência e passou um curto período desempregado até conseguir uma vaga de meio oficial torneiro na Fris Moldu Car, metalúrgica de médio porte do Ipiranga que fornecia frisos e molduras metálicas para a indústria automobilística. Foi lá, em dezembro de 1965, que recebeu pela primeira vez o 13º salário. Para celebrar a grana inesperada (o benefício fora criado em 1962, ainda no deposto governo Goulart, mas só entraria em vigor em meados de 1965), tomou o primeiro porre da vida ao dividir com a turma da fábrica vários garrafões de quatro litros do popular vinho tinto gaúcho Sangue de Boi, bebedeira empanturrada de intermináveis porções de mortadela e azeitonas. E no dia seguinte, ainda curtindo a macacoa do pileque, Lula se deu o primeiro presente da vida, uma bicicleta comprada de segunda mão. Tão estropiada que dava mais trabalho que prazer.

Sua passagem pelo novo emprego seria breve. Ele não tinha completado um ano de casa quando foi convocado para fazer hora extra no sábado e no domingo. Tentado pelos irmãos e por um grupo de amigos, na sexta-feira à noite ele resolveu passar o fim de semana com a turma na praia de Santos — usando o dinheiro que o patrão havia adiantado para a condução e as refeições durante o serão. Na segunda de manhã foi abordado por um gerente:

— Por que você não apareceu para trabalhar no fim de semana?

Torrado como um camarão pelo sol do litoral, Lula ficou com vergonha de inventar uma mentira e confessou:

— Fui para Santos com meus amigos.

A resposta veio na hora:

— Então você vai para a rua. Está demitido.

10

A noiva dá um ultimato a Lula.
— Você tem que escolher: o sindicato
ou o casamento. Os dois não dá.

Como Lula descobriria em poucos dias, não podia haver pior momento para estar desempregado. A recessiva política econômica da ditadura que se instalara no Brasil em abril de 1964, após um golpe militar contra o presidente João Goulart, estreitara ainda mais o mercado de trabalho, e as placas com ofertas de emprego desapareceram das portas das fábricas. Golpe militar? Para Lula, o que acontecera tinha sido uma Revolução Democrática — assim mesmo, com as iniciais maiúsculas, como saía nos jornais — que livrara o país do comunismo e da corrupção. Nem ele nem nenhum de seus colegas da Metalúrgica Independência, onde trabalhava quando os militares tomaram o poder, tinha dúvidas a esse respeito. Ao contrário do irmão comunista, Lula sentia muito orgulho de ver as Forças Armadas empenhadas na tarefa de consertar o Brasil. Sua compreensão do que se passava no país não ia além dessas informações básicas — na verdade, frases que ele ouvia no trabalho e na hora da cerveja com os amigos:

— Quando veio o golpe, eu não tinha a menor noção do significado daquilo. Tinha dezoito, dezenove anos, e o que a gente ouvia, na meia hora de almoço da fábrica, era um pessoal muito otimista, porque "o Exército ia resolver o problema", mesmo sem saber precisamente o que era "o problema". O que eu sei é que a credibilidade das Forças Armadas entre os trabalhadores era impressionante.

Sem nenhum interesse e nenhuma informação sobre temas políticos, só abria o jornal — o *Diario da Noite* — para ir direto à página de futebol em busca de notícias de seu time do coração, o Corinthians.

Sua alienação podia ser medida pelo fato de, mesmo apoiando os militares, alimentar silenciosa admiração pelos nomes dos ex-governadores Leonel Brizola e Miguel Arraes, inimigos jurados do novo regime, que despachara ambos para o exílio.

"O problema", e logo Lula descobriria isso, era a falta de trabalho. Fosse de quem fosse a culpa, a vaga de demissões campeava solta pelo maior parque industrial do Brasil. Na década de 1960 o país ainda não fazia levantamentos regulares das taxas de desemprego, mas bastava circular pela região do ABC para saber que a economia encolhia a olhos vistos. Nessa época os Silva se espremiam numa casinha na Vila São José, na cidade de São Caetano do Sul, imóvel que havia sido comprado pelo irmão Jaime com o dinheiro ganho no bingo — foi a primeira casa própria da família desde a partida de Caetés. E era de lá que Lula saía todos os dias, de segunda a sexta-feira, às seis horas da manhã, para caminhadas de dez, quinze e até vinte quilômetros, batendo de fábrica em fábrica em busca de trabalho. Quando a peregrinação era muito longa, ele sentava num banco de praça para tirar os sapatos e relaxar, mas logo encontrava dificuldades para calçá-los de novo, tão inchados ficavam os pés depois do estirão. Foram meses de penoso equilíbrio na corda bamba do desemprego. Sem dinheiro para a condução, para a cerveja do fim do dia e até para os cigarros, aos vinte anos Lula se via outra vez submetido à humilhação de ter que fumar bitucas catadas no chão das ruas. Não tinha emprego, não tinha nem a quem pedir dinheiro emprestado, já que os irmãos Frei Chico e Maria Baixinha também estavam desempregados, e a caçula, Tiana, era proibida pelo namorado de trabalhar. No desespero, superava o constrangimento e tomava pequenos empréstimos com amigos que se achavam em situação um pouco melhor. Até o hábito de ler jornal tinha mudado. Ele trocou *os jornais esportivos* pelo *Diário Popular*, e primeiro percorria com o dedo, um por um, os classificados cada vez mais raros de empregos, e só depois ia atrás de notícias do Corinthians. Nas ruas do ABC, topava com frustração atrás de frustração: Dulcora, não há vagas; Fontoura, não há vagas; Mercedes, não há vagas; Karmann-Ghia, não há vagas. Parecia não haver um só emprego disponível no maior parque industrial da América Latina, como contaria o próprio Lula:

— Eu voltava pra casa às duas, três da tarde, completamente amargurado, sem almoçar, sem fumar. Uma vez cheguei às seis da manhã na Mercedes-Benz e dei com aquela fila imensa. O cara falou: "Aguarda aí porque vai precisar, hoje estamos pegando gente". E nós esperando. Quando deu duas da tarde, atenderam a gente. Com uma fome desgraçada, sem um cruzeiro no bolso, sem um tostão nem para comprar remédio, uma vontade de fumar, eu via aquelas bitucas grandes no chão, meus olhos até piscavam de vontade de pegar. Aí o cara da fábrica pegou as carteiras de trabalho da gente e foi lá pra dentro. Depois de meia hora, voltou e disse: "Não tem vaga, não vamos pegar mais ninguém". Puta que pariu! E ainda tinha o caminho de volta. Eu voltava da Mercedes-Benz para a Vila São José a pé. Eu andava com um sapato, que eu não sei de quem havia ganho, que era duro, daqueles couros que antigamente falavam que era couro de crocodilo, duro. E meu pé inchou. Tirei o sapato na porta da Mercedes e depois não conseguia mais calçar. Voltei pra casa descalço. Quando cheguei em casa, o filho da puta do Frei Chico me chamou de vagabundo, que nem conseguia arrumar emprego. E eu morto, cansado, já eram umas quatro horas da tarde. Meti o sapato na cara dele.

Sem nada que lhe despertasse esperanças, no começo de 1965, numa dessas folheadas ele deu com o anúncio de uma vaga para torneiro mecânico na Villares, uma gigante de São Caetano do Sul. Lula foi à fábrica e repetiu o ritual que já cumprira dezenas de vezes desde a demissão da Fris Moldu Car: preencheu um formulário com informações pessoais e experiência profissional, deixou uma cópia xerox do diploma do Senai e da carteira de trabalho, submeteu-se a um teste e foi embora com a recomendação de voltar dali a dois dias para saber o resultado. Escaldado pelo infrutífero calvário de porta em porta de fábricas, entrou e saiu do teste de rabo entre as pernas. Afinal já fazia oito meses que vagava pelo ABC sem nenhum sucesso. Nem emprego fixo, nem bicos, nem cobertura de férias de alguém. Nada.

No dia marcado Lula amanheceu na porta da empresa e levantou as mãos para o céu ao ouvir o funcionário da seção de pessoal pedir sua carteira profissional: ele tinha sido aprovado no teste e, portanto, estava empregado. Não numa oficina de fundo de quintal, mas na principal unidade da Villares, onde trabalhavam quase mil metalúrgicos — sem contar os da fábrica do Cambuci, na capital paulista, que produzia os elevadores Atlas. Na Villares, seu último emprego numa fábrica, Lula passaria dezoito anos.

Habituado a pequenas metalúrgicas em que o patrão era gerente, contador, chefe do pessoal e, às vezes, trabalhador como seus empregados, e cujo modesto maquinário era operado manualmente, no dia 29 de janeiro de 1966, primeiro dia de trabalho, Lula arregalou os olhos diante daquele mundo que fabricava escavadeiras, pontes rolantes, vagões de metrô para exportação e gigantescos motores a diesel para transatlânticos. Com as dimensões de um prédio de três andares, quando eram submetidos a testes os motores marítimos faziam tremer as vidraças das casas da vizinhança. Propriedade da centenária família Dumont Villares — que dera ao mundo o mais célebre de todos os brasileiros, o "Pai da Aviação" Alberto Santos Dumont —, alguns anos depois a Villares abriria uma unidade em Araraquara, a 270 quilômetros de São Paulo, com capacidade para produzir até trezentas locomotivas por ano.

Trabalhar numa empresa grande e moderna como a Villares, que pagava bem e sem atraso, era a antessala do paraíso. Mais que nunca, ele se sentia um artista: a cada dia transformava um disforme bloco de aço num mancal que mais parecia uma escultura, peça que ia ajudar a mover um transatlântico com capacidade para transportar 2 mil toneladas de carga (anos depois, visitando a fábrica, Lula veria máquinas eletrônicas capazes de produzir não uma, mas duzentas peças daquelas por dia).

Lula, no entanto, levou tempo para desfrutar do privilégio. A liquidação das dívidas que contraíra enquanto amargava o período de desemprego — dívidas pequenas, mas inúmeras, incontáveis

— abocanhou integralmente o salário de seus primeiros meses no novo emprego. Um filho de dona Lindu não podia ter o nome sujo na praça. E nem sequer quando zerava as contas era permitido a ele torrar o ordenado comprando o que lhe desse na telha. Como sempre fizera, a mãe mantinha um método peculiar de organizar as sempre apertadas finanças da casa. Um sistema doméstico, primitivo, mas que influenciaria Lula mesmo depois de convertido em personalidade política planetária.

No fim do mês ela juntava num caixa único os salários de todos os filhos, os empregados formais e os que faziam bicos. Ninguém tocava num tostão dos envelopes saídos dos caixas das fábricas. Só então começava a redistribuição do dinheiro. Primeiro pagava as despesas coletivas — armazém, açougue, padaria, quitanda, farmácia, água, luz, gás. Se sobrasse algum dinheiro, o que nem sempre acontecia, o saldo era compartilhado entre os filhos. Os critérios de distribuição de renda de dona Lindu costumavam deixar alguém de bico torto, porque os reembolsos não eram proporcionais à contribuição, mas às necessidades de cada um. Muitos anos depois, já presidente da República, Lula diria candidamente que o orçamento adotado no seu governo para tentar diminuir as iniquidades sociais do país não viera de nenhum compêndio de pós-doutores ou phDs em Economia, mas da forma como sua mãe administrava a receita e as despesas de uma família pobre. Por mais que se tentasse ver ali fumaças do bordão cunhado por Marx — "de cada qual segundo sua capacidade; a cada qual segundo suas necessidades" —, a verdade é que na raiz de tudo estava a singela aritmética caseira de dona Lindu, que nunca soube ler e escrever.

A aplicação do método Lindu era simples. Se alguma das meninas estivesse namorando, recebia um adicional para comprar um vestido novo, mesmo que não tivesse contribuído naquele mês para o caixa familiar. Os rapazes que fumavam (moças de família não costumavam fumar naquela época) faziam jus a um trocado para o cigarro, e os festeiros também abiscoitavam um dinheirinho para o rabo de

A CARTEIRA PROFISSIONAL

Por menos que pareça e por mais trabalho que dê ao interessado, a carteira profissional é um documento indispensável à proteção do trabalhador.

Elemento de qualificação civil e de habilitação profissional, a carteira representa também título originário para a colocação, para a inscrição sindical e, ainda, um instrumento prático do contrato individual de trabalho.

A carteira, pelos lançamentos que recebe, configura a história de uma vida. Quem a examinar, logo verá se o portador é um temperamento aquietado ou versátil; se ama a profissão escolhida ou ainda não encontrou a própria vocação; se andou de fábrica em fábrica, como uma abelha, ou permaneceu no mesmo estabelecimento, subindo a escala profissional. Pode ser um padrão de honra. Pode ser uma advertência.

(a) Alexandre Marcondes Filho

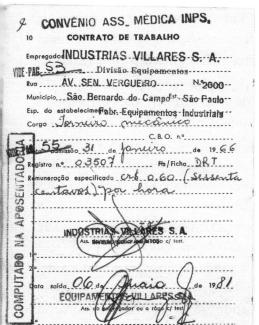

No auge da crise provocada pelas mudanças econômicas da ditadura, os empregos evaporaram. Como por milagre Lula conseguiu um, depois de uma exaustiva via-crúcis de fábrica em fábrica. Não era um emprego qualquer: era para trabalhar na gigante brasileira que fabricava transatlânticos e metrôs para o mundo inteiro. Ele agora era empregado da Villares.

galo ou a cuba-libre do sábado. Quem trabalhava mais longe recebia mais dinheiro para a condução. Com isso tornou-se corriqueiro que um dos filhos entregasse todo o salário ao caixa de dona Lindu e não recebesse nada de volta, ou que não entregasse nada e recebesse um tanto. Nunca se soube de algum protesto familiar, já que nenhum dos filhos se atreveria a enfrentar a severidade da mãe.

Pouco dado a gastanças, Lula não tinha por que se queixar da contabilidade. Sua única paixão, jogar futebol, não custava um tostão. Por uma partida como centroavante do Bangu da Vila Carioca ele largava tudo, até a namorada. Foi por causa do futebol que não prosperou seu primeiro namoro, com a nissei Mitiko.

— Ela era uma japonesinha linda — ele se lembraria, sorridente —, mas eu era fanático por futebol, e entre a namorada e a bola eu preferia jogar bola, então a paixão durou pouco.

Além da bola, havia a timidez. Conversador quando estava com os amigos da fábrica e do futebol, Lula travava ao se aproximar de alguma garota. Só adquiria coragem e perdia a vergonha de tirar uma menina para dançar movido a generosas doses de conhaque Palhinha ou São João da Barra, os mais baratos — a grana liberada pela mãe era insuficiente para beber o também popular Dreher, mais caro apesar de ser tão ordinário quanto os demais. Os companheiros da época confirmam o breve romance com a "japonesinha" e acrescentam um dado picante: não era uma, eram duas, as primas Mitiko e Sumiko. E juram que ele namorou ambas simultaneamente, sem que uma soubesse das aventuras dele com a outra.

Lula entrou na idade adulta no momento em que uma novidade da indústria farmacêutica mudava não só os conceitos de controle de natalidade, mas sobretudo os costumes do mundo: a pílula anticoncepcional. Tratada pela maioria das sociedades e religiões, desde sempre, apenas como meio de reprodução, a prática do sexo seria liberada pela pílula também como forma de prazer. Até então, dez entre dez adolescentes brasileiros perdiam a inocência nos braços de prostitutas. Um rapaz ter a primeira relação sexual — "desmamar", como se dizia — com a própria namorada era coisa rara. Até porque a virgindade era uma das virtudes exigidas para uma moça conseguir um bom casamento. A "revolução sexual" provocada pelo comprimido que evitava a gravidez popularizou-se a ponto de ser convertida no mais célebre slogan dos movimentos contra a Guerra do Vietnã — "Faça amor, não faça guerra". E graças à invenção do biólogo norte--americano Gregory Pincus é que Lula teria perdido a virgindade, aos dezesseis anos, não num bordel, mas com uma garota da vizinhança que andara paquerando, e que mesmo depois da experiência continuou sendo somente isso, uma paquera fugaz. Numa conversa com amigos, já candidato a presidente da República, Lula confessaria que havia "desmamado" não com uma namoradinha, mas num prostíbulo na Boca do Lixo, em São Paulo:

— Fui à zona pela primeira vez aos dezesseis anos. Me indicaram uma casa que era conhecida como "o famoso 69" da rua dos Andradas. Era uma depravação total. Perdi minha virgindade com duas mulheres de uns setenta anos de idade.

Paixão mesmo, para valer, ele só experimentou quando já tinha dezoito anos. O objeto do seu afeto era Maria de Lourdes, uma mineira bonita, miúda e magrinha, de pele morena, nariz afilado, cabelos longos sobre os ombros, sobrancelhas finas e olhos negros. A história de Lourdes, nascida na cidade de Montes Claros, no norte de Minas Gerais, guardava semelhanças com a de Lula: ambos tinham viajado para São Paulo de pau de arara, acompanhados das respectivas famílias, no mesmo ano de 1952. Além de vizinhos, ela era irmã do operário Jacinto Ribeiro, o "Lambari", de quem Lula jamais se esqueceria:

— Lambari não era apenas um companheiro de cachaça, era meu melhor amigo. Nas épocas de aperto, se tivesse dois cigarros no maço, ele ia na minha casa levar um para mim. Se tivesse dez centavos no bolso, cinco eram meus e cinco dele. Quando eu estava desempregado, Lambari fazia de tudo para me ajudar.

Lourdes tinha dezessete anos e trabalhava como tecelã na Damatex, indústria que produzia carpetes e tapetes no Sacomã, distrito do

Ipiranga, onde anos depois surgiria a favela Heliópolis. Ao perceber que seus sentimentos iam além da mera amizade pela irmã de um amigo, Lula sentiu bater de novo a insidiosa timidez. Ele simplesmente não sabia o que dizer a ela, como dizer, quando dizer. Ao ver que sozinho não sairia daquela sinuca afetiva, resolveu pedir socorro... ao amigo Lambari. Lula entabulou com ele uma conversa que começou gaguejante mas solene, tratando o amigo pelo nome próprio:

— Ô Jacinto... Eu estou gostando da Lourdes...

— Ué, que bom...

— Mas eu não sei como é que eu faço...

— Uai, só tem um jeito: vai lá e fala com ela, pô.

— Mas eu tenho vergonha... Sei lá... O que seus pais vão dizer?

— Não tem problema nenhum, rapaz. Vai lá e fala com ela. Aproveita a próxima hora dançante, tira a Lourdes para dançar e abre o jogo.

O bailinho apareceu logo. A coragem, não. Com o estímulo de uma dose de Palhinha ele pareceu se animar. Ao ouvir os acordes iniciais da primeira seleção — nome que davam aos trinta minutos de música de cada lado do long-play de vinil —, Lula atravessou o salão e tirou Lourdes para dançar. Conversou trivialidades e quando a primeira seleção acabou, ele não conseguira sequer pronunciar a palavra "namoro". Aproveitou o intervalo, foi ao bar, mandou mais uma talagada de conhaque e tirou-a de novo na segunda seleção. Dançaram, dançaram, conversaram sobre amenidades, mas de namoro, nada. Só na quarta seleção — à qual correspondia a quarta dose de Palhinha — é que ele desembuchou. Pediu Lourdes em namoro, ela topou, e meses depois já estavam noivos, de verdade, com autorização dos pais dela e aliança na mão direita.

Foi no decorrer dos dois anos de noivado com Lourdes que o destino empurrou Lula do chão da fábrica para o caminho que ele trilharia para o resto da vida: o movimento operário. E a mão mais importante nessa metamorfose foi, sem nenhuma dúvida, a de seu irmão mais velho, cuja calva aposentara o apelido familiar, Ziza, e que

A anotação manuscrita no pé da carteira funcional de Lula na Villares mostra que ele seria demitido como punição pela liderança da greve de 1980. Como dirigente sindical ele, por lei, não poderia ser despedido.

Lula e Frei Chico, que naquela época ainda tinha cabelos. Halterofilista, cruzava os braços nas fotografias, para exibir bíceps e tríceps.

Lula (com ar invocado e de camisa desabotoada) com os melhores amigos da juventude: Lambari, que viria a ser seu cunhado, e Olavo, que conseguiu um chiquíssimo Aero-Willys para ele levar a noiva à igreja.

já era conhecido como Frei Chico. Lula ainda era o "Baiano" — forma pejorativa como alguns sulistas se referem a nordestinos em geral — ou "Taturana". Este apelido nascera da desconfiança de um colega de fábrica de que os olhos vermelhos de Lula eram um sinal claro de que ele, além da cachacinha, fumava maconha antes de ir para o batente.

— E não é maconha vagabunda, não — comentava o peão. — Esse cara fuma é da boa, fuma taturana, a maconha mais forte da praça.

Não era verdade. Os olhos vermelhos eram provocados por uma alergia. Lula nunca chegaria a experimentar drogas, mas o apelido durou alguns anos.

Depois de alguns meses na Villares, Lula sugeriu a Frei Chico que se candidatasse a uma vaga de soldador que abrira na indústria. Desempregado, esse irmão era torneiro mecânico de formação, mas já trabalhara como retificador de motores, ajudante de caminhão e como soldador. Embora a Villares não permitisse o trabalho de irmãos na empresa, eles tinham sobrenomes diferentes (Lula é "Inácio da Silva" e o irmão "Ferreira de Melo"), passaram despercebidos da seção do pessoal e Frei Chico foi admitido. Como Lula trabalhava no período noturno e o mais velho fora escalado para a jornada diurna, os dois raramente se encontravam no emprego. Ao contrário do caçula franzino, Frei Chico era musculoso, politizado e frequentava o sindicato desde o golpe militar de 1964.

Foram infrutíferas as insistentes mas discretas tentativas do irmão de atrair Lula para a vida sindical. As conversas sobre o assunto, em casa ou durante uma cachacinha, num bar, eram sempre as mesmas:

— Você precisava conhecer o sindicato, ir a uma assembleia.

— Não vou, ali só tem ladrão.

— Vai lá, pelo menos para conhecer. Se não gostar, não volta...

— Não vou. Já vi naqueles cartazes de terroristas procurados pela polícia que muitos deles são metidos em sindicatos.

— Não, Lula, você está enganado. Esse pessoal é gente boa, não tem bandido ali, não. Esses caras que estão nos cartazes são gente boa, é o pessoal que está tentando derrubar a ditadura militar.

O irmão mais velho acabou sendo alcançado por uma das muitas ondas de desemprego provocadas pela política econômica do governo e foi demitido da Villares. Lula deu sorte e foi poupado dos cortes, e Frei Chico não permaneceu muito tempo sem trabalho. Pouco depois de deixar a Villares, arranjou uma vaga de torneiro mecânico na Carraço, uma metalúrgica de porte médio de São Caetano do Sul que fabricava capotas de aço para os jipes montados no Brasil pela americana Willys Overland e para o pequeno sedã DKW-Vemag, de origem alemã.

No final de 1968 o Sindicato dos Metalúrgicos de São Bernardo do Campo começou a preparar as eleições para a renovação da diretoria, marcadas para o início do ano seguinte. Pelo acerto entre as lideranças da categoria, haveria uma única chapa, cuja cabeça o presidente Afonso Monteiro cederia a Paulo Vidal, metalúrgico e velho militante do sindicato, e novos nomes seriam incorporados à futura diretoria. Apesar da unanimidade em torno do nome de Frei Chico para ocupar um dos postos da direção, a fábrica onde ele trabalhava já tinha um representante na chapa. Não fazia sentido que uma empresa média como a Carraço tivesse dois nomes na direção do sindicato, enquanto a gigante Villares, com mil peões na folha de pagamento, ficasse sem nenhum. Foi quando Frei Chico, em poucas palavras, fez a sugestão que mudaria para sempre o destino de Lula. E, em grande medida, o do Brasil:

— Meu irmão mais novo é torneiro mecânico na Villares. Mas não sei se ele topa vir pro sindicato.

Lula conta:

— Frei Chico era um ativista, aquele cara que ia ao sindicato, aquele cara que comia, almoçava, tomava café de sindicato. Todo o restante da família era antissindicato, achávamos o que muito trabalhador acha ainda hoje, que lá só tinha ladrão, que a diretoria era toda de ladrões, que todo mundo era safado, que meu irmão era bobo de ir ao sindicato. E isso era motivo de uma briga permanente... A gente fazia uma reunião de família, ou estava ali tomando uma cachaça, já vinha ele: "Porque o sindicato…". E quando ele começava, já todo mundo era contra, já ia todo mundo dando esporro nele, porque não queríamos ouvir falar de sindicato.

Como Frei Chico temia, Lula pulou fora. Foi sincero e insistiu no medo de se meter naquela história de sindicalismo, mundo que ele, como boa parte dos colegas, associava a subversão, prisão, tortura. Frei Chico reiterou que nenhuma organização clandestina estava por trás do movimento, o que era verdade, e Lula acabou pedindo uns dias para pensar.

A primeira pessoa com quem compartilhou o convite foi a noiva. Mesmo sem entender nem se interessar por política, ela não gostou da ideia. Como Lula, Lourdes achava que aquilo era uma aventura perigosa, bastava ver o que os jornais e as TVs viviam falando de sindicalistas presos. A conversa foi inconclusiva e o assunto só voltou dois dias depois, no reencontro deles. Se antes tinha dúvidas, a mineirinha apareceu armada de pétreas convicções:

— Lula, comentei na fábrica que você foi convidado para ser da diretoria do sindicato.

Sorridente, ele quis saber como a ideia tinha sido recebida pelo pessoal da Damatex. Ela foi direto ao assunto:

— O gerente falou para você não se meter nisso. O pessoal disse que ser diretor de sindicato, bicho, é virar comunista. Os caras vão te prender, você nunca mais vai ter emprego!

Antes que ele retomasse o fôlego, Lourdes arrematou:

— Tem mais: se você aceitar o convite, não tem casamento. Você escolhe: se preferir o sindicato, eu espero terminar o mandato e daqui a três anos a gente casa.

O problema foi que, entre os dois encontros dos noivos, Frei Chico conseguira arrastar o irmão para um papo com a direção do sindicato. Lá os esperavam o presidente Afonso Monteiro, prestes a deixar o cargo, e os diretores Paulo Vidal, cabeça da nova chapa, e Mário Ladeia. Lula mantinha relações cordiais com Vidal e Ladeia, mas tinha "má impressão" do presidente.

— O Monteiro me dá menos atenção do que à cachorrinha atropelada que virou mascote do sindicato — queixava-se aos amigos.

Mas a pinimba não impediu que a reunião terminasse bem. No fim os quatro decidiram que Lula entraria na chapa como suplente da diretoria, que seria encabeçada por Vidal. A solução resolvia os problemas com Lourdes e garantia a realização do casamento — afinal ele não seria diretor, mas apenas suplente —, porém trazia uma desvantagem para Lula. Sem ser diretor efetivo, ele perdia o direito à dispensa remunerada da produção e não faria jus, pela lei, a mais um ano indemissível na Villares, após o mandato.

Lula conseguiu enrolar Lourdes com a história da suplência e ali mesmo, naquela conversa, marcaram o casamento. De folhinha na mão, escolheram o dia 25, o último domingo de maio, o "Mês das Noivas". O tempo pareceu voar nos meses seguintes. Além de todos os aborrecidos prolegômenos que antecedem os casamentos — requerer certidões, publicar proclamas, montar casa, arranjar hora na igreja, armar uma festinha, por mais modesta que fosse —, era preciso enfrentar o ritual que precedia as eleições no sindicato. Mesmo com o risco zero de perder as eleições, já que se tratava de chapa única, sem oposição, os candidatos a diretores e suplentes tinham que fazer ponto nas portas de fábricas, distribuir panfletos, apertar mãos, se apresentar aos eleitores. E, acima de tudo, garantir presença no dia das eleições, uma vez que o voto sindical não é obrigatório.

O noivado significava um compromisso, mas não mudou em nada o cotidiano casa-fábrica-casa de segunda a sexta e os bailinhos dos sábados e domingos sob o olhar vigilante da futura sogra, dona Hermínia. A turma era quase sempre a mesma: Lula, os amigos Toninho e Zezinho, o casal de namorados nisseis Olavo e Kiva, o cunhado Lambari (que andava arrastando asa para Ruth, a Tiana, irmã caçula de Lula) e, claro, a noiva. O repertório da vitrola também não mudava muito: se não era Ray Conniff ou Roberto Carlos, era Carlos Alberto, o "Rei do Bolero". Nada mais familiar: salgadinhos, refrigerantes e zero bebida alcoólica.

A rotina semanal só foi interrompida no dia 19 de abril, um sábado, quando a chapa presidida por Paulo Vidal assumiu a direção do sindicato. Já instalada no endereço atual, a sede era tão modesta que a posse, seguida de coquetel, teve que se realizar no ginásio da Associação dos Funcionários Públicos da Prefeitura. Previsível, e desimportante como notícia, a vitória de Vidal não apareceu sequer como registro nos veículos da grande imprensa. O foco de jornais como o *Estadão*, a *Folha*, o *Globo* e o *Jornal do Brasil* estava no referendo sobre a reforma do Senado francês e na tentativa do líder palestino Yasser Arafat de apaziguar o Líbano juntando em torno da Al-Fatah as diversas tendências que formavam a OLP (Organização para a Libertação da Palestina). Estreia de Lula na longa jornada que o levaria até a Presidência do Brasil, o ato não mereceu destaque nem no *Diário do Grande ABC*, o principal jornal da região e referência na cobertura do movimento sindical. A notícia saiu num canto de página, em três parágrafos e sem fotos. O nome de Lula aparece perdido no pé do texto, em 19º lugar na lista dos 25 diretores e suplentes que se empossavam.

O clima pacífico e festivo daquela noite de sábado em nada refletia a atmosfera de violência política e repressão do Brasil extramuros do sindicato. Empunhando o alfanje do Ato Institucional número 5, baixado pela ditadura em dezembro do ano anterior, o marechal Costa e Silva, presidente da República, já degolara 94 políticos de vários partidos, cassando seus mandatos e suspendendo por dez anos seus direitos políticos. Para assegurar na Suprema Corte maioria folgada aos atos discricionários do regime, Costa e Silva aposentou compulsoriamente os mineiros Antônio Carlos Lafayette de Andrada e Antônio Gonçalves de Oliveira e diminuiu de dezesseis para onze o número de ministros do Supremo Tribunal Federal. Os trabalhadores não escapariam da purga. Ao contrário, o primeiro alvo dos militares ao tomar o poder foi o movimento operário. Desde 1964 o governo havia decretado intervenção em 483 sindicatos, 49 federações e quatro confederações. Desmanteladas as organizações, as principais lideranças estavam presas, exiladas ou escondidas. Mas ainda assim, para se prevenir contra eventuais ousadias reivindicatórias, três semanas antes da eleição da chapa de Lula em São Bernardo, Costa e Silva baixara um Ato Institucional determinando que os chamados "crimes contra a segurança nacional" não seriam mais julgados pelo Supremo, mas pela Justiça Militar. A peãozada que festejava a posse de Paulo Vidal talvez nem soubesse disto, mas entre os crimes contra a segurança nacional previstos no ato de Costa e Silva estavam as greves que logo começariam a pipocar no ABC.

A cabeça de Lula, porém, estava em outro lugar. No dia 23 de maio, uma sexta-feira, um mês depois de debutar na vida sindical, ele e Lourdes pediram licença aos respectivos chefes para sair mais cedo do trabalho e realizar, num cartório de São Bernardo, o ato civil do casamento. Cumpriram o rápido ritual presidido pelo juiz de paz acompanhados apenas das quatro testemunhas exigidas por lei. Os noivos estavam muito elegantes. Com um coque do qual o cabelo saía em laçadas, Lourdes vestia um mantô escuro, do tipo redingote, e Lula, de bigode raspado e cabelos aparados, usava um terno cinza de quatro botões, novinho em folha, camisa branca engomada e gravata cinza. Somente para não deixar a data passar em branco, reuniram mais meia dúzia de amigos e se dirigiram à casa da noiva para uma cervejinha acompanhada de tira-gostos. No fim da noite, quando todos se despediam, Lula foi ficando — certo de que dormiria aquela noite com Lourdes, iniciando ali mesmo a lua de mel. Afinal, já eram marido e mulher. A ousadia foi vetada na hora por dona Hermínia: dormir juntos, só depois de casar na igreja. Ele ainda tentou argumentar, de certidão na mão — "Já somos casados de papel passado, olha aqui!" —, mas a adesão de dona Lindu ao veto da consogra encerrou o assunto. Até que a união fosse sacramentada pelo casamento religioso, cada um ia dormir na sua própria casa.

Na tarde de domingo, o dia começando a escurecer, Lourdes chegou à igreja de Nossa Senhora das Mercês, no Sacomã, a bordo de um reluzente Aero-Willys cinza — na época, o mais caro e elegante automóvel produzido no Brasil, que havia sido arranjado por um amigo da fábrica. De vestido branco, a noiva tinha a cabeça coberta por uma grinalda ornada por florzinhas de seda que terminava numa longa cauda de tule. Lula não ficara atrás: usava outro terno novo, azul-marinho, gravata prateada e, como no casamento civil, tinha a gaforinha meticulosamente domada por brilhantina.

As fotos do casamento, tanto as do civil como as do religioso, deixam a impressão de que os noivos estavam tensos e nervosos. O único e discreto sorriso perceptível é de Lula, captado no momento em que ele, solene, estende a mão para receber Lourdes na porta do carro, em frente à igreja. A cerimônia terminou com um beijinho do noivo na testa da noiva, e de lá foram todos celebrar na casa de dona Lindu na rua Jabaquara, na Vila Pauliceia. As mães dos noivos cuidaram de abastecer a festa com salgadinhos, sanduíches, batatinhas fritas e bolo. As bebidas ficaram por conta do noivo. Lula lembra que o miserê era tão grande que tiveram que calcular quantas crianças iriam — e comprar uma garrafa de guaraná para cada uma delas.

Após a festa os noivos tomaram o ônibus noturno que os levaria a Poços de Caldas, estância hidromineral do sul de Minas, para seis dias de lua de mel. O noivo viajou meio de lado, no pior assento, que dava para a porta do banheiro do veículo. Quando saíram de casa em direção à estação rodoviária, a despedida foi uma choradeira sem fim. Aos 23 anos, era a primeira vez na vida que Lula dormiria longe da família. Em Poços fizeram o tour tradicional dos noivos. Jogaram moedas na Fonte dos Amores, conheceram a cidade de charrete e atiraram farelos de pão aos cisnes a bordo de um dos barquinhos semelhantes às gôndolas venezianas que eram alugados pelo Country Club. Uma semana depois já iniciavam a vida de casados na casinha de um dormitório da rua Jabaquara, no mesmo bairro onde viviam quando solteiros, imóvel que os dois haviam comprado com dinheiro tomado no BNH (Banco Nacional da Habitação, estatal encarregada de financiamentos imobiliários a longo prazo).

A poder de vários goles de conhaque, Lula toma coragem, tira Lourdes para dançar e meses depois estavam se casando — sem que ele tivesse que abandonar a vida sindical, como ela exigira inicialmente. A lua de mel foi no paraíso mineiro chamado Poços de Caldas.

11

— Já sei, doutor, meu bebê nasceu morto.
— Seja forte, seu Luiz, porque a notícia é
pior: a Lourdes, sua esposa, também faleceu.

Uma visível metamorfose estava se processando na vida de Lula. Apesar da relutância inicial, ele acabou tomando gosto pelo movimento e pela agitação permanente no sindicato. Nunca passara por sua cabeça fazer carreira no movimento sindical, mas aos poucos ele se tornaria um frequentador regular das assembleias que antes tanto o entediavam. Com o passar do tempo sua presença foi rareando nas cervejadas, nos churrascos e até nas peladas de fins de semana do Bangu. As horas de folga eram dedicadas ao sindicato. Lula não precisou da catequese nem das teorias do irmão comunista para descobrir a importância do sindicato na vida e no dia a dia do trabalhador; fez isso sozinho, a partir da observação. Não era só pelo assistencialismo social, como convênios médicos, que poupava os associados da incúria dos serviços públicos de saúde. Mais que um abrigo, a seus olhos o sindicato foi adquirindo os contornos de um lar, uma espécie de sentinela protetora dos direitos da peãozada. Um lugar onde ele se sentia seguro.

De fato a diretoria presidida por Paulo Vidal — que não era um homem de esquerda nem um pelego — marcaria época por tirar o sindicato da letargia em que se encontrara nas gestões anteriores. Uma das primeiras medidas tomadas pelo novo time foi cortar o cordão umbilical que ligava o sindicato à Federação dos Metalúrgicos do Estado, presidida por Argeu Egídio dos Santos, esse sim, considerado um pelegaço pelas lideranças mais aguerridas. Sem a tutela de Argeu, os metalúrgicos do ABC buscavam atalhos e zonas de sombra da legislação e conseguiam contornar os obstáculos da Justiça do Trabalho. A partir de então as campanhas salariais passaram a ser negociadas diretamente com os empresários da indústria automobilística. O sindicato ampliou sua base, filiando milhares de novos associados com a ainda discreta ajuda das Comunidades Eclesiais de Base (CEBS) da Igreja católica, nascidas no progressista encontro de Puebla, no México, em janeiro de 1979, por ocasião da III Conferência do Conselho Episcopal Latino--Americano (Celam), com a presença do papa João Paulo II. Antes do fim do primeiro mandato de Vidal (que se reelegeria em 1972) o número de trabalhadores sindicalizados subiu de 20% para 50% da mão de obra empregada na região. O poder de pressão do sindicato sobre os patrões e sobre o governo crescia na mesma proporção.

Mesmo ocupando um cargo formalmente irrelevante — suplente do Conselho Fiscal —, Lula passou a ter presença ativa na vida sindical. Acompanhava de perto o atendimento jurídico e os processos de homologação de rescisões de contratos de trabalho, e virou um entusiasta dos programas de formação profissional. Em muitos desses cursos, o metalúrgico entrava como "peão de chão de fábrica", o mais baixo degrau da hierarquia, e saía direto para a ferramentaria, o setor de elite e o topo da profissão, que abrigava os torneiros mecânicos e contramestres, como Lula, ferramenteiros, mecânicos de manutenção e retificadores. Acima destes, só os feitores, os fiscais das unidades fabris. Em tese acadêmica publicada no *Anuário Unesco/Metodista de Comunicação*, o professor Antonio de Andrade resumiu a mudança ocorrida após a vitória da chapa de Vidal:

> A nova liderança sindical investe fortemente na informação e apoio aos trabalhadores na solução de suas questões básicas, essencialmente relacionadas ao cotidiano, com isso o sindicato é fortalecido através de campanhas de sindicalização, promovidas no interior das indústrias, dando origem a uma nova geração de operários interessados em participar da política e da estrutura sindical. Fruto imediato das transformações seria a promoção permanente de encontros, cursos, palestras

e congressos com a finalidade de sensibilizar os trabalhadores para a discussão de suas carências, dificuldades no trabalho e encaminhamento de propostas de ação.

Em pouco tempo o sindicato mudou de cara. Além dos cursos estritamente profissionalizantes e das atividades recreativas, a diretoria montou para os associados seminários de discussões políticas e de rudimentos de economia, e até um curso de madureza, sistema criado pelo governo que permitia que em apenas um ano de ensino intensivo um ginasiano pudesse saltar três anos e habilitar-se a disputar uma vaga na universidade — e que anos depois viria a se chamar supletivo. Com seu jeito conciliador e envolvente de tratar os oponentes nas discussões e negociações, a figura de Lula se destacava entre as lideranças operárias não só do ABC, mas de toda aquela região industrial. Maneiro no trato com adversários e patrões, apesar da aparência de mal-humorado, não foram, porém, as virtudes de palanqueiro que marcaram seus primeiros passos na vida sindical. Ao contrário.

Embora muito tempo depois viesse a se notabilizar como orador que magnetizava multidões, aquele torneiro mecânico de 23 anos, camisas estampadas e bigodes pretos, tremia só de ouvir falar em microfone e plateia.

— Eu era tão inibido que, quando citavam meu nome numa assembleia — lembraria várias vezes, muitos anos mais tarde —, eu já ficava vermelho.

Suava de nervoso quando lhe passavam a palavra em algum ato ou assembleia. Para superar o trauma, criou secretamente o que se poderia batizar de "método Lula de oratória". Recortava fotografias de pessoas anônimas em jornais e revistas velhas, colava uma por uma nas paredes do quarto, trancava a porta e iniciava a arenga. Quem o ouvisse repetindo em voz alta discursos incendiários para uma plateia de fantasmas impressos em pedaços de jornais amarelados, certamente imaginaria estar diante de um doido varrido. (Conforme confessou à revista alemã *Der Spiegel*, quando se sentia muito solitário no período em que esteve preso em Curitiba, em 2018, Lula recorria ao método: colava fotos na parede da cela e "conversava" com elas.)

A vida corria bem demais. Nas conversas com amigos e familiares ele repetia em detalhes o que era a arte de tornear peças que iam ajudar a mover transatlânticos. A atividade sindical era estimulante, o trabalho na Villares o enchia de orgulho e a lua de mel parecia não ter fim. Somados, os salários do casal permitiram realizar o sonho alimentado desde os primeiros dias de namoro: ter um bebê. O resultado da tentativa de começar a constituir família surgiu em outubro. Seis meses depois do casamento Lourdes contou ao marido que estava grávida.

Mesmo dando expediente normal na fábrica durante a gestação, Lourdes teve uma gravidez sem atropelos. Atendido pelos eficientes serviços médicos do sindicato, o casal acumulava o enxoval do bebezinho, cujo nascimento estava previsto para meados de julho de 1971. No dia 4 de junho, uma sexta-feira, porém, ela despertou pálida, queixando-se de dores fortes no ventre e com o olhar baço, amarelado. Lula marcou hora num médico do sindicato, mas Lourdes achou que era besteira e não foi. No sábado, quando ele chegou do trabalho para o almoço ficou enfezado ao saber que ela tinha cabulado uma segunda consulta, com a desculpa de que precisava fazer horas extras para melhorar o orçamento da casa.

— Ela era capaz de trabalhar horas seguidas para ganhar um vintém a mais — Lula se lembraria.

Levada às carreiras para o pronto-socorro do Hospital Modelo, na divisa entre o ABC e São Paulo, que mantinha convênio com a Villares, Lourdes foi diagnosticada com um princípio de icterícia provocada pelo baixo desenvolvimento do fígado do feto, disfunção que, segundo médicos e enfermeiros, tenderia a desaparecer em menos de uma semana. A explicação não convenceu o marido, preocupado com as dores que só aumentavam. Lula considerou mais prudente e seguro que Lourdes permanecesse no hospital. No dia seguinte recebeu a notícia de que sua mulher perdera o bebê. Correu para o hospital e ao chegar lá, em prantos, travou um curto diálogo com o médico de plantão:

— Seu Luiz, o senhor vai ter que ser forte. Tenho uma péssima notícia para lhe dar.

Com o rosto molhado de lágrimas, respondeu entre soluços:

— Eu já sei, doutor. A Lourdes perdeu o bebê, nosso filhinho morreu na barriga da mãe.

O médico segurou-o pelos braços:

— Não, seu Luiz, é muito pior. Sua esposa também acaba de morrer.

Carregando um embrulho com as roupinhas que levara para o sepultamento do nascituro, Lula se desmanchou nos braços dos amigos que o acompanhavam.

O luto das perdas irreparáveis o transformou num zumbi. Esgueirando-se pelos cantos, sem querer ver amigos nem parentes, qualquer imagem, cena ou trecho de música que lembrasse a figura de Lourdes era suficiente para enterrar sua alma em cava depressão. Chegou a pensar em morar sozinho, mas a melancolia era tanta que acabou voltando para a casa da mãe. Futebol, cinema, cervejadas, nada parecia conseguir arrancá-lo do buraco. Namorada nova, nem pensar. Durante meses seguidos, quando percebia que alguma garota o espiava com olhar interessado, baixava a cabeça e mudava de rumo.

A vida foi entrando nos eixos a conta-gotas. Lula acabou fazendo as pazes com a velha paixão, o futebol, e nos fins de semana voltou a atuar no Náutico do Capibaribe, time criado por ele e pelo irmão Vavá quando ainda moravam na Vila Carioca. O nome poderia soar estranho a ouvidos paulistas, mas era familiar a garotos pernambucanos como eles: Capibaribe é o caudaloso rio que banha todo o seu estado natal e corta em pedaços a capital, Recife, dando à cidade o pomposo título de "Veneza Americana". Com fardamento vermelho, igual ao do Náutico original, o time não envergonhava ninguém, garantiam os Silva, titulares de três posições cativas. Lula era meia-direita e Frei Chico era zagueiro central, o becão. A atrofia de parte da mão direita não impedia Vavá, o cartola do time, de ser o goleiro da equipe. Um bom goleiro. Vavá perdera o movimento de três dedos ao salvar a vida

A vida sindical foi um elemento importante para Lula enfrentar a tragédia da viuvez tão precoce. Na foto acima ele já é suplente da direção, faz parte da cúpula do sindicato, prestígio que dividia com Paulo Vidal, presidente (ao microfone). Abaixo, a ficha funcional de Lula no sindicato, com uma curiosa anotação: "Cargo que ocupa no Sindicato: Presidente".

de uma colega de trabalho numa tecelagem. Os cabelos da operária enroscaram num tear elétrico, ameaçando puxar a cabeça dela para as engrenagens. Para socorrê-la, Vavá parou instintivamente a máquina com a mão. Salvou a colega à custa da mutilação que carregaria para o resto da vida.

O futebol, a fábrica, as conversas de fim de semana e o intenso trabalho sindical puxaram-no aos poucos da fossa em que a viuvez o enterrara. Até as namoradas, que a trágica morte de Lourdes o fizera esquecer, voltaram a fazer parte de seus interesses. Mas o tempo que antes era destinado ao lar passou a ser consumido, na verdade, no local para onde sua energia estava voltada: o sindicato. Apesar das instalações modestas, o espaço tornou-se o ponto de encontro dos companheiros para cursos, debates salariais e políticos, e também para o papo do final do expediente. Mesmo sendo um obscuro suplente, um dos últimos nomes da hierarquia, o incansável desempenho de Lula naqueles três anos fez dele, nas eleições de 1972, o nome natural, unânime, para ocupar a primeira secretaria — o posto mais importante da organização, depois da presidência. Entre os membros da chapa já era possível identificar alguns dos nomes que o acompanhariam na maratona de greves e enfrentamentos com o patronato dali para a frente: Rubens "Rubão" Teodoro da Silva, Nelson Campanholo, Antenor Biolcatti, Devanir Ribeiro e Djalma Bom. Além de sindicalista ativo e corajoso, o bigodudo Djalma era considerado um intérprete de boleros comparável aos maiores astros do rádio e da TV de então.

Na virada de 1971 para 1972 Lula foi procurado por alguns trabalhadores da Ford, indústria que entrara para o clube das gigantes depois de adquirir o controle da Willys Overland do Brasil, fabricante, entre outras, da linha Jeep. O grupo lhe trazia uma proposta sedutora. Em fevereiro haveria eleições para a renovação da diretoria do sindicato e o prestígio de Lula já transpusera as fronteiras da primeira secretaria. O pessoal da Ford sugeria que ele se desligasse de Paulo Vidal, candidato à reeleição, e aceitasse ser candidato a presidente na chapa de oposição que estava sendo montada dentro da Ford/Willys. A cereja do bolo ficou para o final: a chapa contava com apoio oficial do Partido Comunista e, portanto, de todos os peões ligados ao Partidão, entre eles seu irmão Frei Chico. Embora na época trabalhasse em São Caetano do Sul, o disciplinado Frei Chico fazia campanha abertamente para a chapa Azul, de oposição, contra a Verde, liderada por Vidal. Lula sentiu no ar o inconfundível cheiro de traição e caiu fora:

— Não — respondeu. — Eu vou continuar na minha chapa.

Acertou. Abertas as urnas, a chapa de Vidal/Lula recebeu 4814 votos, contra 3389 dados à oposição liderada por Luciano Garcia Galache, da Ford/Willys.

Dispensado por lei da produção na Villares, agora que era efetivo, além de ter sala própria Lula dispunha da assessoria permanente de dois advogados do primeiro time: Maurício Soares, que viria a ser deputado e três vezes prefeito de São Bernardo, e o jornalista e poeta Possidônio Sampaio, que parecia ter um pé no Partidão. Depois se incorporaria à equipe o advogado trabalhista Almir Pazzianotto Pinto, que após a redemocratização do país se tornaria ministro do Trabalho e presidente do Tribunal Superior do Trabalho. A primeira secretaria era uma espécie de prefeitura do sindicato. Pelas mãos de Lula passavam todos os processos ligados à Previdência Social e ao Fundo de Garantia, os pedidos de aposentadoria por tempo de serviço ou invalidez, e a administração de todos os convênios e serviços prestados à categoria. Até os alvarás de habite-se da Prefeitura para construir um puxado ou um segundo andar na casa de um associado andavam mais depressa se fossem requeridos pela entidade. Mas uma das principais promessas da diretoria recém-eleita era a construção de uma nova sede para o sindicato, o prédio enorme que daria lugar ao casebre de três cômodos que ocupava até então. Compromisso de campanha que, ao contrário do que prometiam políticos e pelegos, seria cumprido antes das eleições seguintes.

Como Paulo Vidal não conseguia atender a todos os compromissos do cargo de presidente, Lula começou a rodar o Brasil para representar o sindicato e revelar, em congressos e debates com trabalhadores de outras categorias, aquilo que a imprensa chamava de "novo sindicalismo brasileiro". Mas novo em quê, exatamente? Quem talvez melhor retratasse o abalo sísmico que ocorria nas relações trabalhistas na região do ABC era um jornalzinho mensal, de seis páginas, que o sindicato passou a editar. Os boletins eram esporádicos. Naquela época era difícil distribuir boletins nas portas de fábricas. Só o faziam no período de campanhas salariais, e nas assembleias de prestação de contas e suplementação de verba. E é claro, nas eleições, de três em três anos.

Editada pelo veterano jornalista Antônio Carlos Félix Nunes — que também tinha parte com o PCB —, a *Tribuna Metalúrgica* era mais que um mero boletim informativo das atividades assistenciais. Atrevido e bem-humorado, o jornalzinho nasceu desmentindo o preceito legal que determinava que "os sindicatos são órgãos de colaboração com o Governo". A *Tribuna* atalhou os obstáculos tradicionais — as confederações operárias e seus dirigentes de ternos lustrosos, a provecta legislação trabalhista e a mão de ferro da ditadura no trato de reajustes salariais — e colocou trabalhadores cara a cara com os patrões. Publicava os salários médios que eram pagos na região coberta pelo sindicato, fábrica por fábrica, e os comparava com outra tabela atualizada regularmente, com a variação dos preços dos 28 produtos alimentícios considerados básicos. O jornal apontava o dedo para uma das gigantes multinacionais: "Irredutível quanto a conceder a seus empregados ajustes salariais superiores aos permitidos pelo governo, a Mercedes-Benz aumentou em 50% a remuneração dos membros do seu Conselho de Administração e em 121% o salário mensal de seus diretores".

Quem costumava dar essas alfinetadas nos patrões era "João Ferrador", personagem criado por Félix Nunes e desenhado por Laerte, jovem ilustrador ligado ao movimento sindical e que, apesar de ter apenas vinte anos, já era militante de carteirinha do Partido Comunista, onde atuava sob o codinome de "Maurício". Décadas depois, já reconhecido como um dos maiores cartunistas brasileiros, Laerte escandalizaria alguns de seus antigos camaradas do velho Partidão ao se assumir como transgênero e praticar crossdressing — isto é,

O "novo sindicalismo" que nascia no ABC fez transformações importantes também nas formas de comunicação com a base. Uma delas foi a criação do jornal *Tribuna Metalúrgica*. A ferveção do movimento sindical seduziu um comunista de carteirinha. Partidão dos pés à cabeça, Laerte criou o símbolo da luta, o "João Ferrador" – bonequinho que com frequência aparecia enfezado e avisando: "Hoje eu não estou bom!".

vestir-se de mulher. Seu primeiro filho célebre, o bonequinho João Ferrador converteu-se no símbolo das greves que ferveriam o ABC nos anos seguintes. Sempre mal-humorado, João Ferrador já aparecia de manhã, nos panfletos distribuídos nas portas das fábricas, avisando: "Hoje eu não estou bom!".

Os números, cálculos e percentuais adotados pelo sindicato e publicados na *Tribuna* vinham do Dieese (Departamento Intersindical de Estatísticas e Estudos Socioeconômicos). Quando Lula começou a recorrer a esses números, a entidade era presidida por um inimigo jurado dos militares, o químico Marcelo Gato, do Sindicato dos Metalúrgicos de Santos e membro da direção regional do PCB. Eleito deputado federal pelo MDB, Gato teve seu mandato cassado pelo presidente Geisel em 1976.

Um teórico da conspiração não teria dúvidas. A desenvoltura com que passaram a gravitar em torno do sindicato tantos comunistas — todos do Partido Comunista Brasileiro, stalinista e pró-soviético — era a prova indiscutível de que o Partidão participava formal e organicamente da nova diretoria. A suspeita parecia ganhar substância quando se sabia que Lula, a figura mais vistosa e popular do sindicato, era irmão de Frei Chico, quadro carimbado do PCB.

Nada mais equivocado.

É difícil precisar quem descobriu primeiro os dotes de encantador de multidões de Lula: a ditadura ou o Partido Comunista? O registro policial supostamente mais remoto dele — que ainda era apenas Luiz Inácio da Silva — data desse seu período no sindicato. Seu nome aparece perdido numa ficha do Dops entre vários apoiadores desconhecidos de uma greve sem maior expressão. Não era uma ficha policial, somente um registro.

E foi também nessa época que o Partidão, que já o namorava fazia tempo, via Frei Chico, resolveu dar o bote. Embora atuasse como orientador do irmão caçula, Frei Chico nunca insistira em recrutá-lo para as hostes do mais antigo partido político do país, então liderado por Luís Carlos Prestes. Para pescar um peixe tão promissor, o PCB designou um "capa-preta" — jargão usado para identificar os altos dirigentes da organização comunista — com extensa folha de serviços prestados ao Partidão: o capitão de longo curso e comandante da Marinha Mercante Emílio Bonfante Demaria, catarinense tratado pelo codinome "Ivo". Cassado pelo golpe de 1964 por liderar uma greve nacional dos marítimos, o cinquentão que militava no PCB desde os dezessete anos foi enviado do Rio de Janeiro ao ABC com a tarefa de aliciar a jovem e carismática liderança popular que nascia em São Paulo.

Intermediado por Frei Chico, o encontro aconteceu na praça da matriz de São Bernardo. Sentados lado a lado num banco do jardim público, como se não se conhecessem, Demaria fingia ler um jornal de esportes enquanto tentava, sussurrando, seduzir o metalúrgico a se filiar ao Partidão. Lula irritou-se com o que chamaria de "cena de filme vagabundo", encurtou a conversa, voltou para casa e passou um sabão no irmão:

— Frei Chico, toda vez que você quiser que eu fale com alguém, mande a pessoa me procurar no sindicato. Não tenho nada a esconder de ninguém e não preciso ficar fazendo papel ridículo em praça pública. O que eu falo na rua, falo no sindicato, comigo não tem conversa clandestina.

Demaria e Frei Chico se reencontrariam meses depois, no começo de 1975, nas masmorras do DOI-Codi, ambos presos e torturados durante uma razia contra o Partidão. O cuidado de Lula de não se envolver com organizações clandestinas era uma decisão pensada: só a independência política lhe dava condições de bater pesado nos patrões e no governo. Nunca tomou uma atitude ou fez uma declaração anticomunista, nem jamais tentou demover o irmão da militância no PCB. Ao contrário, não fazia nenhuma objeção ao fato de que pelo menos dois de seus colegas de diretoria no sindicato fossem filiados ao Partidão. Quando, entretanto, descobria que uma das minúsculas organizações de extrema esquerda havia plantado alguém como "operário" em fábricas do ABC para aproximar-se dele, escorraçava o infiltrado às vezes aos berros, às vezes com ironia.

— Eu era capaz de distinguir um peão de um universitário só de pegar na mão — ele se lembraria, aos risos, muitos anos depois. — Mão de pele muito lisinha já me deixava desconfiado.

Lula não queria saber de conversa com o Partidão nem com nenhuma outra organização clandestina.

O objeto de suas preocupações era aquele da maioria da população do ABC: salário. Desde que começaram a engatinhar em sua organização sindical, no princípio do século xx — muito por inspiração de imigrantes comunistas e anarquistas italianos —, os brasileiros tinham quase sempre o mesmo alvo no centro de suas reivindicações: garantir o poder de compra dos salários pagos pelos patrões. As discussões que varavam noites nos grêmios operários apontavam para uma única suspeita: os preços subiam mais que os salários, achatando cada vez mais o padrão de vida dos trabalhadores. O que valia eram os números apresentados pelo governo, e os empregados não tinham como contestá-los.

Essa desconfiança sobre os dados oficiais do custo de vida durou até o início do governo Juscelino Kubitschek, quando sindicatos paulistas se juntaram para criar o Dieese. A principal finalidade da entidade era produzir estudos que subsidiassem as demandas dos trabalhadores para confrontar os números reais com os suspeitíssimos dados oficiais. As manipulações dos governos não acabaram, mas ficou cada dia mais difícil passar a perna nos sindicatos.

Até então considerados a elite salarial da classe trabalhadora, os metalúrgicos do ABC estavam com a corda no pescoço. Os outrora cobiçados salários da região iam sendo pulverizados. Quando os países árabes subiram o preço do petróleo em 400%, para punir o apoio dos Estados Unidos a Israel na Guerra do Yom Kippur, em 1973, o chamado "milagre brasileiro" foi para o ralo e a inflação empinou de novo. Publicadas pela *Tribuna Metalúrgica*, pesquisas do Dieese acompanhavam a alteração dos preços dos gêneros alimentícios mais consumidos pela população. A serem verdadeiros os números divulgados pelo jornal, alguns produtos, como massas e legumes, chegaram a subir mais de

170% — içando a inflação para 37,8% ao ano, mais que o dobro dos 15,7% oficiais, número inventado pelo governo para manter os salários comprimidos.

Os barões da indústria automobilística sustentavam que os dados publicados pela *Tribuna* eram falsos. A "mentira do Dieese", porém, virou verdade quando o Banco Mundial decidiu investigar os números dos anos anteriores e constatou o que os trabalhadores denunciavam fazia tempo. Os números reais batiam com os do comunista Marcelo Gato. Comandado pelo diretor técnico do Dieese, Walter Barelli, um grupo de economistas e acadêmicos formado por, entre outros, Octavio Ianni, Lenina Pomeranz, Azis Simão, José de Souza Rodrigues e Annez Andraus Troyano descobriu nos arquivos do IBGE que Delfim Netto, o "Mago do Milagre", falsificara os números oficiais para tungar os trabalhadores.

— Nós tivemos sorte ao descobrir, nos porões do Ministério do Trabalho, em Brasília, as publicações onde o IBGE tinha manipulado os números — revelaria Barelli. — Foi um trabalho franciscano. Franciscano não, beneditino. Eu e a Annez Andraus Troyano acabamos descobrindo a coisa toda. Quem manipulou os índices foi a turma do Delfim. E aí começou aquela briga.

Adotando metodologia desconhecida e valendo-se de dados tornados secretos desde o AI-5, a falsificação pura e simples dos índices de preços era a fórmula mágica para esconder os números reais da inflação. A mandracaria do governo atribuiu a Delfim uma frase célebre ("Quando não se pode derrubar a inflação, derruba-se o índice que mede a inflação") e colocou nas palavras de ordem dos sindicalistas um termo em desuso: "reposição". Não se tratava de complicada teoria econômica ou de algo tramado em Moscou, mas simplesmente de aritmética: 37,8 − 15,7 − 22,1. Corrigidos anualmente, esses 22,1 se converteram em 34,1% — percentual que os patrões passaram a dever aos trabalhadores como reposição das perdas com a fraude do governo. Lula montou no cavalo da reposição, do qual só desceria nas greves de 1980, quando conseguiria incluir o tema nas pautas de negociações com os patrões. Por ser anterior ao vazamento da fraude, a campanha salarial do começo de 1972 do sindicato do ABC foi a última em que a palavra "reposição" não entrou na lista das reivindicações.

Mas a forma de luta não era unânime e dividiu a categoria. Lula e seus peões do ABC, descrentes da isenção da Justiça da ditadura, defendiam que a dívida tinha que ser arrancada nas greves e nos palanques, com a faca na garganta dos patrões. Não era a opinião de Joaquim dos Santos Andrade, presidente do maior sindicato do país, o dos Metalúrgicos de São Paulo e Mogi das Cruzes. Tido como um pelego escorregadio que comia na mão dos patrões — o que o tempo provou ser uma acusação falsa —, "Joaquinzão" preferiu um caminho mais comportado e menos ruidoso: entrar na Justiça. Do alto de seu bigodaço mexicano Joaquinzão podia ser o que fosse, mas não era de perder uma parada — não por acaso presidiria o sindicato por 21 anos seguidos. E essa briga ele ganhou de Lula. Em dezembro de 1977 a Justiça Federal deu ganho de causa ao sindicato de São Paulo, obrigando as empresas a reembolsar os metalúrgicos em 34,1%, enquanto os trabalhadores do ABC só conseguiram zerar as contas nos sucessivos acordos salariais pós-greves. E foi inspirada na investigação do Dieese que a Fipe (Fundação Instituto de Pesquisas Econômicas da USP) alterou a metodologia das pesquisas e indicadores produzidos pela instituição.

Desamparado na escuridão do luto familiar, Lula continuou lutando pela reposição e pela livre negociação entre patrões e empregados. Foi nessa época que ele acabou atraído por Maurício Soares, advogado do sindicato (e futuro prefeito de São Bernardo), para um movimento religioso muito popular então, os chamados Cursilhos de Cristandade. Criados na Espanha nos anos 1940 para preparar jovens cristãos para as peregrinações no caminho de Santiago de Compostela, os Cursilhos adquiriram personalidade própria e se espalharam pelo mundo como um movimento de evangelização cristã. Foi a tábua de salvação para Lula.

— Eu me sentia tão borocoxô que agarrei aquela novidade para sobreviver em paz — ele se lembra. — Antes e depois do almoço e

Lula, à esq., e o economista Walter Barelli (ao centro), do Dieese. Barelli descobriu a fraude da inflação inventada por Delfim Netto e, com a ajuda da esposa, Lurdinha, adotou até psicodrama para desenferrujar as novas lideranças do sindicato do ABC.

do jantar tinha uma rezinha e na hora de dormir eu cantava um hino cristão, baixinho, quase calado.

Quem percebeu que aquilo estava ganhando ares de fundamentalismo religioso foi Frei Chico, que cuidadosamente chamou o irmão num canto:

— Lula, isso está virando fanatismo, rapaz. Você acorda rezando, passa o dia agradecendo a Deus. Eu entro em casa, vejo você ajoelhado na beira da cama. Volto para casa, tá lá você, de joelhos. Parece que você tem que agradecer a Deus até a cada peido que solta! Para com isso, rapaz, vá se distrair, jogar futebol, namorar.

Aos poucos o próprio Lula começou a se sentir vítima de uma espécie de lavagem cerebral. Em vez de um bom cristão, via-se transformado num carola, um papa-hóstia que não pensava mais na vida, mas só nos tais Cursilhos de Cristandade. Além disso, ao comparar as pregações com a vida real dos pregadores que nos "Rollos", as palestras semanais, posavam de bons cristãos, descobriu que eles "não passavam de pilantras":

— Eles viviam chamando todo mundo de "fariseu corrupto", mas eu descobri que um era dono de uma fábrica de estruturas metálicas que era uma verdadeira boca de porco, tratava os empregados como escravos. O outro era fiscal da Previdência Social que extorquia comerciantes que não recolhiam impostos. Caí fora.

Frei Chico tinha razão, namorar era melhor, como Lula reconheceria em incontáveis entrevistas e depoimentos:

— Antes de casar eu não era namorador, tinha vergonha até de falar com as mulheres. Só aprendi depois da viuvez. Só depois que passou aquele longo luto é que fiquei esperto para namorar.

Sim, a vida sindical era importante, o futebol com os amigos no fim de semana era ótimo, mas ele estava interessado mesmo era em mulher. Não em uma específica, determinada mulher, mas em muitas mulheres.

Os relatos sobre esse período dom-juanesco da vida de Lula poderiam ser simplesmente excluídos deste livro, sem prejuízo algum à história do sindicalismo brasileiro. Acontece que, além de filhos e aborrecimentos, intimidades costumam produzir mais que bisbilhotices familiares. No caso de Lula, um episódio ocorrido em meio a paixões e aventuras amorosas dessa fase acabaria por se converter, anos depois, numa das maiores encrencas da sua vida política.

Como se pretendesse compensar o atraso provocado pela timidez e em seguida pelo luto, o rapaz afetivamente inseguro de antes parecia ter se transfigurado num sedutor em tempo integral. Uma contabilidade conservadora, feita a partir das dezenas de vezes que tocou no assunto com jornalistas e pesquisadores, revela que nessa época ele tinha quatro namoradas fixas: Nair, Tereza, Miriam e Marisa. Amiga de Maria Baixinha, irmã de Lula, Miriam Cordeiro, de 24 anos, era enfermeira de uma clínica conveniada com o sindicato. Mas os ventos aparentavam soprar a favor de Marisa, que caíra numa armadinha montada por Lula para cortejar incautas. Meio por molecagem, meio jogando a rede, ele recomendou ao funcionário que atendia a clientela do sindicato, num balcão do térreo, para adverti-lo quando aparecesse alguma associada bonitinha e descomprometida.

Ele já não estava tão interessado em Nair e Tereza, e andava enrabichado com Miriam Cordeiro quando o destino ouviu seu pedido e a moça apareceu. Era Marisa Letícia Rocco Casa, de 23 anos, inspetora de alunos da escola pública Senador Robert Kennedy. Bonita, miúda, de traços finos, cabelos louros e olhos azuis, descendia de imigrantes da Lombardia, na Itália, e tinha um ponto em comum com Lula: a viuvez. Aos quatro meses de gravidez perdeu o marido, taxista, brutalmente assassinado por um assaltante que o asfixiou durante uma corrida com um fio de aço em torno do pescoço. Nascido em fevereiro de 1971, o bebê receberia o nome do falecido pai, Marcos Cláudio. Por uma crueldade do destino, tempos depois Cândido, sogro de Marisa e também motorista profissional, seria morto a tiros por assaltantes no mesmo Volks em que o filho fora assassinado. Não era incomum que São Paulo e os municípios que a rodeavam fossem assolados por temporadas de determinados crimes. Houve a época dos "trombadinhas" — duplas de adolescentes parrudos que se juntavam para assaltar principalmente pedestres idosos. Um dava um forte esbarrão na vítima, deixando-a meio cambaleante, enquanto o outro subtraía sua carteira, bolsa ou um colar. Houve um tempo em que a "moda" entre os criminosos era aproveitar carros parados em meio a engarrafamentos para arrancar relógios de pulso dos motoristas — que em geral andavam com o braço esquerdo do lado de fora da janela. O marido e o sogro de Marisa foram mortos quando a criminalidade se especializava em assaltar taxistas, sobretudo à noite, protegidos pela escuridão e no período em que a féria do dia costumava estar mais gorda.

Assaltos e assassinatos de taxistas adquiriram tal gravidade na capital e região na época, que o *Jornal da Tarde*, vespertino criado por Mino Carta para a família Mesquita (e depois dirigido pelo mineiro Murilo Felisberto), dona do *Estadão*, decidiu entrar no assunto. Diário criativo, sofisticado, com pautas, fotos e textos esmerados, inspirado na escola do *new journalism* americano, ao *JT* não bastava uma cobertura convencional dos crimes que amedrontavam a população e, especialmente, os motoristas de táxi. Em pelo menos duas ocasiões o *Jornal da Tarde* cobriu o assunto à sua moda. Não como um tema policial, mas humano, cinematográfico, colocando repórteres para viver, na própria pele, o pavor de guiar um táxi pelas ruas de São Paulo. Na primeira destacou o repórter Armando Salem, que alugou de Paulinho, lavador de carros e taxista da rua Honduras, na porta do Clube Paulistano, no bairro do Jardim América, um Volkswagen branco, sem o banco da frente (era proibido transportar mais de duas pessoas nos chamados "táxis mirins"). O combinado era o jornal pagar ao dono do carro a féria do dia (Salem acabou doando a ele também o que havia arrecadado com as corridas do dia). Outro veículo do jornal, sem identificação na lataria, seguiu o fusca de Salem para fazer fotos e, se fosse o caso, socorrê-lo numa emergência. Aos 78 anos, depois de passar pelo *JT*, *Veja* e muitas outras publicações, Armando Salem lembra detalhes do trabalho jornalístico:

— A reportagem que escrevi tinha dois blocos. O primeiro era o do medo, das corridas que eu temia que poderiam terminar em assalto, que felizmente não aconteceu. O outro era uma espécie de crônica do taxista descrevendo o que se passava pela trajetória que ele fazia durante o dia. A matéria ganhou a última página do *Jornal da Tarde*, a página nobre. Na chamada da primeira página o jornal fotografou um taxímetro Capelinha, e no lugar dos números que registravam o valor da corrida foram aplicadas letras que formavam a palavra "perigo".

A segunda reportagem sobre a aventura de ser taxista em São Paulo foi feita por Miguel Jorge, mineiro de Ponte Nova, um varapau de vastos bigodes arabescos. O jornal alugou para ele um Aero-Willys bordô — carro de luxo, como o usado por Lula no casamento com Lourdes —, pertencente a um dos motoristas que fazia ponto na porta do mais chique hotel da cidade, o Jaraguá, colado ao prédio onde funcionavam o *Jornal da Tarde* e o *Estadão*. Do mesmo modo que Salem, "Miguelão", como era chamado pelos colegas, não foi assaltado, mas trouxe para a redação uma bela reportagem de comportamento sobre a vida na megalópole:

— Não trabalhei à noite, mas pela manhã e à tarde, umas seis ou sete horas por dia. Era uma matéria sobre a difícil vida dos taxistas, que primeiro tinham que pagar a diária da empresa de táxi e só depois faturar para eles. Vida duríssima.

Depois de acumular prêmios como repórter do *JT*, Miguel transferiu-se para o *Estadão*, onde chegou a diretor de redação. Passados alguns anos, foi convidado para ser vice-presidente da Autolatina (uma infrutífera fusão entre a Volkswagen e a Ford), cargo que ocuparia na própria Volks e no Banco Santander. Durante todo o segundo mandato presidencial de Lula (2007 a 2011), Miguel foi ministro do Desenvolvimento, Indústria e Comércio Exterior.

Quando cortejava a "viuvinha" Marisa, já fazia um ano que Lula namorava Miriam Cordeiro. A arapuca amorosa montada por ele dera certo. Como a lei determinava, regularmente Marisa era obrigada a passar em algum sindicato para fazer a "prova de vida" e receber o carimbo que a habilitava a sacar as pensões do marido e do filho e mais a do irmão João Paulino, aposentado por invalidez por alcoolismo. Para não perdê-la de vista, Lula enrolou Marisa o quanto pôde, inventando atrasos burocráticos e sumiços de carimbos. Ele parecia estar de fato apaixonado por ela, como sempre alardeou, mas não abriu o bico sobre a relação com Miriam Cordeiro. Nem sobre a relação nem, menos ainda, sobre o fruto daquele namoro. Em julho de 1973, quando já tinha planos de deixar Miriam — "Éramos solteiros, mas cada um na sua casa" — para casar com Marisa, soube que a enfermeira esperava um bebê seu. Pelo menos em sua cabeça a perspectiva de casamento durou pouco. Pensou direito e, como já estava apaixonado por Marisa, decidiu:

— Não vou casar porra nenhuma.

Muitos anos depois, em plena campanha eleitoral para presidente da República, Miriam acusaria Lula publicamente, diante dos holofotes de uma cadeia nacional de TV, de ter tentado suborná-la para fazer aborto e de ameaçar não admitir a criança como sua (o reconhecimento de paternidade por DNA só passaria a existir dali a dez anos). Lula sempre negou isso. Reconhece que vacilou entre ter ou não o bebê, mas acabou concordando com a gravidez, fato que ocultou de Marisa por um mês. A verdade é que na morna quinta-feira 23 de maio de 1974, dia do casamento de Lula e Marisa, o bebê objeto da discussão já completava dois meses de vida: era a rechonchuda Lurian — acróstico formado pelos nomes do pai e da mãe.

Quando perdeu Lourdes e o filho, Lula vendeu a casa que tinham comprado em 1969 e voltou para o sempre acolhedor teto materno. Só deixou a casa de dona Lindu após o casamento com Marisa. Os dois passaram alguns meses morando de aluguel até encontrarem o que parecia um bom negócio. Um amigo ferramenteiro da Ford transferiu para o casal uma dívida de Cr$ 48 mil (cerca de R$ 41 mil em 2021) em troca de um imóvel no Jardim Lavínia. Eram apenas dois dormitórios, sala, cozinha e banheiro que mediam, somados, 33 metros quadrados. Uma casa pequena mas ajeitada, com um espaço dianteiro onde caberia um modesto jardim e quem sabe o Volks sedan TL azul-claro de Lula. Ele continuaria pagando as prestações mensais ao Banco Nacional da Habitação, financiador original do imóvel.

Marisa, a lourinha bonita imaginada por Lula, acabou aparecendo no sindicato e, meses depois, já eram marido e mulher.

A papelada burocrática estava resolvida e a entrada de Cr$ 48 mil depositada na conta do antigo dono quando, ao levar Marisa para conhecer o futuro lar, Lula deu com uma encrenca de bom tamanho. Os exíguos 33 metros quadrados tinham sido ocupados por uma dezena de pessoas de várias famílias. Isso mesmo, a casa estava habitada por um grupo de sem-teto, que já havia transportado para lá seus poucos e miseráveis pertences. Por todos os cantos viam-se adultos, idosos e crianças espalhadas. Lula tentou resolver o problema na conversa. Chamou o rapaz que parecia ser o líder do grupo e explicou que era o dono da casa e que ela teria que ser desocupada. O sujeito não se amedrontou:

— A casa estava abandonada e vazia. Agora é nossa.

— Não, eu comprei essa casa e aqui estão os papéis que provam isso.

O sujeito não fez caso dos argumentos, falou que havia gente idosa morando lá e até uma grávida, a mulher dele:

— Pode mostrar o papel que você quiser, daqui ninguém sai.

Lula tentou explicar que não era um especulador imobiliário, um latifundiário urbano:

— Você ocupou a única casa que eu tenho e preciso me mudar para cá imediatamente. Você não está invadindo uma casa do BNH, da Caixa ou do Bradesco, mas de um trabalhador que só tem ela para morar.

Nada feito, o sujeito decidira fincar pé. A notícia da ocupação correu pelo bairro e logo um grupo de parentes e amigos de Lula — entre eles seus parrudos irmãos Vavá e Frei Chico — se ofereceu para resolver a questão no braço: ir lá e tirar os sem-teto a tapas. Marisa foi contra e achou melhor pedir ajuda a César, policial militar namorado de sua irmã adotiva, Joana. O socorro foi em vão. Os novos moradores não pretendiam deixar a casa. O PM recorreu a um sargento casca--grossa de seu destacamento, que apareceu armado e fardado na casa da rua Maria Azevedo Florence, e já chegou avisando que não queria conversa com os invasores:

— Daqui a quinze minutos eu volto. Tudo que estiver dentro da casa vamos jogar na rua e tocar fogo. Tudo! Inclusive gente.

A ameaça funcionou. Um dos ocupantes arranjou um veículo que minutos depois já deixava o Jardim Lavínia atulhado de gente e coisas. Como troco por terem sido escorraçados daquela maneira, os sem-teto defecaram em todos os cômodos e espalharam fezes pelo chão e pelas paredes. Para poderem ocupar a casa, Lula e Marisa tiveram que pintá-la de novo e trocar tudo o que tivesse guardado marca ou cheiro do cocô da vingança.

12

Em sua primeira viagem ao exterior, Lula deixa Tóquio às pressas e volta ao Brasil: seu irmão estava sendo torturado no DOI-Codi.

Apesar do desastre econômico, do desemprego que açoitava o ABC e da repressão política cada vez mais feroz, o início de 1975 parecia anunciar bons fados para Lula. Marisa esperava o primeiro bebê do casal, o emprego e a estabilidade na Villares estavam garantidos e em fevereiro haveria eleições para a renovação da diretoria do sindicato. Entre as principais lideranças ainda não havia definição sobre quem ocuparia a cabeça da chapa. A construção do prédio novo, a luta pelo desatrelamento das relações do sindicato com o Estado e as mudanças implantadas no triênio 1972-75 deram tal prestígio à diretoria que nenhum grupo político se aventurou a bater chapa e disputar a eleição. Além da possibilidade de manter Vidal como presidente, três nomes emergiam para preencher o cargo: Rubens Teodoro, o Rubão, Nelson Campanholo e Antenor Biolcatti. A permanência de Vidal, porém, poderia provocar complicações legais, uma vez que a Molins, fábrica de embalagens em que ele trabalhava, estava instalada em Mauá, o que expunha o fato de que ele estava fora da base do sindicato — que só abrangia trabalhadores das cidades de São Bernardo e Diadema. Rubão, Campanholo e Biolcatti recusaram o convite e indicaram um quarto nome, o de Lula, sugerindo a transferência de Vidal para a secretaria-geral. Não havia risco de atribuir à mudança nenhuma hostilidade contra Vidal, já que ele próprio sabia que o cargo que lhe seria destinado era a "prefeitura do sindicato".

Antes mesmo de ter seu nome cogitado para substituir o presidente, Lula acreditava que a decadência de Vidal começara num episódio aparentemente fortuito, ocorrido havia meses. Uma das novidades implantadas no sindicato tinha sido a adoção de sessões de psicodrama, ministradas por Maria de Lourdes, a "Lurdinha", mulher de Walter Barelli. Sob a forma de representação dramática, as lideranças eram estimuladas a expor ao grupo seus sentimentos e relações familiares e profissionais. Num depoimento dado ao centro de memória do sindicato, muitos anos depois, Lula reconstituiu a sessão de psicoterapia que teria revelado a verdadeira face de Vidal:

— Nesse dia, a questão posta era a seguinte: "O que você acha que é o papel do presidente do sindicato? Como é que você vê o presidente do sindicato? Qual é a importância que ele tem?". O Paulo Vidal foi o primeiro a encenar a resposta. Ele mandou toda a diretoria ficar com a mão no joelho, meio de quatro, subiu em cima e ficou com as mãos abertas assim, como se estivesse acima de todo mundo. Logo em seguida fui eu. E aí, talvez até porque não soubesse o que fazer, chamei todos que estavam lá e todo mundo se deu as mãos. Ficamos todos de mãos dadas, abraçados. Para mim o sindicato significava aquilo: a união dos trabalhadores. E o papel do presidente era ser um a mais. Quem pensa que está acima [de todo mundo], está desgraçado. Aí foi o começo do fim do Paulo Vidal.

Na época Lula desfrutava com Marisa a alegria da chegada do primeiro filho, Fábio Luís, que passaria a ser conhecido como "Lulinha", nascido no terceiro dia de março daquele ano. Ao ser informado da proposta de presidir a chapa, Lula achou mais prudente ouvir a opinião de Frei Chico, macaco velho em articulações sindicais e que, então, era vice-presidente da subsede do sindicato em São Caetano. Nada indicava que o irmão pudesse se opor à sugestão, uma vez que, diferentemente do que ocorrera nas eleições de 1972, dessa vez o Partido Comunista apoiava a chapa única do ABC. Lula já se animava com a ideia de virar presidente, mas para sua surpresa o irmão era contrário a que ele ocupasse a cabeça da chapa. Uma base de 100 mil operários, alertou Frei Chico, ia jogar sobre ele o foco e o olhar vigilantes do Estado, da Justiça do Trabalho, dos patrões:

— Cai fora dessa, meu. Fique na direção, mas num cargo secundário, quem sabe a própria secretaria-geral. Presidente é muito visado. Você vai ser obrigado a peitar os patrões, a imprensa... Tem Lei de Greve, lei disso, lei daquilo. Fica na sua. Se aceitar a presidência, você vai se lascar.

Conversa jogada fora. No fim da tarde a chapa estava montada com Lula na cabeça, Vidal na secretaria-geral, Rubão, Campanholo e Biolcatti (que, como Vidal e Lula, já vinham da direção que se encerrava) na diretoria-executiva. O que parecia ter sido uma vitória lulista ganhou uma versão diferente, nos bastidores do movimento sindical: Vidal continuaria a ser o mandachuva da categoria, enquanto a nova estrela do tal "novo sindicalismo" teria o figurativo papel de rainha da Inglaterra. O próprio Lula, que de ingênuo não tinha nada, sentiu que naquele angu tinha caroço.

— O Vidal imaginava que eu ia ser presidente mas quem ia continuar mandando era ele — diria anos depois.

Havia tanta gente na cerimônia de posse que nem mesmo o vasto salão do novo prédio do sindicato deu conta, e o ato teve que ser transferido para o velho estúdio cinematográfico da Vera Cruz. A principal autoridade, o governador Paulo Egídio, avaliou que havia mais de 30 mil pessoas presentes, mas um cálculo realista diria que lá estavam, no máximo, 10 mil convidados — o que já era uma enormidade para uma mera mudança de direção sindical. No entanto, a foto da posse da nova diretoria, de fato, dava fumos de verdade à intriga dos aliados do presidente que deixava o cargo: quem aparece no centro da cerimônia é Vidal, ao lado do governador nomeado do estado, Paulo Egídio Martins, que presidia a solenidade. Apesar de ser a estrela da noite, o novo presidente fora empurrado para a ponta da mesa, ao lado do comunista Marcelo Gato, do Dieese. Mas nem a chegada ao topo da carreira sindical foi capaz de espantar a velha timidez, o que obrigaria Gato a segurar o microfone para que Lula, com as mãos trêmulas, pudesse fazer o discurso de posse.

— Foi o único discurso por escrito que fiz na minha carreira sindical — diria ele. — Todos os demais fiz de improviso.

Num extenso depoimento ao CPDOC (centro de memória da Fundação Getulio Vargas), muitos anos depois, Paulo Egídio revelou que decidira ir à posse de Lula por enxergar nele um desafeto dos comunistas, que "se contrapunha ao peleguismo de Getúlio Vargas". Apesar disso, ao ver nos jornais que o governador nomeado por ele tinha ido à cerimônia em São Bernardo, Geisel não gostou e chamou-o por telefone, quando, segundo Egídio, ocorreu um curto diálogo:

— Paulo, o que deu na sua cabeça de ir à posse de um operário, no Sindicato dos Metalúrgicos?

O governador respondeu que o ato no ABC tinha um significado especial, já que a eleição de Lula representava um duro golpe contra os comunistas:

— Meu gesto político foi esse, era isso que eu queria marcar.

O presidente pareceu surpreso:

— Mas eu não sabia que ele tinha derrotado os comunistas.

Egídio sustentou o que fizera e aproveitou para alfinetar os serviços de inteligência do governo:

— Então, o senhor peça para o pessoal da sua informação se atualizar um pouco mais a respeito do que está lhe entregando.

O começo do exercício da presidência não foi fácil para Lula. Com o passar do tempo ele percebeu o truque que Vidal adotava para deixá-lo sempre de escanteio. Como de costume, as assembleias da categoria, cada vez mais frequentes, eram abertas pelo secretário-geral, encarregado de uma formalidade legal, a leitura da ata da assembleia anterior. Só que Vidal lia a ata e continuava com a palavra, fazendo longos, intermináveis relatos de todos os temas importantes a serem discutidos.

— Ele abria a assembleia, falava durante duas horas sobre todos os assuntos de interesse da categoria e só então concluía: "Agora passo a palavra para o nosso presidente" — lembra Lula. — Como eu não tinha mais nada para falar, apenas anunciava: "Declaro encerrada a presente assembleia" e voltava para minha sala sem ter dado um pio. Era um papel medíocre.

Era visível que a corda entre o novo e o antigo presidente estava começando a esticar.

Paciente, Lula aguentava as rasteiras em silêncio e tentava tirar o proveito possível do cargo. Aos poucos descobriu que a irrelevância do movimento sindical como força política não se devia apenas às amarras da legislação trabalhista ou ao peleguismo de alguns dirigentes que atuavam como apaziguadores de conflitos entre patrões e empregados. Para surpresa geral, decidiu exercer a presidência não nas salas acarpetadas e refrigeradas, mas na rua.

— O que a gente via até então era operário que saía da linha de montagem, virava dirigente sindical e se transformava num pequeno patrão, um empregador — repetia. — Era secretária bonita, cadeira de rodinhas virando pra lá e pra cá, mas ir para porta de fábrica, cara a cara com a peãozada, nem pensar. O pessoal fazia muito sindicalismo sem trabalhador. A minha sala passou a ser o local onde a gente discutia mais problemas... Aliás, discutia-se tudo lá, desde futebol até mulher. Não tinha segredo. Não faltava uma garrafa de pinga na mesa, a gente bebia, conversava e discutia.

Tratava-se de reflexões corretas, mas os trabalhadores estavam interessados era na garantia de trabalho e, principalmente, em salários que cobrissem a inflação. A arma escolhida por Lula para reacender a efervescência na peãozada não era novidade nem viera de um agitador qualquer, mas do respeitado economista Walter Barelli, do Dieese: a tunga salarial de Delfim Netto, que fraudara os dados inflacionários de 1973.

— Nós não vamos entrar com processo — reiterou o novo presidente do sindicato. — Vamos recuperar os 34,1%, ao longo do tempo, nas nossas campanhas salariais.

Cavalgando a campanha pela reposição — estratégia repudiada por Paulo Vidal —, Lula atravessou as fronteiras do ABC e saiu pelo Brasil encabeçando um movimento nacional pela recuperação das perdas e disseminando as propostas do "novo sindicalismo" que estava sendo implantado em São Bernardo e adjacências.

O governador nomeado Paulo Egídio Martins dá posse a Lula na primeira presidência do sindicato, em 1975. Depois o governador teve que explicar a Geisel o que tinha ido fazer no ABC.

No dia 24 de setembro Lula embarcou para o Japão. Sua primeira viagem ao exterior seria marcada por maus agouros. Ele participaria de um congresso internacional de sindicalistas organizado pelas fábricas Toyota e Nissan em Tóquio. O evento patrocinado pelas duas montadoras não tinha objetivo preciso nem se tratava de um curso ou algo semelhante, era apenas um encontro para troca de impressões entre sindicalistas da área metalúrgica de dezenas de países — viagens vulgarmente conhecidas como "bocas-livres". Do Brasil haviam sido convidados somente mais dois dirigentes sindicais, os presidentes das federações dos metalúrgicos de São Paulo, Argeu Egídio dos Santos, e de Minas Gerais, Jorge Noman Neto, ambos tidos como "pelegos" pelos sindicalistas mais jovens.

Quando subiu no avião, no aeroporto de Congonhas (o de Cumbica, em Guarulhos, só seria construído uma década depois), Lula deixava um Brasil que estava sendo varrido por uma nova razia dos órgãos de segurança da ditadura. Com todos os grupos guerrilheiros e organizações armadas dizimados, o alvo da caçada dos militares dessa vez era o Partido Comunista Brasileiro, o velho Partidão — que era contra toda forma de luta armada, fosse urbana ou rural. Utilizando os métodos medievais de tortura que adotara para reprimir as organizações armadas, o rapa contra os comunistas chegaria ao clímax com o assassinato do jornalista Vladimir Herzog, no dia 25 de outubro, e produziria uma grave crise militar em janeiro, quando a vítima do mesmo DOI-Codi que matara Herzog foi o operário Manoel Fiel Filho.

A viagem de Lula encrespou antes até de começar. Na escala para reabastecimento do avião, na Cidade do México, a delegação brasileira foi obrigada a desembarcar: durante o voo Lula contraíra uma forte infecção na garganta que o deixara afônico, sem condições de pronunciar sequer uma palavra. Após quatro dias preso à cama do hotel, recebendo tratamento médico, ele prosseguiu viagem junto com seus dois acompanhantes, aterrissando na capital japonesa quando o congresso de sindicalistas já estava em pleno curso. Ainda com a garganta meio estropiada, Lula nem chegou a usar a palavra, só ouviu.

Lula (assinalado) é obrigado a abandonar um congresso internacional em Tóquio, sua primeira viagem ao exterior, e voltar às pressas para o Brasil: seu irmão Frei Chico estava sendo torturado pelos militares no DOI-Codi.

A presença dos brasileiros no encontro mal completara uma semana quando Lula recebeu uma chamada telefônica de São Paulo. Do outro lado do planeta, Sebastião de Paula Coelho, advogado da Federação dos Metalúrgicos (e que, entre 1979 e 1982, seria secretário do Trabalho no governo de Paulo Maluf), sugeriu que Lula permanecesse no Japão após o fim do congresso:

— Seu irmão Frei Chico foi preso pelos militares, junto com dezenas de outros jornalistas e sindicalistas acusados de serem comunistas. O melhor é você permanecer por aí, por razões de segurança. As coisas não estão boas aqui no Brasil.

Frei Chico, na verdade, não fora preso, mas sequestrado. Na quarta-feira, dia 1º de outubro, quando Lula se preparava para deixar o México rumo ao Japão, o irmão comunista havia tomado posse como vice-presidente do Sindicato dos Metalúrgicos de São Caetano do Sul. No sábado seguinte, dia 4, fez uma "reunião" com um colega, em pé, junto ao balcão de um bar ao lado do sindicato, e no caminho de volta para casa cruzou com Ivene, sua mulher, que ia buscar o filho do casal na casa da avó, também nas imediações, e o avisou:

— Chico, passaram uns caras em casa procurando um tal de Antônio Bernardino.

Experiente, e sabendo que a barra política estava pesada, Frei Chico deduziu: era a cana. Minutos depois, logo que entrou em casa, uma perua Veraneio estacionou na porta, vários homens armados desceram e o agarraram à força. Um deles enfiou-lhe um capuz de brim na cabeça, atirando-o dentro da viatura sem nenhuma identificação. A perua arrancou em alta velocidade e só parou quando chegou ao inferno: um sobradinho onde funcionara o 36º Distrito Policial, no número 921 da rua Tutoia, no bairro do Paraíso, no qual fora instalada a mais cruel câmara de tortura da ditadura militar, o DOI-Codi.

Em Tóquio, Lula não pensou duas vezes para responder à sugestão que recebera de Coelho no telefonema:

— Porra, o que que eu vou ficar fazendo no Japão? Eu não falo inglês, não falo japonês, não gosto da comida japonesa, não entendo porra nenhuma daqui! Vou embora pro Brasil procurar meu irmão. Se me prenderem, foda-se!

Largou o congresso da Toyota-Nissan pelo meio, conseguiu um voo com escalas em Washington e Nova York, e retornou. Quando o Boeing 707 pousou em Congonhas, no dia 17 de outubro, uma sexta-feira, jornalistas e advogados amigos o aguardavam. Aparentemente não havia nenhum policial à sua espera. Descadeirado pelo jet lag de 25 horas de voo e pelo fuso horário de doze horas de diferença, Lula foi para casa descansar. Passou o fim de semana como se nada de anormal estivesse acontecendo. No sábado cumpriu um compromisso social e foi a uma igreja apadrinhar o casamento de Joana — irmã adotiva de Marisa. A manutenção da rotina, antes de sair em busca do irmão, que ninguém sabia onde estava preso, era uma maneira de descobrir se os órgãos de segurança estavam também à sua procura.

Na segunda-feira cedo Lula se incorporou ao grupo de familiares e amigos que desde o dia 4 faziam uma via-crúcis em busca do paradeiro de Frei Chico. Aterrorizada com a possibilidade de que o marido estivesse morto — a lista dos chamados "desaparecidos políticos" passava de uma centena —, Ivene já tinha percorrido hospitais e necrotérios de São Paulo e das cidades do ABC. Nos cemitérios em que a ditadura costumava enterrar em valas comuns, como indigentes, os presos mortos sob tortura, como o de Perus, na Zona Norte da capital, também não havia nenhum registro ou indício de que ele tivesse sido sepultado clandestinamente. Incansável, entre uma e outra busca ela dava plantão na porta do Dops, no centro da cidade. Eram intermináveis horas de espera em pé, na calçada, perguntando pelo marido a delegados, investigadores e burocratas que entravam e saíam do assustador prédio de tijolinhos vermelhos. Nada.

Ousado, Lula começou o rastreio em busca de Frei Chico de cima para baixo, e bateu na porta do Quartel-General do II Exército (depois renomeado Comando Militar do Sudeste), uma feia e moderna edificação de concreto aparente em frente ao Parque do Ibirapuera, em São Paulo. Acompanhado de Vavá, o irmão mais velho, ele alimentava a ilusão de ser recebido pelo comandante da instituição, o general Ednardo D'Ávila Melo. Ligado à linha dura ultradireitista das Forças Armadas, carioca de 64 anos, no governo Costa e Silva o general fora adido militar em Washington e chefe do Sfici (Serviço Federal de Informações e Contrainformações). Era a ele que respondia o comando paulista do DOI-Codi, a Bastilha da ditadura militar. Após algumas horas de chá de cadeira, Lula e Vavá foram recebidos por um oficial não identificado, que disse não saber nada a respeito de Frei Chico mas aproveitou para submetê-los a uma saraivada de perguntas sobre eventuais ligações do irmão e deles próprios "com a subversão e o terrorismo". E em seguida despachou-os sem nenhuma informação sobre o preso.

Quando Lula e Vavá deixavam o II Exército, já fazia quinze dias que Frei Chico era torturado ininterruptamente no DOI-Codi. Fotografado, identificado e despido logo ao chegar àquela unidade militar, recebeu um macacão militar sem cinto — praxe adotada nas prisões para evitar suicídios —, segundo ele, "um macacão fedorento, que certamente tinha sido usado por outros presos antes de mim e não via água e sabão há muito tempo". Jogado numa cela atulhada de jornalistas, operários e profissionais liberais acusados de ligações com o PCB, Frei Chico sabia, pelo relato de presos que haviam estado lá, que se achava na antessala do mais brutal centro de martírio que o Brasil jamais conhecera.

Durante as duas semanas que ficou no DOI-Codi, não chegou a ser pendurado no pau de arara, o mais conhecido instrumento de tortura nos porões da ditadura militar. Ele passava dias e noites amarrado a uma máquina de suplício ainda pior, a chamada "cadeira do dragão". Completamente nu, amarravam seus pés e mãos ao móvel, cujos assento, encosto e braços eram revestidos de metal. De algum ponto da cadeira saíam fios elétricos cujas pontas davam na "maricota", um gerador de energia preso a uma manivela. Dependendo da velocidade que o torturador imprimia à manivela, a voltagem da eletricidade aumentava ou diminuía. O corpo de Frei Chico estremecia e a mandíbula matraqueava de forma incontrolável, como num surto de epilepsia, fazendo com que os dentes dilacerassem a língua. Para aumentar a intensidade dos choques e assim a dor, jogavam baldes de água sobre ele e enfiavam sal na sua boca, à força, deixando a língua em petição de miséria.

Frei Chico só deixava a cadeira do dragão para os interrogatórios, durante os quais os torturadores insistiam numa maluquice. Queriam que ele confessasse que a ida de Lula ao Japão era uma fachada para a real finalidade da viagem: levar correspondência clandestina para o secretário-geral do Partido Comunista, Luís Carlos Prestes. Frei Chico repetia aos militares que nem sabia que o irmão estava fora do Brasil — o que era verdade. E reiterava que Lula não tinha relação de natureza alguma com o Partidão. Ao contrário. Muitas vezes, em entrevistas e debates públicos, expusera as divergências políticas que tinha com o PCB e com seu líder. Se os argumentos políticos não bastavam, havia mais um, geográfico: se estava em Tóquio, seu irmão se encontrava a 7500 quilômetros de distância de Moscou, capital da União Soviética, onde vivia exilado o "Cavaleiro da Esperança", chefe máximo do Partido Comunista Brasileiro. Nada disso adiantava, e Frei Chico, convertido num trapo físico, voltava para a cadeira do dragão. Para que seus gritos não fossem ouvidos fora da cela, os torturadores ligavam um rádio com o volume altíssimo, quase sempre na Rádio Record. Quando perdia os sentidos com a violência dos choques, Frei Chico costumava ser despertado pelo som do programa sertanejo *Zé Bettio*, o maior fenômeno de audiência do rádio nos anos 1970. A cada dois ou três dias entrava um homem na cela para examiná-lo, medir sua pressão arterial e os batimentos cardíacos — aparentemente tratava-se de um médico que avaliava se o preso ainda aguentava as sessões de tortura ou se era hora de diminuir o ritmo da atrocidade.

Passados quinze dias de martírio ele recebeu de volta as roupas que usava quando o sequestraram e foi transferido para o Dops. Para quem deixava o DOI-Codi, ir para o Dops era um alívio. Não que o recurso à tortura não fosse também uma prática do casarão do largo General Osório, mas, nos altos e baixos da repressão da ditadura militar, naquele período toda a esquerda sabia que o inferno era o DOI-Codi. Ou os DOI-Codis, já que a masmorra paulista inspirara o Exército a criar filiais em algumas das principais capitais brasileiras, como Brasília, Rio de Janeiro e Recife, entre outras.

Depois da infrutífera busca no Quartel-General do II Exército, Lula decidiu ir ao Dops. Como ele mesmo se lembraria mais tarde, "naquele tempo, ir ao Dops atrás de um preso político, ou era advogado ou era doido". Ele não era nem uma coisa nem outra, mas era atrevido, e com isso conseguiu o privilégio de ser levado à presença do delegado de plantão, Domingos Campanella, quando deu-se um diálogo de teatro do absurdo:

— Doutor, soube que meu irmão estaria preso. Posso saber se ele tá aqui?

— Como é o nome do teu irmão?

— É José Ferreira da Silva.

O policial pegou o telefone e, segundo Lula, simulou falar com um carcereiro: "Ah, esse comunista filho da puta está aí? E esteve na União Soviética fazendo cursos? Está bem, obrigado". Desligou o telefone e voltou-se para Lula:

— O senhor veja como este país é democrático, né, seu Luiz? Seu irmão, um comunista que quer derrubar o regime militar, está preso e você, democraticamente, está aqui recebendo as informações sobre ele. Imagina se na Rússia alguém teria essa liberdade.

— Dr. Campanella, eu agradeço, mas posso saber se Osvaldo Cavignato, economista do sindicato, também estaria preso?

"Osvaldinho" Cavignato tinha sido sequestrado pelo DOI-Codi às vésperas da viagem de Lula para o Japão. Os dois conversavam na sala da presidência do sindicato quando entraram dois estranhos com

Um antigo distrito policial da rua Tutoia, no bairro do Paraíso, em São Paulo, foi transformado no DOI-Codi, provavelmente a mais medieval câmara de tortura da ditadura militar. Foi aí que Frei Chico passou duas semanas levando choques elétricos, para denunciar um suposto envolvimento de Lula com o Partido Comunista.

uma mensagem esquisita: "Seu Osvaldo, seu pai teve um problema de saúde, está passando muito mal e nós viemos te buscar para vê-lo". Ele desceu, entrou na Veraneio e não voltou mais. Ao ouvir Lula perguntar por Cavignato, no Dops, o delegado Campanella arregalou os olhos:

— Esse Osvaldo está aqui também. Seu Luiz, o senhor sabe que todo economista é comunista. Isso é um bando de filhos da puta! Olha aqui: esse Osvaldo que o senhor está procurando passou dois anos em Moscou! Foi fazer curso pra implantar o comunismo aqui no Brasil. E o senhor ainda tem relação de amizade com essa pessoa? O senhor precisa romper com ele! O senhor é um homem de bem!

Desnorteado com a violência de que fora vítima no DOI-Codi, Frei Chico não conseguia precisar quantos dias passou no Dops, onde também encontrou mais presos filiados ao PCB ou acusados de ligações com o partido. Na manhã de 23 de outubro, Ivene dava seu plantão diário na calçada do Dops. Empenhada em confirmar se o marido estava ou não preso lá, repetia a quem entrasse e saísse do prédio a pergunta de sempre: "Sabe dizer se está preso aí o José Ferreira da Silva, conhecido como Frei Chico?". Pela primeira vez, em dezoito dias, um homem parou na sua frente e perguntou:

— Ivene, o que você está fazendo aqui, na porta do Dops?

Não se tratava de um bom samaritano colocado ali pela mão da Divina Providência, mas de um policial, primo da sua mãe, que na época trabalhava como carcereiro do Dops. Surpresa ao ver o parente lá, ela respondeu, pela enésima vez:

— Estou procurando Frei Chico, meu marido, e ninguém me responde nada.

O tira disse baixinho:

— Disfarça, fica num canto que eu vou à carceragem e já volto.

Voltou em instantes, com a boa notícia:

— Frei Chico está preso aqui, sim. Mas vai ser transferido daqui a pouco para o presídio do Hipódromo. Agora cai fora daqui e vai arranjar um advogado.

Horas depois era o próprio Frei Chico quem estava na mesma calçada, com uma das mãos algemada à de um louro grandalhão, de olhos azuis e cabeleira desgrenhada: era o advogado José Roberto Fanganiello Melhem, militante do diretório do Partidão em São Paulo. Os dois esperavam a chegada da "gaiola", carro-cela para transporte de presos que os levaria ao presídio do Hipódromo, uma pequena construção na rua de mesmo nome, no bairro do Brás, depósito de acusados de crimes comuns que aguardavam julgamento, prédio ao qual fora anexada uma ala para receber presos políticos.

O afrouxamento das condições carcerárias de Frei Chico, Melhem e mais uma dezena de presos que já haviam passado pelo DOI-Codi não era um sinal de que a caça aos comunistas chegara ao fim. Os dois tinham sido transferidos para o Hipódromo numa quinta-feira. Na tarde de sexta dois agentes do DOI-Codi apareceram na pequena Editora Swdalc, num prédio da avenida Paulista, em busca de um jovem jornalista que trabalhava lá. Os três donos da empresa, Samuel Wainer, Domingo Alzugaray e Luís Carta (irmão mais novo do também jornalista Mino Carta), serviram café aos militares e conversaram polidamente com eles, para dar tempo de o procurado escapar. Este recolheu depressa os seus pertences e desceu a galope os quinze andares de escadas do prédio, desaparecendo em seguida. Na mesma noite os agentes bateram na casa de Vladimir Herzog, diretor de jornalismo da TV Cultura. Na manhã de sábado, "Vlado", como era tratado pelos amigos, foi assassinado durante uma sessão de torturas. Para simular suicídio, os militares do DOI-Codi fotografaram seu corpo com o pescoço envolto num cinto de brim pendurado numa grade de pouco mais de um metro de altura. Começava ali uma guerra de facções no coração da ditadura: a direita contra a ultradireita militar.

A notícia de que Frei Chico estava no presídio do Hipódromo, a salvo de torturas e com direito até a receber visitas familiares, tranquilizou a todos. Comparada à temporada no DOI-Codi, a atmosfera no Hipódromo era tão relaxada que os presos políticos decidiram fazer uma celebração coletiva de fim de ano no sábado, dia 15, quando cada um poderia receber um número limitado de familiares ou amigos. Na sexta, dia 14, Ivene estava na cozinha, preparando bandejas de salgadinhos para a comemoração do marido e dos demais presos, quando apareceram na sua casa o jornalista Mino Carta e o advogado do sindicato, Almir Pazzianotto, em busca de notícias sobre Frei Chico. Os três conversavam na sala quando ouviram o barulho de passos do lado de fora. Ivene quase desabou ao ver a porta se abrir e por ela entrar o marido, que acabava de ser libertado.

O aniquilamento da esquerda de forma tão brutal transmitia à sociedade a impressão de que a linha dura militar, comandada nas sombras pelo general Sílvio Frota, ministro do Exército, estava ganhando a luta interna contra o grupo liderado pelo presidente Geisel e seu súcubo Golbery do Couto e Silva, que prometiam à nação uma abertura política "lenta, gradual e segura", no fim da qual devolveriam o poder aos civis. A reação ao assassinato de Herzog, porém, obrigou Geisel a puxar o freio de mão da repressão. O morto dessa vez não era um guerrilheiro com uma ficha policial repleta de atentados a bomba, mas um pacato jornalista. Sério, respeitado por colegas e patrões, ocupava o importante posto de diretor de jornalismo da TV Cultura, estatal controlada pelo governo paulista. Vlado havia sido nomeado para o cargo pelo insuspeito secretário de Cultura do estado, o bibliófilo e abastado industrial José Mindlin.

Um misto de medo, pânico e paranoia tomou conta de todo mundo que era visto como opositor do regime militar. A esquerda e os setores progressistas da sociedade temiam que o grupo do ministro Sílvio Frota estivesse preparando o caminho para derrubar Geisel e iniciar uma "Operação Jacarta", referência ao massacre perpetrado dez anos antes, na Indonésia, quando o ditador Suharto ordenou o assassinato de meio milhão de comunistas, dissidentes, intelectuais, religiosos e pacifistas. Como Vlado e Mindlin eram judeus, o crime contra o jornalista acendeu fantasmas ancestrais da influente comunidade judaica paulista, composta de algumas dezenas de milhares de pessoas. O próprio Mindlin, que se encontrava nos Estados Unidos no dia do assassinato de Vlado, reconheceria a ameaça.

— Os jornalistas presos [com Herzog] — diria ele, mais tarde — me disseram, depois, que a tônica dos interrogatórios era a minha ligação com o Partido Comunista. O que nunca houve.

Na sexta seguinte, exatamente uma semana após a morte de Herzog, um ato ecumênico convocado pelo presidente do Sindicato dos Jornalistas de São Paulo, Audálio Dantas, entre outros, foi celebrado na Catedral da Sé pelo cardeal Paulo Evaristo Arns, pelo rabino Henry Sobel, presidente do Rabinato da Congregação Israelita Paulista, e pelo pastor presbiteriano Jaime Wright. Para impedir o acesso da população à praça da Sé, o Departamento de Trânsito bloqueou ruas que davam na Catedral, interrompeu o trajeto de linhas de ônibus e proibiu o estacionamento de automóveis nas imediações. Não adiantou nada. Apesar do terror que abalava a todos, entre 8 mil e 10 mil pessoas lotaram a igreja e transbordaram para a rua, enchendo também a praça da Sé.

Enquanto populares começavam a ocupar a igreja, d. Paulo, o pastor Wright, o rabino Sobel e Audálio acertavam na sacristia como deveria ser organizado o ato, em que ordem cada um usaria a palavra. Os quatro eram unânimes no temor de que a multidão, no final, saísse pela cidade em passeata contra a ditadura e que o ato terminasse em confronto com a polícia. A dez quilômetros da abafada Catedral da Sé, naquela mesma hora o presidente Ernesto Geisel passava no general Ednardo D'Ávila Melo, comandante do II Exército, uma humilhante descompostura, diante dos olhos incrédulos do governador Paulo Egídio Martins.

Geisel chegara à capital na manhã da véspera, acompanhado da esposa, Lucy, da filha do casal, a historiadora Amália Lucy, e do general Hugo Abreu, ministro-chefe da Casa Militar da Presidência. Foi recebido na ala oficial de Congonhas pelo governador e pelos hierarcas militares do estado — Ednardo à frente — e se dirigiu à inauguração de uma unidade do Sesc na Represa Billings (30 de outubro é o Dia do Comerciário), onde almoçou, foi para o Palácio dos Bandeirantes, sede do governo estadual, teve um "jantar íntimo" com o governador e dormiu na ala residencial do palácio, no Morumbi. O tempo todo informado por Hugo Abreu da movimentação na cidade — ninguém se arriscava a prever em que poderia dar o ato presidido pelo cardeal Arns —, visitou às oito da manhã de sábado um centro de pesquisas da Escola Paulista de Medicina, instituição de ensino federal, e às nove fez uma visita oficial à XIII Bienal de São Paulo, com o criador da mostra, Ciccillo Matarazzo. Era para ser uma visita de setenta minutos, segundo o protocolo da Presidência, mas Geisel, acompanhado do sertanista Orlando Villas-Bôas e do indígena yawalapiti Aritana, acabou passando duas horas na instalação organizada pela Funai com as tribos do Parque do Xingu.

À uma da tarde entrou com Paulo Egídio no salão nobre do palácio, onde uma enorme mesa era dividida entre o verde-oliva das fardas e o tropical inglês azul-marinho dos empresários que participariam da reunião organizada pelo governador. Terminado o encontro, quando todos já se retiravam, o presidente ordenou ao general Ednardo que permanecesse. Geisel se despediu de todos e acompanhou Paulo Egídio até a biblioteca da ala residencial do palácio, onde conversaram durante poucos minutos. O cafezinho ainda estava quente nas duas xícaras quando um ajudante de ordens informou que o general Ednardo estava no corredor, aguardando ser chamado. Geisel solicitou que o mandassem entrar. Na biblioteca, Ednardo ficou em pé, perfilado, com o quepe sob o braço. Paulo Egídio, polidamente, levantou-se para deixar os dois a sós. Também em pé, o presidente mostrou a palma da mão direita ao governador, pedindo a ele que permanecesse.

— Não, Paulo — disse Geisel. — Fique sentado, é melhor que você fique aqui.

O presidente parecia querer testemunhas. Com ar de fúria e de dedo em riste, avançou na jugular do comandante do II Exército, chamando-o não pela patente militar, mas pelo prenome:

Dias após o assassinato de Herzog, um ato religioso leva entre 8 mil e 10 mil pessoas à Catedral da Sé, em São Paulo. No altar, o cardeal d. Paulo Evaristo Arns e os rabinos Marcelo Rittner e Henry Sobel.

— Ednardo, você me conhece há muitos anos. Eu não admito, não aceito o que está acontecendo na sua área, aqui em São Paulo. E você se cuide, porque vou tomar providências! Ouça bem, porque estou lhe dando uma ordem: ninguém pode ser preso na área do II Exército sem que isso seja informado antes ao Golbery ou Figueiredo, no SNI, ou a mim, pessoalmente. Qualquer prisão política só se efetuará com o nosso conhecimento prévio. Um preso político só será levado ao recinto de um quartel do Exército nessas condições. O senhor está me ouvindo? Está entendendo?

De crista baixa, o general apenas respondeu, repetindo as palavras:

— Sim, senhor presidente. Sim, senhor presidente.

Geisel foi seco:

— Pode se retirar.

Como se nada de grave tivesse acontecido, Geisel terminou o puxão de orelha em Ednardo e saiu com Paulo Egídio para encerrar a agenda oficial da viagem. Visitou na companhia do governador, de Hugo Abreu, da mulher e da filha a Faculdade de Saúde Pública da USP, tocou para Congonhas e às 17h10 embarcou de novo no Boeing presidencial de volta a Brasília. Em poucas horas a notícia do sabão dado pelo presidente da República em Ednardo, na presença do governador do estado, já corria os quartéis de São Paulo. Um policial do DOI-Codi, ao deixar um preso sozinho numa sala, teria feito questão de adverti-lo:

— Vê lá o que vai fazer, hein? Se aparecer mais um cadáver aqui, os homens fecham a nossa quitanda.

A quitanda continuou funcionando normalmente por mais 83 dias. O rugido de Geisel não parece ter desencorajado o general que recebera a descompostura. No dia 16 de janeiro, o comando do DOI--Codi destacou um grupo de agentes para invadir a indústria Metal Arte, na Mooca, na Zona Leste da capital paulista, e fazer mais uma prisão. A vítima dessa vez era o prensista alagoano Manoel Fiel Filho, de 49 anos, suspeito de ser militante de base do PCB e de distribuir o *Voz Operária*, tabloide editado clandestinamente pelo Partidão. Às dez da noite do dia seguinte, um sábado, um Dodge Dart particular passou vagarosamente pela porta da casa de Fiel, na Vila Guarani, Zona Leste da cidade. De dentro do veículo de luxo um homem não identificado atirou na calçada um saco de lixo de plástico azul-claro e gritou:

— O Manoel suicidou-se. As roupas dele estão aqui.

Segundo a nota oficial do DOI-Codi, Fiel havia se matado utilizando não o cinto, como atribuíram a Herzog, mas enforcando-se com as próprias meias. Além do absurdo de alguém conseguir se enforcar com um par de meias, os presos que viram Fiel chegar ao Doi afirmaram que ele calçava apenas sandálias Havaianas.

O governador de São Paulo passou o domingo, dia 18, sem saber de nada. À noite o general Golbery ligou para ele, de Brasília, para lhe dar a notícia do assassinato de Fiel. Na segunda-feira Geisel assinou um ato degolando o general Ednardo D'Ávila Melo e nomeando para seu lugar o general Dilermando Gomes Monteiro, que já havia sido cogitado para ser ministro do Exército do mesmo governo. Para evitar que o vácuo no comando desse tempo à extrema direita militar de reagir à humilhação imposta a Ednardo, Geisel nomeou como interino, até a posse de Dilermando, um homem de sua confiança, o general Ariel Pacca da Fonseca.

A reação militar em São Paulo foi pífia, restrita a uma formalidade compreensível apenas para o pequeno grupo que assistia à cerimônia de decapitação de Ednardo. O procedimento de praxe nas Forças Armadas, na transferência de um posto, é que o oficial que se retira pronuncie a frase-padrão: "Transmito o comando tal ao oficial fulano de tal". Ednardo permaneceu mudo, mas Pacca não deixou por isso. Virou-se para o colega demitido e disse:

— Assumo o comando do II Exército em substituição ao general Ednardo D'Ávila Melo. Permita-me, general, acompanhá-lo até sua viatura.

No Palacete da Laguna, no Rio, ao lado do estádio do Maracanã, casarão onde se instalava a matilha da extrema direita militar (ou a "ti-

```
19) MANOEL FIEL FILHO
    - Filho de Manoel Fiel de Lima e
      Margarida Maria de Lima;
    - Nascido aos 07 Jan 27, em Quebran-
      gulo/AL;
    - Profissão: Metalúrgico;
    - Residência: Rua Cel Rodrigues, 155
      Vila Guarani/SÃO PAULO/Capital.
    - Preso a 16 Jan 76
    - Suicidou-se a 17/18 Jan 76, sendo
      encaminhado ao IML/SPAULO.
      Recebia o jornal Voz Operária de SEBASTIÃO DE ALMEIDA.
      Contribuia financeiramente para o PCB.
```

C O N F I D E N C I A L

O operário Manoel Fiel Filho, assassinado no DOI-Codi semanas após Vladimir Herzog. Sequestrado por militares, foi devolvido morto à família, sob a alegação de que havia se suicidado "enforcando-se com as próprias meias". Fiel saíra de casa para trabalhar calçando sandálias Havaianas.

Com o assassinato de Fiel Filho, Geisel vai a São Paulo, demite com humilhação o general Ednardo D'Ávila Melo (foto), líder da ultradireita militar, e promete "fechar a quitanda".

Geisel prometeu "fechar a quitanda", mas a matança prosseguia. Em dezembro de 1976 o DOI-Codi executou o chamado "Massacre da Lapa", em São Paulo, quando foram mortos os dirigentes do PCdoB Pedro Pomar e Ângelo Arroyo.

grada", como os tratavam os militares geiselistas), o general Sílvio Frota medrou. Ele e seu chefe de gabinete, o pequenino general de brigada Augusto Heleno — que no século XXI viria a ser ministro-chefe do GSI, no governo Bolsonaro. Ao saber que Geisel o designara para a chefia do Departamento de Ensino e Pesquisa do Exército, em Brasília, Ednardo entendeu que, segundo o jargão militar, estava sendo transferido "para o canil". De chefe da mais forte e importante unidade do Exército, passaria a comandar batalhões de carimbos e mata-borrões. Preferiu solicitar transferência para a reserva, imediatamente concedida.

Ninguém mais apareceu enforcado por cintos ou pares de meia na rua Tutoia, mas a quitanda da morte só sairia definitivamente de cena na chamada "Chacina da Lapa", ou "Massacre da Lapa", que ocorreu em 16 de dezembro de 1976, ainda no governo Geisel. Nesse dia foi executada uma operação do Exército brasileiro contra o Comitê Central do PCdoB, velha dissidência do PCB que aderira ao maoismo, que se reunia clandestinamente numa casa da rua Pio XI, no bairro da Lapa, em São Paulo. A ação culminou com a morte de três dos dirigentes do partido. Pedro Pomar e Ângelo Arroyo foram mortos no ato; um terceiro, João Batista Franco Drummond, preso horas antes, foi torturado e morto no DOI-Codi.

A fatura da guerra Geisel versus Frota só seria definitivamente liquidada em 12 de outubro do ano seguinte, 1977, quando o presidente encerrou a carreira do desafeto demitindo-o do comando do Ministério do Exército. Nos anos que sucederam ao assassinato de morte de Herzog e Fiel Filho, Geisel desfrutou da fama de militar moderado. Suas reações à morte de Vlado e Manoel, e a demissão de Ednardo e Frota contribuíram para incensar sua imagem, aos olhos da História, como um representante da civilização contra a barbárie nos Anos de Chumbo do Exército brasileiro. A aura de "homem do bem" durou pouco, e desmerengou em maio de 2018, quando o pesquisador Matias Spektor, da Fundação Getulio Vargas, exumou um material da Agência Central de Inteligência dos Estados Unidos, a CIA. O documento gringo, datado de 1974, era cristalino: "Em 1º de abril, o presidente

Geisel disse ao general Figueiredo que a política deve continuar, mas deve-se tomar muito cuidado para assegurar que apenas subversivos perigosos fossem executados". Duas décadas depois de sua morte, a memória de Geisel caía na vala comum da "tigrada" dos assassinos que o desafiaram.

13

Após passar anos excomungando a classe política, Lula começa a preparar o caminho para criar o PT.

Para Lula e os demais ativistas do ABC, mesmo os não comunistas, como ele, a ameaça de mais prisões e de repressão parecia descartada após a faxina feita por Geisel no II Exército. Ele, no entanto, precisava livrar-se de um abacaxi que o azucrinava desde a posse na presidência do sindicato. O problema era Paulo Vidal, o secretário-geral que se comportava como mandachuva absoluto, como se ainda estivesse sentado na cadeira de presidente.

Vidal já tinha deixado Lula "puto da vida", como ele próprio diria, no mês de setembro, quando a Ford anunciou que daria férias coletivas para 235 operários da linha de montagem do automóvel Maverick, alegando que reduziria a produção do modelo, cujo motor passaria a ter apenas quatro, e não os seis cilindros originais. Sem consultar Lula, que era contra a decisão da fábrica, Vidal se entendeu com os diretores da Ford e aceitou a proposta sem espernear. O presidente de direito do sindicato deixou claro, numa assembleia, que não concordava com a medida, mas esperou a hora adequada para acertar as contas com Vidal.

Em setembro de 1976, após o congresso da categoria, que era realizado bienalmente, nos anos pares, Lula pôs nas ruas a campanha salarial, e começou comprando uma briga com a Federação dos Metalúrgicos, presidida pelo "pelego" Argeu, seu colega da malfadada viagem ao Japão. Depois de um duro braço de ferro, Lula e seus companheiros dobraram o Tribunal Superior do Trabalho e conseguiram que aquela Corte reconhecesse, pela primeira vez no Brasil, que a Federação não representava os sindicatos, mas apenas os trabalhadores não filiados a instituições trabalhistas. Com a decisão do TST, cada sindicato obtinha autonomia suficiente para dirigir seu próprio destino, sem depender da canga da Federação. Até então, em ato de ofício, os sindicatos eram obrigados a passar uma procuração para a Federação representá-los, entre outros atos, no mais relevante — os dissídios salariais. Lula aproveitou a brecha e escancarou a porta: instituiu, no âmbito do sindicato do ABC, a estabilidade da mulher gestante e do trabalhador menor, em idade de alistamento militar, e o pagamento das ausências do pessoal que prestava exames escolares. Não era uma revolução, mas eram ganhos objetivos, havia muito tempo reivindicados pela peãozada. O mais importante, a longo prazo, era livrar-se da tutela da Federação.

E foi também no começo do ano que Lula escolheu o momento para dar o xeque-mate e se livrar de Paulo Vidal. De novo o tabuleiro da disputa foi a Ford. A empresa invocara a crise econômica pós--"milagre" para propor férias coletivas a seus trabalhadores. Habituada às negociações cordiais com Paulo Vidal, acertaram os detalhes com ele, que não apenas acatou, mas tornou a decisão pública numa entrevista à imprensa. Lula encrencou e disse que a proposta só teria valor se fosse aprovada por uma assembleia sindical. Esperta, a diretoria da Ford fingiu aceitar a exigência, com uma condição: que a assembleia fosse realizada dentro da empresa. Vidal, em entrevista, topou a contraproposta. Lula anunciou, também pelos jornais, que assembleias só tinham valor quando realizadas dentro do sindicato e que assim seria no caso da Ford. No dia seguinte apareceram em dois jornais declarações contraditórias. Como tinha assegurados entre sete e oito votos, dos nove da direção-executiva do sindicato, Lula reuniu a diretoria e anunciou para quem quisesse ouvir o golpe mortal no antecessor:

— A partir de hoje só o presidente está autorizado a dar entrevistas e declarações públicas sobre assuntos ligados à categoria. Quando ele estiver ausente, fala o vice-presidente, o Rubão, Rubens Teodoro de Arruda. Na ausência do presidente e do vice, fala o secretário-geral. O que não pode é cada um dar uma entrevista diferente a respeito do mesmo assunto. Vai parecer que estamos divididos.

Os comunistas que orbitavam no entorno do sindicato diziam que Lula havia finalmente baixado o "centralismo democrático", a linha dura. Na memória dele, aquela reunião representou sua verdadeira independência política. Mas o último prego na tampa do caixão do Vidal sindicalista foi batido meses depois, quando o convenceram a disputar uma cadeira na Câmara dos Vereadores de São Bernardo pelo MDB, um dos dois únicos partidos legais no país (o outro era a Arena, que apoiava a ditadura). Mesmo entendendo que se tratava de um chega pra lá, a sugestão poderia ser vantajosa, não parecia um "enterro de luxo". Nas eleições anteriores, em 1974, o MDB dera uma surra histórica na ditadura, ao eleger dezesseis senadores (de 22 vagas em disputa) e conseguir 44% da Câmara Federal. Analistas políticos afirmavam que as eleições daquele ano tinham se convertido no "ponto de inflexão" do regime militar. A operação acabou sendo um bom negócio para Vidal, que ficou em terceiro lugar entre os mais votados, perdendo apenas para Aron Galante, também do MDB e futuro prefeito da cidade, e Walter Demarchi, da Arena, político que era nome de rua e membro de uma das mais conhecidas e tradicionais famílias do ABC.

Livre da sombra de Vidal, Lula pôde, finalmente, pôr em prática o que a imprensa já batizara de "novo sindicalismo". Começou com uma mudança nos festejos do Dia do Trabalho. Em vez de celebrar o Primeiro de Maio com quermesses e atividades recreativas, iniciou as comemorações um mês antes, com sessões de cinema e peças de teatro, tudo seguido de debates e discussões sobre a temática exibida. Todos os assuntos que diziam respeito aos trabalhadores e seus direitos eram motivo para jornadas de debates, sempre com convidados de fora. A audiência era garantida pelos alunos do supletivo criado por Lula havia três anos, que contava com novecentos estudantes matriculados, que por lá passavam todos os dias. Diferentemente dos cursos equivalentes que se multiplicavam às centenas pelo país, nos quais a maioria estava interessada apenas em obter o certificado para se habilitar a disputar uma vaga na universidade — os chamados "pagou-passou" —, o supletivo do sindicato impunha uma exigência adicional. Para obter o certificado de frequência o aluno tinha, todo santo dia, que assistir a 45 minutos de aulas de política e atividade sindical.

No dia 1º de junho o presidente Geisel desembarcou em São Paulo para inaugurar uma fábrica de tratores da Ford em São Bernardo do Campo. A presença de um presidente com fama de nacionalista na inauguração de uma unidade de indústria multinacional se explicava pela relevância do projeto. Edificada num terreno de 70 mil metros quadrados, a fábrica ocupava 16 500 metros de área construída, um investimento de US$ 41 milhões (cerca de R$ 1 bilhão em 2021) com capacidade de produção de 20 mil tratores por ano. O geralmente casmurro Ernesto Geisel parecia sorridente, cercado por autoridades que incluíam os ministros Severo Gomes, da Indústria e Comércio, e Alysson Paulinelli, da Agricultura, o governador Paulo Egídio, o general Dilermando Gomes Monteiro, o embaixador dos Estados Unidos, John Hugh Crimmins, vários empresários e uma horda de escoltas que zelavam pela segurança de tantos figurões.

Geiselistas diriam depois que o presidente celebrava algo que poucos ali talvez soubessem. Antes de deixar Brasília, encarregara o general Golbery, chefe da Casa Civil, de informar à família Civita, proprietária da Editora Abril, que a partir do dia seguinte, dia 2, estava suspensa a censura prévia à revista *Veja* — o último veículo da grande imprensa a se ver livre da presença permanente de um censor. A ousada e indomável imprensa independente, ou "nanica" — como os tabloides *Movimento*, *Pasquim* e *Opinião* —, continuaria sob o tacão dos militares.

Perdido entre os convidados, peixe fora d'água, Lula se espremia para chegar até o presidente. Ele deixara o sindicato com uma promessa a seus diretores: entregar pessoalmente a Geisel uma carta oficial com reivindicações e denúncias dos metalúrgicos do ABC. Quando viu que sozinho não romperia a barreira de seguranças, pediu ajuda a Paulo Egídio:

— Governador, eu vim entregar um documento ao presidente Geisel, mas não dá nem pra chegar perto dele. Tem tanto sujeito aí dando cotovelada que não dá.

Paulo Egídio respondeu:

— Venha comigo.

Puxou Lula pelo braço, abriu caminho e aproximou-se de Geisel:

— Presidente, este aqui é o mais importante dirigente sindical do país. Eu estive na festa da posse dele, tinha 30 mil pessoas. Ele trouxe uma correspondência para o senhor.

Segundo Lula, Geisel nem abriu o envelope. Juntou-o a outro (que também não abrira), recebido do embaixador americano — uma carta pessoal de Henry Ford II, dono da multinacional desde 1945 —, e entregou-os a um ajudante de ordens. Ao voltar ao sindicato, Lula prestou contas a seus companheiros:

— Nem sei se ele vai ler, mas eu entreguei. Estou aliviado.

Mesmo que Geisel não lesse, Lula achava que o esforço seria compensado.

— Pelo menos ganharei manchete do *Jornal do Brasil* do dia seguinte.

Não ganhou. Nem manchete nem referência a seu nome. O único e anônimo registro de seu rápido encontro com Geisel ocupou o pé do último parágrafo da cobertura da visita do presidente a São Bernardo: "O memorial entregue pelos metalúrgicos de São Paulo ao Presidente Geisel defende, além da revisão do salário mínimo, o reexame dos salários devidos às categorias profissionais qualificadas e sindicalmente organizadas. A contratação coletiva também foi destacada, bem como a reforma da CLT", diria o *JB* do dia 2 de junho.

O entusiasmo de Geisel com a inauguração de uma fábrica de tratores mais parecia uma injeção de álcool canforado numa economia moribunda. O estrago provocado pela crise do petróleo até em países ricos tornara-se corrosivo em nações de economia frágil, como o Brasil. De pouco mais de US$ 10 em 1973, o preço do barril de petróleo pulou para US$ 110 em 1979. Para conter artificialmente

O ESTADO DE S. PAULO

A oposição está vencendo em 18 Estados

Mobilização no Oriente Médio é generalizada

A vitória do MDB é total em São Paulo

Israel reprime na Cisjordânia

Persiste ameaça da fome

Governo previa os resultados e agora estuda reformulações

Definição depende da apuração no Interior

Analistas acham que os desvios foram condenados

Nas eleições parlamentares de 1974 – os governadores eram nomeados – a população dá o troco nas urnas e surra a ditadura de norte a sul. Dos 22 cargos de senador em disputa, o MDB elegeu dezesseis.

a inflação nos anos do "milagre econômico", a Petrobrás represara os preços da gasolina e do diesel, e agora obrigava o governo a engatar uma dolorosa marcha a ré. Como medidas estruturais criou-se o Programa Nacional do Álcool, o Proálcool, para a produção de combustível vegetal, e investiu-se pesado na construção, em parceria com o Paraguai, da usina de Itaipu, a segunda maior do mundo. A decisão de implantar o programa de usinas nucleares em Angra dos Reis, com custo previsto de us$ 8,4 bilhões, gerou uma guerra de morte entre a norte-americana Westinghouse e a alemã Siemens-kwu, que seria a vencedora da licitação internacional.

A massa de propaganda oficial, destinada a convencer a população de que a ditadura estava conseguindo superar a dependência do Brasil no setor energético, não convencia ninguém. Uma coisa eram os caros e intermináveis anúncios na tv, nos jornais e nas revistas. Outra era o dia a dia dos brasileiros, cuja vida se tornava cada vez mais cara e difícil. Além do preço estratosférico, os combustíveis consumidos pela população nas bombas foram submetidos a limitações rigorosas: a venda da gasolina nos fins de semana foi proibida, a velocidade máxima dos veículos, mesmo nas autoestradas, foi reduzida de 120 para oitenta quilômetros por hora. Os boatos frequentes de aumento nos preços dos combustíveis formavam filas imensas por todo o país.

Um ingrediente adicional agravaria a situação econômica: a proverbial megalomania brasileira. O melhor exemplo desse traço ocorreu um ano antes da visita de Geisel à fábrica de tratores da Ford. Em meados de 1975 o presidente da República tivera um encontro com o patrão de Lula — Paulo Villares, dono da megaindústria com plantas espalhadas por todo o estado de São Paulo. Além de fabricar os gigantescos motores de navios que faziam tremer os alicerces das casas do ABC, a Villares Metals liderava o mercado de aços especiais de alta liga na América Latina, era a maior fornecedora da região de aços-ferramentas, aços-rápidos, barras para aço inoxidável, ligas especiais e peças forjadas de grande porte, e um dos dois principais fornecedores do mundo de aços-válvulas. Produzia ainda para consumo interno e exportação vagões de metrô. E a empresa tinha uma característica que fazia brilhar os olhos da geração de militares nacionalistas, da qual Geisel era um dos derradeiros espécimes: tratava-se de uma empresa integralmente brasileira.

O encontro de Geisel com Paulo Villares deu-se durante a inauguração da Estação Jabaquara do metrô de São Paulo. O presidente da República aproximou-se do industrial para uma conversa curta e objetiva, como era de seu costume:

— Além de vagões de metrô a empresa do senhor também produz locomotivas?

— Não, presidente. Fabricamos muitas coisas, até fábricas, mas não produzimos locomotivas.

— E por que não?

— Por falta de mercado. A competitividade internacional é muito grande. As locomotivas que rodam pelo Brasil, por exemplo, são majoritariamente importadas, quase todas da americana General Motors. Para enfrentar essas gigantes transnacionais precisaríamos, além de mercado, de financiamentos. Não estamos nos queixando, a Villares tem planos de investir muito daqui para a frente, e aí, quem sabe...

— Mas... de quanto é esse muito?

— Digamos... algo como... 10 milhões de dólares.

— O quê?

Villares imaginou que o espanto do presidente ia encerrar a conversa por ali, mas Geisel prosseguiu:

— Só 10 milhões? Por que tão pouco?

Conforme deixou registrado no livro que celebrava os oitenta anos da empresa, publicado em 1999, Villares se surpreendeu com a surpresa provocada no presidente e argumentou, "de maneira racional e lógica":

— Bem, presidente, num negócio como a indústria de bens de capital, que envolve números e riscos tão altos, não se pode investir sem ter certeza quanto ao mercado. Praticamente só se investe depois de ter os pedidos.

Geisel emendou, sem pensar duas vezes:

— E se eu garantir que vocês vão ter os pedidos? Nesse caso vocês estão dispostos a investir muito mais?

Villares respondeu com a mesma presteza:

— Sem dúvida, presidente.

Geisel chamou Marcos Pereira Viana, presidente do BNDE (depois rebatizado com um "s" final, de "Social"), determinou que ele agendasse uma reunião urgente com Villares e encerrou o encontro com um aperto de mão de US$ 100 milhões — dez vezes o valor inicial imaginado pelo industrial para financiar a ampliação da empresa. Em contrapartida ao empréstimo, o governo federal se comprometia a adquirir da futura fábrica nada menos que cem locomotivas por ano. O investimento começou nos US$ 100 milhões prometidos por Geisel, saltou para US$ 450 milhões e terminou batendo no teto de US$ 650 milhões — nada mal para um industrial que abrira a conversa com irrisórios US$ 10 milhões. E a promessa de encomenda das locomotivas deu um salto tríplice: com a fábrica já construída na cidade de Araraquara, no interior de São Paulo, o governo garantiu a compra não de cem, mas de trezentas locomotivas por ano.

O tempo, a dinâmica do capitalismo e a instabilidade dos governos brasileiros revelaram que um aperto de mão não produz uma fábrica de locomotivas. Primeiro porque o projeto deveria ser precedido da construção de uma usina siderúrgica de aços especiais que estaria entre as cinco maiores do mundo. E a dinheirama prometida pelo BNDE não era integralmente nacional. Dependia de empréstimos estrangeiros, com o aval do governo brasileiro, o que levou Paulo Villares a se engalfinhar com o poderoso político norte-americano Robert McNamara, então presidente do Banco Mundial (o mesmo que mandara incendiar o Vietnã, como secretário da Defesa do governo Lyndon Johnson). A história da aventura da Villares versus BNDE versus Banco Mundial mereceria um livro, mas terminou sem happy end. Mudou o governo brasileiro e o II PND (Plano Nacional de Desenvolvimento) de Geisel, criado para estimular a produção de insumos básicos, bens de capital, alimentos e energia, foi parar nas gavetas da burocracia. Das trezentas locomotivas anuais que a Villares se preparou para fabricar, o governo acabou adquirindo apenas setenta. Em trinta anos de empreendimentos coroados de êxito, Paulo Villares encarou a primeira grande derrota. Desistiu do negócio de locomotivas, fechou e vendeu a fábrica de Araraquara.

O rombo aberto no casco da empresa pelo bem-intencionado mas fracassado projeto de Geisel não afetaria a vida de Lula. A empresa manteve sua produção normal e os salários dos sindicalistas que trabalharam na fábrica permaneceram intactos. A salvo da trombada que os Villares tinham recebido do governo, Lula dedicava suas energias a dois projetos: a velha luta pela reposição salarial, fruto da rapina de Delfim Netto, e o estreitamento ainda maior das relações do sindicato com a base. Nada de grandes teorias, mas coisa de gastar sola de sapato nas portas de fábricas. Foi numa dessas panfletagens, realizada com outros diretores na porta da Brastemp, subsidiária brasileira da gigante americana de eletrodomésticos Whirlpool, que ele foi visto por um jovem operário de uns vinte anos e aparência asiática, que chegava para o trabalho conversando fiado com um colega de linha de montagem. Ao dar com o barbudo distribuindo folhetos às cinco e meia da madrugada, o fresador Paulo Okamotto reconheceu a figura que se habituara a ver nas fotos de jornais e entrevistas na televisão:

— Puta merda, esse cara não é o Lula, presidente do sindicato?

— Parece que sim, acho que é ele mesmo.

— Cara, como é que pode, um sujeito famoso desses aqui, na porta da fábrica, panfletando a essa hora da manhã? Deixa eu ir lá ver o que esse cara está entregando para a peãozada.

A surpresa não era apenas quem distribuía os panfletos, mas o conteúdo dos impressos entregues de mão em mão. Lula acredita que aquele foi o grande salto na comunicação sindical. Em vez de gráficos incompreensíveis com estatísticas sobre ganhos das empresas às custas do trabalho operário, nos quais os leitores passavam os olhos, em diagonal, e que depois jogavam fora, o sindicato começou a editar boletins diários com duas páginas de histórias em quadrinhos. Os autores das historietas eram os diretores do sindicato, auxiliados pelo experiente militante Antônio Carlos Félix Nunes. E os artistas eram Laerte, o criador do "João Ferrador", e o mineiro Henrique de Souza Filho, o Henfil, que já desfrutava de prestígio nacional, com incursões inclusive nas páginas de cartuns do *The New York Times*.

Mas não foram só as "calungas", nome com que Henfil chamava as histórias em quadrinhos, que na porta da Brastemp seduziram o "japa" Okamotto — filho de uma brasileira e de um nissei. Arrimo de família desde que ficara órfão, aos catorze anos, conseguiu fazer um curso de fresador e depois de ferramenteiro no Senai. Disciplinado e aplicado, com planos de ser engenheiro, acabou cursando técnica industrial na escola Pentágono, no ABC, de onde saiu para trabalhar na Volks durante o dia, dedicando as noites aos estudos. Apesar de menor de idade, remunerado com apenas meio salário mínimo, levantava às quatro horas da manhã para entrar às seis na fábrica. Quando completou dezoito anos, idade em que era permitido trabalhar à noite, recebeu da Volks a proposta de fazer o rodízio — quinze dias trabalhando durante o dia e quinze virando a noite na fábrica. A proposta o impediria de estudar à noite. E foi o sindicato que o orientou: com o currículo que tinha, não precisava se submeter ao regime imposto pela Volks. Ao contrário, poderia conseguir um emprego melhor. O novo trabalho, onde ganharia ainda mais que na Volkswagen, seria exatamente na Brastemp, em cuja porta ficou conhecendo o barbudo que fazia panfletagens. Daquele encontro fortuito nasceu a amizade que uniria os dois para sempre. Paulo Okamotto se juntou a Lula no PT (de cujo diretório paulista seria presidente), na CUT, no Instituto Lula e no governo federal. Discreto e pouco dado a holofotes e ao noticiário, o único cargo que ocupou, quando Lula se elegeu presidente, foi no terceiro escalão do governo, como presidente do Sebrae — e mesmo assim porque o amigo quase o obrigou a aceitar.

O ano de 1977, do ponto de vista de ganhos materiais, foi pífio e medíocre. Até o mês de agosto Lula batalhou pela reposição dos 34,1%, mas acabou sendo derrotado. Politicamente, no entanto, foi

Um dos mais criativos e populares cartunistas do Brasil, o mineiro Henfil adere à luta contra o regime e faz cartazes para o movimento feminista, para as greves, para a campanha pró-Anistia e pelas Diretas Já.

o alicerce para os anos carbonários de 1978 e 1979. A categoria já tinha decidido cortar as amarras com os intermediários — governo e tribunais trabalhistas — e a organização sindical foi sendo cimentada aos poucos, fábrica por fábrica. Era na Volks, na Scania, na Ford e até em indústrias com pouca gente e menor capacidade de pressão sobre os patrões. Em vez de tratar com a burocracia sindical herdada dos tempos de Vargas, Lula passou a ter discretos encontros pessoais com os pesos-pesados do PIB brasileiro, como Claudio Bardella, Paulo Francini, Einar Kok e José Mindlin — o mesmo Mindlin que nas torturas do DOI-Codi forçavam Vladimir Herzog a denunciar como comunista. De acordo com o linguajar da época, Lula estava se convertendo num personagem "pop".

Enfrentando de um lado a oposição de extrema direita militar, Geisel arrastava seu projeto de "abertura lenta, gradual e segura" enquanto, de outro, a sociedade começava a se organizar em movimentos populares contra a ditadura, reivindicando, entre outras conquistas, eleições diretas em todos os níveis e a "anistia ampla, geral e irrestrita". A mão que balançava, cuidadosamente, o berço da democracia era a do piauiense Petrônio Portela, presidente do Senado e homem de confiança dos dois generais "aberturistas", Geisel e seu sucessor João Figueiredo. Se Geisel encontrava obstáculos a seu vago projeto de redemocratizar o Brasil, Lula também tinha ossos a roer do lado de cá. Quando o habilidoso e escorregadio senador Petrônio Portela, apelidado "Estrela Civil da Ditadura Militar", pôs-se a convidar oposicionistas para encontros informais — e sem nenhum compromisso ou garantia de abrir o que quer que fosse —, incluiu, naturalmente, o nome de Lula. O sindicalista topou, desde que pudesse levar um rol de reivindicações, mas encontrou obstáculos entre seus próprios companheiros. Como havia gente de quase todas as tendências à sua volta, cada um defendia uma posição diferente. E Lula sabia da fauna política que o cercava:

— Tinha companheiros ligados à Igreja, e tinha gente ligada à AP, a Ação Popular, tinha organização que eu nem conhecia. O Alemãozinho, por exemplo, era de alguma organização, o Osmarzinho era de outra, o Wagner Lino era do Partidão. Toda assembleia, toda reunião tinha alguém de oposição.

Aguardado por toda a imprensa que cobria o Congresso, o encontro de Lula com o senador Portela chamou atenção porque o sindicalista, contrapondo a formalidade do terno azul-marinho do presidente do Senado, passou todo o encontro com um paletó de brim pendurado no braço, contrastando com a calça preta que usava. Encerrada a audiência a portas fechadas, o jornalista Hélio Doyle, da revista *Veja* — que embora fosse dirigente da Ala Vermelha, organização clandestina de resistência à ditadura, era confidente de Portela —, saiu para comer carne de sol no restaurante Maloca Querida, com os sindicalistas que acompanhavam Lula, entre eles Jacó Bittar, Olívio Dutra, João Paulo Vasconcellos e Arnaldo Gonçalves. À exceção de Gonçalves, militante do Partidão, ali estava o que viria a ser, em 1980, o estado-maior do futuro Partido dos Trabalhadores. A curiosidade de Doyle nem era tanto pelo conchavo no Senado (disso ele saberia depois, conversando com Portela), mas pelo deselegante paletó de brim que Lula carregara no braço durante todo o encontro, sem vesti-lo uma só vez. Não se tratava, como podia parecer, de um peão malvestido afrontando o engomado representante do regime, como Lula esclareceu:

— Quando embarcávamos para Brasília, me avisaram que no Congresso só era possível entrar usando paletó e gravata. Alguém me emprestou um paletó, mas ao chegar aqui descobri que ele não me servia, era curto e apertado demais. Para não passar vergonha, preferi carregá-lo na mão.

Mais que com sua audiência com o padrinho civil da distensão política de Geisel, Lula voltaria a Brasília várias vezes, nos meses seguintes, e sempre encerrava suas viagens encafifado com uma constatação espantosa: entre os 430 congressistas existentes na época (364 deputados federais e 66 senadores), havia apenas dois trabalhadores, ambos deputados federais por São Paulo. Os dois citados por Lula eram Aurélio Peres, o ferramenteiro da fábrica de bicicletas Caloi, formado em filosofia e com grande atividade na Pastoral Operária, ligada às Comunidades Eclesiais de Base (CEBS) da Igreja católica. Preso e torturado pelo DOI-Codi em 1974, tornou-se coordenador do Movimento do Custo de Vida na capital paulista. O outro era Benedito Marcílio, metalúrgico de Santo André que se elegera, como Peres, pelo Movimento Democrático Brasileiro (MDB).

O espanto acarretado em Lula pela baixíssima, quase inexistente representatividade de trabalhadores no Parlamento teria um significado transformador em sua vida política. Até então ele alardeava nas entrevistas e assembleias que não gostava de política "e não gosto de quem gosta de política". E isso valia para todo mundo que não fosse trabalhador. O bordão que corria no ABC e nos movimentos políticos, atribuído a Lula, era curto e grosso: "Lugar de estudante é na escola, de padre, na igreja. E se alguém quiser criar um partido de trabalhadores, tem que usar macacão". Um verdadeiro frenesi tomou conta da esquerda quando circulou nos campi da USP, da PUC e das universidades federais a informação de que Lula começava a flertar com a política convencional. Sobretudo entre os estudantes, que pareciam provocar-lhe urticária.

— O sujeito aparece aqui no sindicato querendo fazer tarefas — repetia, gargalhando — e eu, antes de perguntar a profissão, olhava a palma da mão. Não tinha erro: mão lisinha, sem calo, só podia ser trotskista — que ele sempre pronunciou "trotiquista".

A insistência de Lula em se referir aos trotskistas "infiltrados" no grupo que daria luz ao PT se deve menos à real importância política de que o grupo desfrutava, e mais à sua indiscutível capacidade de fazer barulho. No efervescente movimento estudantil brasileiro proliferavam os seguidores de Liev Davidovich Bronstein, o Trótski, criador do Exército Vermelho da URSS, a quem Stálin perseguiu por todo o planeta e foi morto no exílio mexicano, em 1940, com um golpe de picareta na cabeça, assestado pelo comunista espanhol Ramón Mercader del Río a mando do chefão soviético. Da miríade de correntes trotskistas que vagavam pela política brasileira, pelo menos três tinham alguma representatividade entre estudantes e intelectuais: os lambertistas (seguidores da corrente criada pelo francês Pierre Lambert), os posadistas (do argentino Juan Posadas) e os mandelistas (da corrente criada pelo belga Ernest Mandel). Havia outras, muitas outras, mas as três eram as mais populares. Fernando Henrique Cardoso, tempos depois, revelou que passou a ser tachado de trotskista por ter sido fotografado ao fazer "a gentileza de ter carregado a mala da mulher de Ernest Mandel", no aeroporto da Cidade do México.

Passadas várias décadas daquele momento, Lula daria gargalhadas ao se lembrar do curto período em que teve apoio quase unânime da grande imprensa:

— Os jornais e a televisão adoravam quando eu falava "não gosto de política e não gosto de quem gosta de política". A imprensa adorava. Finalmente um operário puro! Finalmente alguém que não quer o poder! Finalmente alguém que não tá ligado ao Partido Comunista! Era uma verdadeira idolatria.

Os jornais talvez não tivessem percebido que a visita a Petrônio Portela e o espanto de ver tão poucos trabalhadores no Congresso não saíam de sua cabeça. A ideia de juntar num partido apenas trabalhadores, sem patrões nem políticos profissionais, continuava comichando. Os últimos anos da década de 1970 no Brasil foram tão efervescentes que não sobrava tempo para que Lula se dedicasse a nenhuma atividade: além da ideia de montar o partido, ele pilotava uma greve atrás da outra. Segundo suas próprias palavras, em depoimento a Altino Dantas, naquele período não houve uma semana sem greve:

— Fazíamos duas, três greves por semana. Era greve por qualquer coisa, deu a louca no mundo. A diretoria meteu na cabeça que era uma boa. Patrão gritava, peão parava. O sindicato resolveu, em 1978, comprar essa briga. Veja que o cerne da questão começa exatamente aí: nenhum diretor do sindicato vai produzir mais, vamos andar dentro da fábrica e fazer sindicalismo. A Mercedes-Benz tentou mandar dois diretores embora por causa disso. Nós fizemos um boletim dizendo pra peãozada que a empresa queria demitir dois companheiros porque estavam representando a categoria. Se mandar embora hoje, amanhã todo mundo para. A Mercedes voltou atrás.

Durante muitos anos, sobretudo depois da ameaça do AI-5, que pairava sobre todas as cabeças, falar em greve era pecado mortal. Lula lembra que em 1974, quando ainda era primeiro secretário do sindicato, um grupo de trabalhadores da Ford o procurou sugerindo parar a ferramentaria da fábrica. Inseguro, chamou um companheiro de diretoria mais experiente para compartilhar a decisão. A contribuição do colega foi aterradora:

— É proibido fazer greve. Quem fizer é preso e torturado. Eles te amarram numa cadeira, te deixam com o ânus aberto, enfiam o gargalo de uma garrafa e quebram o fundo para queimar seu intestino. E ainda enfiam um ratinho lá dentro.

Diante de tamanho terrorismo, só um doido se arriscaria a cruzar os braços dentro de uma fábrica. Os mais otimistas diziam que a punição mínima para o grevista era o xadrez. Segundo Lula, depois de 1978 "a gente mudou o tom da coisa":

— Olha, não tem cadeia em que caiba todo mundo. Se um sozinho fizer greve ele se arrebenta. Mas se todo mundo fizer greve, eles não têm como ferrar a gente.

Parecia discurso de candidato em palanque eleitoral, mas o tal do "novo sindicalismo" tinha mesmo esvurmado o medo que sufocara por tantos anos os trabalhadores da região do ABC. A melhor prova de que não se tratava de uma retórica palavrosa foi dada entre abril e maio de 1978, quando dois operários — sim, somente dois, Gilson Correia de Menezes e Severino Alves da Silva — resolveram peitar a centenária indústria sueca Saab-Scania, líder mundial na fabricação de caminhões pesados, ônibus, motores industriais e marítimos. Como a inflação oficial do ano havia sido de 39,9%, o aumento salarial a ser concedido pela empresa era esse, nem 1% a mais ou a menos. Membros de uma diretoria do sindicato que jamais participara de uma greve — e que fora empossada apenas dezoito dias antes —, Gilson e Severino passavam

Depois de esconjurar a política tradicional, Lula entra no jogo e é obrigado a lidar, de um lado, com o líder da ditadura no Senado, Petrônio Portela...

... e do outro, com os trotskistas que se espalhavam por tendências mandelistas, morenistas, lambertistas e posadistas.

os dias na fábrica parando de máquina em máquina, matracando no ouvido dos colegas o mesmo bordão:

— Estamos pedindo 3% de aumento real, acima dos 39,9% oficiais. Se não derem os 3%, vamos parar. Já sabe, né, porra? Ou 3% ou paramos a fábrica!

A pregação dos dois acabou chegando aos ouvidos não só dos trabalhadores, mas também do diretor da Scania, o sueco Inge Lunnerdal, que chamou ambos para uma conversa reservada, na qual, depois de muita negociação, Lunnerdal se curvou à exigência, desde que a concessão não fosse alardeada pelo ABC como uma derrota da fábrica.

No dia certo, 10 de maio, o salário foi pago aos trabalhadores — sem os 3% adicionais acertados entre os dois diretores do sindicato e a direção da Scania. A notícia que correu na fábrica foi a de que Lunnerdal levara uma dura do delegado regional do Trabalho: se desse um tostão de aumento acima dos 39,9% oficiais, a Scania seria submetida a pesadas multas e punições pelo governo. No dia seguinte Gilson e Severino apareceram no sindicato para comunicar a decisão a Lula:

— Companheiro, vamos parar a Scania amanhã.

A notícia pareceu tão delirante que Lula não levou a sério o que ouvia. Os dois repetiram:

— Ficou acertado que acima do índice de inflação eles pagariam mais 3% para todo mundo. Hoje saiu o holerite e vieram apenas os 39,9% da inflação. Nós cansamos de avisar: ou pagavam mais 3% ou a gente parava. E vamos parar amanhã.

Pararam. Para surpresa de Lula, dos demais sindicalistas, da direção da empresa e do delegado regional do Trabalho, Vinicius Ferraz Torres, Gilson e Severino, praticamente sozinhos, pararam os 3 mil operários da Scania. O delegado do Trabalho insinuou uma ameaça:

— O melhor é vocês voltarem a trabalhar. O país precisa de muita produtividade.

A reação de um peão fez o doutor dar meia-volta:

— A gente não vai voltar. E quem encher o saco vai apanhar.

Apesar de batizado pela imprensa de "novo sindicalismo", o movimento estava nascendo no chão de fábrica, e não dentro do sindicato. Das nove às onze da manhã um ou dois diretores ficavam na sede, para qualquer emergência, além dos burocratas que cuidavam da parte assistencial. A verdadeira atividade acontecia nas portas ou dentro das empresas. O horário de almoço, que variava entre sessenta e noventa minutos, dependendo da fábrica, era usado para miniassembleias. Se juntassem um grupo maior de trabalhadores, os diretores subiam nas mesas e metiam um discurso. A tática foi se multiplicando, ganhando força, até que os gerentes já não conseguiam conter a agitação. Se um chefe proibia um diretor do sindicato de falar dentro da seção dele, o cara entrava na marra.

— O negócio foi ficando incontrolável — Lula se recorda. — Se a coisa continuasse daquele jeito, em um ano a gente estaria controlando as fábricas. Fomos ganhando força, todo mundo conquistando liberdade de atuação dentro das empresas.

E isso não só nas fábricas de fundo de quintal, mas até nas gigantes, como a Mercedes e a Scania. Uma linha de montagem era subitamente paralisada, o diretor do sindicato trepava em cima de uma bancada e discursava no meio da seção. O setor parava durante dez, quinze minutos, o pessoal ouvia o sindicalista, recebia um gibizinho de duas páginas desenhado por Henfil ou Laerte e em seguida as máquinas voltavam a rodar. Não eram greves nem interrupções de expedientes inteiros, mas só pregação sobre salários, condições de trabalho e direitos que as empresas se recusavam a cumprir. A palavra de ordem "Lugar de diretor não é no sindicato, mas na fábrica" virou um refrão.

Desde as célebres greves de 1968 em Contagem, em Minas Gerais, e em Osasco, em São Paulo (esta liderada pelo jovem metalúrgico de vinte anos José Ibrahim, ligado à clandestina organização armada VPR — Vanguarda Popular Revolucionária —, quando foram presos mais de quatrocentos trabalhadores), as agitações nas portas das fábricas tinham praticamente desaparecido.

Lula se lembra de ter liderado seu primeiro piquete em 1978, na Resil, uma fábrica de autopeças de Diadema onde só trabalhavam mulheres. Umas quinhentas, aproximadamente. Confiantes em que elas não tinham experiência nem teriam coragem para enfrentar os patrões — muitas eram meninas de pouco mais de dezesseis anos —, os donos da Resil achatavam salários e descumpriam obrigações trabalhistas sem medo de reações. Convocada a greve, o sindicato, para estimular as adesões, raspava o que havia no caixa servindo no salão de reuniões caixas e caixas de lanches — a ausência de uma cantina ou um bom restaurante na fábrica era uma das queixas das operárias.

Aproveitando a crise de desemprego que se alastrava pelo ABC, a metalúrgica aplicou o que imaginava ser o golpe de mestre: anunciou em toda a região que estava contratando mulheres para substituírem as grevistas, com salários ainda mais reduzidos do que pagava antes. Ao perceber a tramoia montada pela Resil, Lula convocou uma assembleia propondo que se impedissem as novas contratadas de ocupar, a salário vil, as centenas de vagas de grevistas que tinham conseguido parar a produção. Para evitar a palavra "piquete", que era associada a conflitos com os patrões, ele sugeriu que as grevistas fizessem uma "corrente pra frente" a favor do trabalho digno e do salário justo. Na véspera da ação, um grupo rastreou o terreno da fábrica e identificou os pontos por onde as pessoas entravam e saíam. Às cinco horas da madrugada seguinte todos os locais de acesso estavam preenchidos por centenas de trabalhadoras — não de pé, ou em atitude agressiva, mas sentadas no chão, de braço dado, formando uma corrente humana. Às seis e meia da manhã apareceram as viaturas pintadas de preto e branco do Dops. Um tira armado já chegou avisando:

— Podem se levantar e abrir a passagem, senão vamos chamar o Batalhão de Choque da Polícia Militar.

Para espanto geral, principalmente da polícia, elas não se intimidaram. Sem sair do lugar, uma garota respondeu:

— Pode chamar pelotão de choque, o pelotão do que você quiser, daqui a gente não vai sair.

Algumas faziam charme para os policiais, dizendo coisas como "Puxa, você é um cara tão simpático, vai ter coragem de agredir a gente?". Lula identificou entre as mais enérgicas uma ativista da Convergência Socialista — um dos muitos grupos trotskistas que atuavam no ABC — e pediu a ela que caísse fora da "corrente humana":

— Some daqui que você só vai atrapalhar. Se a polícia te pega, vão dizer que é a Convergência que está fazendo a greve.

Às sete horas um carro particular tentou furar a corrente. As mulheres não saíram do lugar, e o passageiro avisou:

— Sou o dono da fábrica, tenho que entrar.

Uma das trabalhadoras o enfrentou:

— Hoje não entra nem o dono. Ou dá o que queremos ou não entra nem o dono.

Depois de muita confusão, bate-boca e chutes no automóvel, o homem percebeu que o melhor era negociar. Lula e Djalma Bom entraram, permaneceram algumas horas dentro da fábrica e só saíram de lá com uma proposta de negociação — precedida da ordem de pagamento do salário de todas as trabalhadoras, que já estava atrasado fazia algumas semanas.

Não era apenas a profusão de greves e paralisações que amargava o fígado da ditadura naquele ano de 1978. Desde 1975 se multiplicavam pelo país os comitês de defesa da anistia. Criado pela assistente social Teresinha Zerbini — casada com o general Euriale de Jesus Zerbini, cassado pelo golpe de 1964 —, o movimento adquiriu força durante as eleições municipais de 1976. Em 1978 o CBA (Comitê Brasileiro pela Anistia), na época presidido pelo jovem advogado de presos políticos Luiz Eduardo Greenhalgh, tinha sedes em dezenas de capitais do país e em grandes cidades do exterior onde se exilavam brasileiros perseguidos pelo regime, atuava em sindicatos e no movimento estudantil, e chegou ao clímax, para iracúndia da ditadura — muito especialmente do general Geisel —, quando ganhou como madrinha informal a primeira-dama dos Estados Unidos, Rosalynn Carter, casada com o presidente democrata Jimmy Carter. Os raros representantes do governo

O Movimento pela Anistia, que arrebataria o Brasil, juntando todas as tendências que lutavam contra o fim da ditadura militar, começou modestamente, como uma iniciativa apenas das mulheres.

A primeira e mais expressiva liderança pela Anistia foi a paulista Teresinha de Jesus Zerbini, uma suave e ativa assistente social. Ela própria tinha vivido em casa as perseguições do regime: seu marido, o general Euriale de Jesus Zerbini, havia sido um dos militares cassados pela ditadura.

Antes de surgir o novo sindicalismo do ABC, em 1968 os operários de Osasco afrontaram os militares e organizaram a primeira greve desde o golpe, paralisando a gigante Cobrasma. A Polícia Militar reprimiu o movimento com violência e prendeu quatrocentos trabalhadores.

"Detesto política e quem gosta de política" era uma fase do passado. Em 1978 Lula se ofereceu espontaneamente para fazer no ABC a campanha de Fernando Henrique Cardoso para senador. Quase duas décadas depois eles se enfrentariam duas vezes na disputa pela Presidência da República, ambas vencidas por FHC.

que aceitavam tratar do assunto eram objetivos: na remota hipótese de se aprovar alguma anistia, ela só permitiria que retornassem ao Brasil os "subversivos" que viviam no exílio ou que aqui cumpriam pena. Punição a agentes do governo, a torturadores e acusados de violência contra presos políticos, nem pensar.

Sobrevivia ainda um doloroso calo no coturno dos militares: em novembro de 1978 haveria eleições para governadores, senadores, deputados federais e estaduais. Os governadores seriam escolhidos indiretamente, pelas assembleias estaduais (na maioria das quais predominavam membros ligados ao regime), e de cada três senadores um não seria eleito, mas indicado pelo presidente da República. Eram os "senadores biônicos" — mutreta que fazia parte do "Pacote de Abril", de 1977, composto de emendas que o general Geisel embutiu na Constituição de 1967 para se prevenir de sovas eleitorais como as que humilharam a ditadura nos anos de 1974 e 1976.

Os resultados finais do pleito de novembro de 1978 — na época não havia urnas eletrônicas, e os votos eram registrados e contabilizados a caneta, um por um — não permitiam afirmar que a ditadura militar tinha chegado ao fim. Mas seguramente achava-se nos estertores. O exemplo mais visível de que o regime se desmilinguia estava em São Paulo. No mais importante e populoso estado do país, o regime militar conseguiu o prodígio de ser derrotado até na escolha do governador, eleito indiretamente por deputados estaduais do partido oficial, a Arena, dona de franca maioria sobre o esquálido MDB, oposição consentida. Embora o candidato da ditadura fosse o banqueiro Laudo Natel, ex-governador e ex-vice-governador do estado, o vencedor foi o milionário Paulo Maluf, ex-presidente da Caixa Econômica Federal de São Paulo e ex-prefeito da capital paulista, cargos para os quais não dependera de um solitário voto popular.

O favorito para a única vaga disponível para o Senado, e efetivamente reeleito, era o austero André Franco Montoro, que iniciara a carreira política em 1950, como vereador à Câmara Municipal paulistana (na mesma legislatura que elegera Jânio Quadros). Democrata-cristão histórico, foi deputado estadual em 1954 e três vezes deputado federal (em 1958, 1962 e 1966). Durante o breve período parlamentarista do Brasil, foi ministro do Trabalho e Previdência Social no gabinete do primeiro-ministro Tancredo Neves (de 8 de setembro de 1961 a 12 de julho de 1962). Ingressou no MDB logo após o golpe militar de 1964. Seu principal adversário nas eleições de 1978 era o respeitado advogado, reitor da Universidade Mackenzie e professor universitário Cláudio Lembo. A trajetória e a integridade política de Lembo pareciam fazer dele um peixe fora d'água na presidência paulista do partido que defendia a odiosa ditadura militar.

Mas era sobre o terceiro candidato ao Senado que se voltavam os olhos dos formadores de opinião. Uma geringonça jurídica inventada pela ditadura, intitulada "sublegenda", permitia que até três candidatos de um mesmo partido disputassem uma só vaga para o Senado. O vencedor assumiria o posto, e o segundo colocado no partido passaria automaticamente à suplência do ganhador. Um mondrongo político que instituía a esdrúxula figura do subsenador, ou vice-senador. Para atender ao eleitorado de esquerda, o MDB montou na garupa da sublegenda e lançou, além da candidatura de Montoro, o prestigiado cientista social Fernando Henrique Cardoso, professor da Sorbonne afastado compulsoriamente da USP pela ditadura. Embora tão virgem em disputas eleitorais quanto Lembo, o respeitado e charmoso acadêmico foi um dos criadores, junto com outros intelectuais perseguidos pelo regime militar, do Cebrap, um *think tank* que reunia reconhecidos acadêmicos progressistas das mais diversas correntes, muitos deles remanescentes de um jovem grupo de leitura coletiva da obra *O capital*, de Karl Marx, no final dos anos 1950. Alvo de organizações de extrema direita (em setembro de 1976 o Cebrap fora atingido por uma bomba atirada pela AAB — Aliança Anticomunista Brasileira), Cardoso preferia, para evitar novas encrencas, manter prudente distância dos envolvidos com a guerrilha. Segundo depoimento que deu à *Folha*, FHC, como ficou conhecido, recebeu com uma só indagação o jovem economista mineiro Vinicius Caldeira Brant, que saíra da prisão e procurava trabalho:

— Eu disse: olha, arranjo alguma coisa para você, mas só tenho

uma pergunta: "Você está ligado a alguma organização armada?".
Porque se estivesse, não tinha como, iam estourar o Cebrap.

A pré-candidatura de FHC à sublegenda do MDB provocou muxoxos no seio do partido. Primeiro pela absoluta falta de traquejo para a atividade, o que ele próprio reconheceria em seu livro de memórias:

> No início, minha campanha foi uma comédia de erros. Meus primeiros discursos literalmente fizeram o público dormir, pois eu parecia um professor de sociologia dando aula. Como vivera na Europa, era visto como um intelectual esnobe e desligado da realidade brasileira. O fato de eu citar autores franceses e ingleses nos meus discursos não ajudava. Numa etapa particularmente desastrosa da campanha, ao ser perguntado sobre o que achava do movimento dos sem-terra no Brasil, respondi com uma aula sobre a distribuição de terras na Inglaterra do século XVI.

E permanecia ainda um indisfarçável mal-estar com Montoro. Com planos de vir a ser candidato a governador do estado — e, por que não?, presidente da República — quando a ditadura chegasse ao fim, ele alimentava o projeto de ser sozinho o candidato à reeleição, circunstância em que acumularia uma montanha de votos provavelmente jamais vista nas eleições estaduais. Mas a esquerda do MDB fincou pé e a chapa acabou com Montoro na cabeça e FHC na sublegenda. O grande sucesso da campanha de Cardoso foi a paródia feita por Chico Buarque da marchinha "Acorda, Maria Bonita", de autoria do cangaceiro Volta Seca e regravada por Ari Cordovil. Os comícios e passeatas de Fernando Henrique eram abertos e encerrados com o popular e provocador versinho:

> *A gente não quer mais cacique*
> *A gente não quer mais feitor*
> *A gente agora tá no pique*
> *Fernando Henrique pra senador*

LULA COMEÇA A PREPARAR O CAMINHO PARA CRIAR O PT | 319

Quando as pesquisas de opinião pública começaram a revelar que Cardoso não teria chances de vencer as eleições — FHC terminou em segundo lugar, à frente de Cláudio Lembo, da Arena —, os montoristas se vingaram com bom humor e compuseram outra paródia da mesma marchinha:

A gente não tem mais cacife
A gente não tem mais reitor
A gente agora foi a pique
Fernando Henrique é só professor

A novidade política da campanha de Fernando Henrique, no entanto, não era o jingle de Chico Buarque nem a colorida e ruidosa claque de cabos eleitorais VIPs, como Bruna Lombardi, Eva Wilma, Carlos Zara e Gianfrancesco Guarnieri, que sujavam os sapatos de lama quando o acompanhavam nos palanques e atos públicos. A surpresa foi FHC aparecer fazendo panfletagem eleitoral nas portas das fábricas do ABC guiado pelo mesmo bigodudo que meses antes esconjurava publicamente a política e os políticos: "Não gosto de política, não gosto de político e não gosto de quem gosta de política". Isso mesmo. Era Lula, o dono do vozeirão que escorraçara candidatos que tentavam fisgar um votinho nas massas que ele atraía para as portas de fábricas e piquetes no ABC. São inúmeras as versões para essa "aliança histórica" de 1978, quase todas muito contraditórias, e só emergiriam depois de abertas as urnas daquelas eleições. Os dois, Lula e Cardoso, tinham sido apresentados pelo sociólogo pernambucano Francisco "Chico" de Oliveira, um dos colaboradores de FHC no Cebrap.

Os resultados foram os esperados. Excluído o senador biônico (o desconhecido advogado Antônio Osvaldo do Amaral Furlan), as urnas revelaram que os militares tinham levado aquilo que os nordestinos chamam de "surra de rabo de tatu". Montoro foi eleito com 64% dos votos (contra 18% dados a Fernando Henrique e 17% a Cláudio Lembo). Ligado à direita mais fisiológica de São Paulo, Maluf esmagou o candidato dos militares, Laudo Natel. Nas eleições parlamentares a lavada não seria diferente. Das 55 cadeiras a que São Paulo tinha direito na Câmara Federal, a Arena só conseguiu eleger dezoito deputados, contra 37 do MDB. A distribuição das vagas na Assembleia Legislativa estadual foi ainda mais humilhante para o regime, que emplacou apenas 26 deputados, menos da metade dos 53 eleitos pelo MDB.

14

Enquanto Lula enfrenta a polícia e o patronato no ABC, Brizola tenta ressuscitar o PTB e leva uma rasteira de Golbery.

O Brasil de 1979 não começou no dia 1º de janeiro, como determina o calendário gregoriano, mas dois meses e meio depois. No dia 15 de março, o rubicundo general Ernesto Geisel deixou a Presidência da República e mudou-se com a mulher e a filha para o Recanto dos Cinamomos, em Teresópolis. Belo, elegante e premiado, o Palácio da Alvorada não era a residência oficial dos sonhos de alguns presidentes. Geisel reclamava que o cheiro de gordura da cozinha se espalhava pela casa. Michel Temer, o breve, passou com a família apenas sete dias no palácio.

— Eu não conseguia dormir no Alvorada, desde a primeira noite — revelou o sucessor de Dilma Rousseff. — A energia não era boa.

Na noite do mesmo 15 de março os novos inquilinos da Presidência, o general João Batista de Oliveira Figueiredo e sua mulher, a saliente dona Dulce, preferiram instalar-se na Granja do Torto. Maluf empurrou o tristonho Laudo Natel de volta para seu gabinete no Bradesco, em Osasco. Na Câmara Federal faltaram modestos 5% para que o MDB fizesse a maioria, apesar disso o partido atulhou a Casa com os chamados "autênticos" — nome dado pela imprensa aos parlamentares que não aceitavam a condição de oposição consentida pelos militares.

Sob uma chuva fina, no fim da tarde de sábado, dia 10 de março, a novecentos quilômetros de Brasília, alheios à agitação política que fazia ferver os lobbies dos hotéis da capital da República, metalúrgicos liderados por Lula haviam erguido as mãos no pátio do sindicato de São Bernardo e aprovado em primeira votação a decisão de parar o parque industrial responsável por 10% da riqueza brasileira. Os 20% de diferença que punham trabalhadores de um lado e patrões do outro pareciam insignificantes para tanta encrenca. A proposta dos patrões era de 57% de aumento. Os sindicalistas exigiam 78%. De longe pode-se achar que era muita briga por pouco dinheiro, mas para ter, à distância, alguma noção do que significavam esses números, é importante lembrar que os dados divulgados pelo IPEA mostravam que naquele ano o coeficiente de Gini brasileiro — o medidor de desigualdade de renda entre as classes sociais — era de 0,593. Já que os metalúrgicos se preparavam "para um clima de guerra", como anunciara Lula, o mais prudente era submeter a decisão a um número maior de associados. Ele convocou mais uma assembleia, durante a madrugada, e uma terceira, marcada para a manhã de domingo.

A surpreendente quantidade de gente que compareceu à assembleia de domingo era tão grande que o sindicato teve que pedir emprestado ao prefeito de São Bernardo, Tito Costa, sereno advogado da ala progressista do MDB, o estádio municipal Marechal Costa e Silva, conhecido apenas como "Vila Euclides", com capacidade para receber, nas arquibancadas e no gramado, algo em torno de 60 mil pessoas. Pedir um espaço com 60 mil lugares para reunir grevistas, em março de 1979, parecia coisa de doidos, ou de sindicalistas muito presunçosos.

Ao chegar à assembleia do Vila Euclides, descabelado e com os olhos vermelhos de insônia, Lula lembrou de um presságio que tivera na tarde de 19 de novembro de 1978, um sábado, quando juntou os amigos Devanir, "Janjão" e "Alemão" para ver, no estádio do Morumbi, o jogo do Corinthians, seu time do coração, contra o Guarani, de Campinas. Foi um dia de sorte: o time de Lula venceu o Guarani por 3 a 2, com o gol de abertura feito pelo maior craque do clube, o médico magrelo e esguio Sócrates Brasileiro Sampaio de Souza Vieira de Oliveira, o "Doutor", ele também um ferrenho adversário dos militares. Ao dar com os olhos naquele mar de gente — o Morumbi tem capacidade para mais de 60 mil pessoas —, Lula exclamou para o amigo mineiro que ia a seu lado, sindicalista como ele:

LULA ENFRENTA A POLÍCIA E O PATRONATO NO ABC | 323

— Puta merda, Alemão! No dia em que fizermos uma assembleia com metade dessa gentarada, viramos o Brasil de ponta-cabeça.

E foi exatamente o que o torneiro mecânico vislumbrou ao pisar no Vila Euclides, na manhã daquele domingo de março: o gramado, as arquibancadas, as árvores, postes, muros e ruas laterais estavam socados de gente para ouvi-lo. Trinta mil, 40 mil pessoas? Cada um calculava a seu gosto. Nem Lula nem seus companheiros de sindicato esperavam tanta gente. Não havia palanque, lona de guarda-sol, não havia segurança, não havia um modesto megafone ou caixa de som que fizesse sua voz rouca alcançar aquela multidão. Foi tudo improvisado. Palanque era fácil arrumar: o pessoal do sindicato arrastou para o meio do gramado quatro mesas de plástico, dessas comuns nos botequins de todo o Brasil. Mas para que Lula pudesse ser ouvido sem equipamento de som, a improvisação teve que ser primitiva: cada frase que ele gritava era repetida pelo grupo mais próximo, que a repetia para outro e para outro, em círculos, até que sua voz, em eco, na segunda, terceira ou quarta repetição, chegasse às beiras do Vila Euclides:

— Companheiras e companheiros...

— "Companheiras e companheiros..."

— Estamos aqui para decidir se vamos ou não enfrentar os patrões...

— "Estamos aqui para decidir se vamos ou não enfrentar os patrões..."

— De novo eles estão querendo comer um naco do nosso salário, mas desta vez vamos assumir essa porra já! Patrão não aguenta quinze dias de greve!

— "De novo eles estão querendo comer um naco do nosso salário, mas desta vez vamos assumir essa porra já! Patrão não aguenta quinze dias de greve!"

A arenga continuou até que a multidão, com as mãos erguidas, milhares de mãos de homens e mulheres, mãos brancas, pretas, pardas, amarelas, se levantaram e aprovaram por aclamação que à zero hora da terça-feira seguinte, antevéspera da posse dos engravatados, o ABC ia parar. Ia mesmo? Lula conta que às onze e meia da noite, na sede do sindicato, estava todo mundo "com o cu na mão" quando começou a contagem regressiva, "que parecia criança esperando Papai Noel na noite de Natal" mas lembrava também os lançamentos de foguetes espaciais. Pontualmente à meia-noite apareceu o primeiro informante:

— A Schuler parou!

Aí veio outro:

— A Perkins parou!

Em seguida chegou a grande notícia:

— A Volks parou!

Até a Volks, invicta por nunca ter sido integralmente paralisada em toda a sua história, fora obrigada a desligar as máquinas.

— A Mercedes-Benz parou!

— Parou a Ford!

— Parou a Metagal!

— Parou a Brastemp!

Lula lembra que cada turma que aderia desligava as máquinas e ia direto para o sindicato:

— Era multidão chegando a noite inteira. A gente fez assembleia da meia-noite ao meio-dia da segunda-feira. O pessoal chegava, enchia o salão do sindicato, fazia assembleia. Liberava uma turma, entrava outra. O sindicato passou a noite entupido.

Aí desembestou. A paralisação se estendeu por várias cidades fabris do estado, agora apoiada por artistas e intelectuais e pelas discretas e poderosas CEBS (Comunidades Eclesiais de Base). A massa dos metalúrgicos em São Bernardo contaminou aos poucos os demais centros industriais, como o Vale do Paraíba e a região que vai de Campinas até a Alta Araraquarense. Já se falava em centenas de milhares de grevistas no estado.

A decisão de decretar uma greve naquele começo de ano tinha diversos ingredientes. Tanto o governo que saía quanto o que se empossava falavam em abertura, e não em repressão. O sucesso do pipocar das minigreves ou greves-relâmpago de 1978 era um estímulo para que o movimento continuasse avançando. A segunda crise do petróleo, detonada com a agitação política iraniana que derrubaria o xá Reza Pahlevi, estremeceria de novo a economia internacional. Entre 1978 e 1979 a inflação brasileira saltara de 40,8% para 77,2%. A dívida externa, que em 1977 mal passava dos us$ 32 bilhões, pulou para us$ 43,5 bilhões em 1978 e roçaria us$ 50 bilhões no final de 1979. No plano político interno, a sucessão de derrotas eleitorais da Arena certamente levaria a ditadura a pensar duas vezes antes de partir para o pau contra sindicatos que já não mobilizavam apenas centenas, mas milhares e milhares de operários. O ano parecia começar animado para os trabalhadores. Mas era só aparência.

Para garantir a segurança política e pessoal dos metalúrgicos, um pequeno grupo de políticos, intelectuais e religiosos fazia um rodízio irregular nos sindicatos, em São Bernardo e adjacências. Supunha-se que a presença física dos parlamentares inibisse excessos das forças da repressão — ou pelo menos testemunhasse casos de violência contra Lula e seus companheiros. Além dos paletós e gravatas, que nem todos usavam, pretendiam exibir alguma autoridade com seus carros oficiais, de chapa preta e com insígnia da Assembleia de São Paulo. Na quinta-feira, dia 22, os plantonistas eram o professor Fernando Henrique Cardoso, já então investido de sua condição de suplente do senador Montoro, os deputados Antônio Rezk, da base do Partido Comunista, Geraldo Siqueira, o "Geraldinho", do MDB, e o autor deste livro.

O grupo jantava na "Rota do Frango", uma fileira de restaurantes grudados uns nos outros, na avenida Maria Servidei Demarchi, todos especializados no mesmo prato, frango acompanhado de tiras de polenta frita, cardápio que costuma atrair centenas de turistas ao ABC. O assunto, claro, era política. Cada um deu seu palpite, e a maioria se preocupava com o que poderia acontecer nos dias seguintes. Quem não compartilhava o pessimismo da mesa era o professor Fernando Henrique — quase sempre elegante em seus paletós de tweed com cotovelos revestidos de camurça. Apesar da sua pequena experiência na rotina política brasileira, a aliança nas eleições de 1978 o aproximara muito dos metalúrgicos, especialmente de Lula, que tinha por ele declarado respeito.

Em seu livro de memórias, *O improvável presidente do Brasil*, FHC publica uma versão em que confunde dois momentos diferentes, alguns ocorridos em 1979 e outros em 1980. Além de excluir do encontro daquela noite dois dos convivas (Siqueira e Rezk), o ex-presidente deixa de registrar sua própria opinião. Conforme o testemunho dos demais, Lula inclusive, FHC tranquilizou a todos, desenvolvendo uma análise da conjuntura política segundo a qual Figueiredo, em plena lua de mel com a Presidência e a abertura política, não se arriscaria a enfrentar os metalúrgicos do ABC. Podíamos todos tranquilizar-nos, recomendava, encerrar o jantar e voltar cada um para sua casa — coisa que foi o primeiro a fazer. Contraditório, no mesmo parágrafo Fernando Henrique afirma:

> Pelo rádio, ouvimos que os militares se tinham valido de seus poderes para intervir no sindicato e expulsar Lula do comando. Pouco depois, ele seria jogado na prisão. Os militares provavelmente não pretendiam trancafiar Lula por muito tempo. As autoridades queriam apenas assustá-lo e depois libertá-lo. Mas a tragédia não leva em conta intenções desajeitadas; enquanto Lula ainda estava na prisão, sua mãe faleceu. Ele foi autorizado a comparecer ao funeral, acompanhado de escolta policial. Eu também estive presente, juntamente com vários de nossos amigos e companheiros. Lula foi mantido à distância de nós, cercado de policiais, e parecia terrivelmente abatido. Era como se fosse aquela tragédia a mais, aquela que transbordou a quota pessoal de tragédias de Lula e superou todas as demais. Ele nem conseguia chorar.

Fernando Henrique retornou a São Paulo. Lula voltou para o plantão no sindicato, acompanhado apenas dos três deputados que tinham dividido com ele e Cardoso o frango com polenta. Jogaram algumas partidas de buraco e molharam o bico num garrafão de cachaça com cambuci. A agitação era grande. No meio da noite, ao contrário da

Greve de 1979. Sem palco e com o som cortado pela polícia, Lula improvisa um palanque com mesas de plástico e faz o discurso frase por frase, que eram repetidas pelos mais próximos e retransmitidas pelo povaréu até chegar às beiras entupidas de gente no estádio de Vila Euclides.

Março de 1979. Lula fala no salão principal do Sindicato dos Metalúrgicos. Os patrões, a Justiça do Trabalho e o governo se juntaram, a greve foi reprimida com violência e os salários dos ausentes foram cortados. Os trabalhadores perderam a batalha, mas se prepararam: no ano seguinte ia ter guerra.

avaliação política de FHC, a tropa de choque da PM abriu caminho a golpes de cassetete para que interventores federais nomeados por Murilo Macedo, ministro do Trabalho, assumissem a direção dos sindicatos: Guaraci Horta (em São Bernardo), Alfredo Garcez (em Santo André) e Antônio Donato (em São Caetano do Sul), todos funcionários do seu ministério. Com a resistência dos sindicalistas, os interventores só conseguiram ser formalmente empossados, após muita pancadaria, às onze horas da manhã seguinte. Lula, diferentemente do que escreveu FHC, não chegou a ser preso naquela ocasião e a mãe dele, dona Lindu, só viria a falecer em maio de 1980.

Convertido em habilidoso negociador, ao mesmo tempo que sustentava a greve Lula tentava negociar com os patrões sem abrir mão das exigências — e sem que a Delegacia Regional do Trabalho metesse o bedelho nos encontros. Enquanto administrava as assembleias, buscava simultaneamente articular com os patrões uma saída que dispensasse a intermediação da Justiça do Trabalho, segundo depoimento que Lula concedeu ao ex-preso político Altino Dantas:

— A primeira proposta que recusamos, de 60%, foi feita na chácara do Murilo Macedo, em Atibaia. Não batemos o martelo, mas dissemos que talvez a assembleia concordasse com ela.

A perspectiva de acordo animou Murilo Macedo, que chamou Teobaldo de Nigris, presidente da Fiesp, Alberto Villares, um dos patrões de Lula, e mais alguns componentes do Grupo 14, entre os quais o moderado Paulo Francini. Ainda segundo o depoimento concedido a Dantas, o líder metalúrgico tinha clareza de que só podia encerrar as negociações com o aval da peãozada:

— Eu pensei: a única forma de escapar disso aqui é falar que eu tenho uma assembleia e cair fora. Deixei o nosso advogado para assinar o acordo. Os patrões comemoravam, estouraram champanhe, cantaram parabéns. O Murilo Macedo telefonou para o Simonsen e pro Figueiredo para festejar. Ao chegar a Brasília, o Murilo ouviu no rádio: "A assembleia de São Bernardo do Campo acaba de decidir que não aceita o acordo, que nem chegou a ser assinado".

A despeito da decretação da intervenção e do afastamento dos diretores, a greve prosseguia. Lula brincava, afirmando que era o único sindicalista cassado que continuava exercendo suas atividades normalmente. A pedido dele, o bispo Cláudio Hummes autorizou o uso da casa paroquial da matriz de São Bernardo do Campo, onde os grevistas passaram a se reunir. E foi dali que Lula convocou uma assembleia no Vila Euclides, quando compareceram entre 60 mil e 70 mil metalúrgicos. Fazia poucos dias que o sindicato estava sob intervenção e não havia o que negociar, já que nenhuma das partes abria mão de suas propostas. Até Alemãozinho e Djalma, estrelas do movimento, foram silenciados pelas vaias da multidão. O respeitado advogado do sindicato, Maurício Soares, nem sequer conseguiu usar a palavra. Foi quando Lula teve o estalo que pelo menos ajudava a adiar a decisão final: propôs à assembleia que fosse concedido a ele um crédito de confiança e uma trégua de 45 dias, após os quais, sem interromper a agitação, os operários voltariam ao trabalho:

— Que ninguém, nunca mais, ouse duvidar da capacidade de luta dos trabalhadores.

A trégua foi aceita e, ao longo dela, a direção destituída do sindicato continuou mobilizando a categoria em reuniões na matriz, nos bairros e nas portas de fábricas. No Primeiro de Maio, uma multidão compareceu a um ato pelo Dia do Trabalho no estádio de Vila Euclides. Até a Polícia Militar, normalmente avarenta nessas contagens, calculou que havia cerca de 150 mil pessoas ocupando e cercando o estádio municipal. No dia 7, uma segunda-feira, 5 mil pessoas encheram o Pavilhão Vera Cruz para assistir ao show musical dirigido por Mário Masetti, do Sindicato dos Artistas, no qual se apresentaram, entre outros, Elis Regina, João Bosco, Belchior, Gonzaguinha, Jards Macalé, Beth Carvalho, Dominguinhos e Fagner. A renda somou Cr$ 500 mil (cerca de R$ 55 mil em 2021), dinheiro destinado a financiar o fundo de greve. A cereja do bolo foi a interpretação de Djalma Bom, diretor do sindicato, que, apresentado por Lula, entoou, a capela, a romântica e popular "Rosa", de Pixinguinha:

Tu és divina e graciosa
Estátua majestosa do amor
Por Deus esculturada
E formada com ardor

A greve chegou ao fim no dia 12 de maio, vigésimo aniversário da fundação do sindicato de São Bernardo e Diadema. No dia seguinte, 60 mil trabalhadores no Vila Euclides, 3 mil em Santo André e apenas quinhentos em São Caetano referendaram o tratado de paz assinado entre as diretorias afastadas dos três sindicatos e o Grupo 14 da Fiesp. O acordo aprovado pelos metalúrgicos estipulava 63% para quem recebia de um a três salários mínimos. Para quem não tivera aumento em 1978, os índices seriam de 63% para a faixa de até três mínimos, e de 57% para quem ganhava entre três e seis. A intervenção foi suspensa e as diretorias eleitas reassumiram os sindicatos no dia 18 de maio. Os inimigos de Lula espalhavam pelas fábricas que ele tinha vendido a categoria por 3%. Sim, 63% era quase nada perto dos 78% com que sonhavam os agitadores mais ativos, mas o movimento de março consolidou a organização e a independência do movimento. Não havia sido uma vitória espetacular, mas ninguém saiu da greve com o rabo entre as pernas.

Sem derrotados nem vencedores, a agitação política prosseguia. Continuavam se reunindo e conspirando não só os sindicalistas do ABC, naturalmente, mas de várias regiões do Brasil. Os problemas salariais, o "novo sindicalismo" ou "sindicalismo autêntico" e a liberdade de organização e expressão dos trabalhadores eram formalmente o centro das discussões do encontro. Mas paralelamente a eles discutiam-se três temas que tomariam conta do Brasil e do movimento sindical nos meses seguintes: a decretação da anistia aos punidos pela ditadura, a proposta de criação de uma central de trabalhadores e a questão que já pipocava por todos os cantos do país: a reformulação partidária, inevitável quando a ditadura chegasse ao fim e, dentro dela, a criação de um partido dos trabalhadores.

Embora as rigorosas leis militares só permitissem o registro e a existência de dois partidos políticos — o formalmente oposicionista MDB

(Movimento Democrático Brasileiro), e a Arena (Aliança Renovadora Nacional), que apoiava a ditadura —, na vida real as coisas eram um pouco diferentes. O MDB se convertera, aos poucos, num enorme guarda--chuva político sob o qual se protegiam pelo menos três organizações comunistas: o velho PCB (Partido Comunista Brasileiro), criado em 1922, dirigido por Luís Carlos Prestes e fidelíssimo seguidor das orientações políticas soviéticas; o PCdoB (Partido Comunista do Brasil), dissidência nascida do PCB em 1958, após o chamado "Relatório Khruschóv", com passagens pelo maoismo e que, nos anos 1970, aderiu ao albanismo e a seu líder, Enver Hoxha. Ainda entre as tendências marxistas acolhidas pelo MDB encontrava-se o MR-8 (Movimento Revolucionário 8 de Outubro, data do assassinato de Che Guevara), organização armada rompida em 1964 com o PCB e conhecida originalmente como DI-GB.

Salvo uma ou outra exceção, mesmo somados os comunistas não exerciam influência alguma nas decisões do MDB, uma fauna política que juntava profissionais liberais, empresários, industriais, acadêmicos das mais variadas correntes, políticos profissionais dedicados apenas ao fisiologismo e, com frequência, podiam-se ver lado a lado nomes que, antes da ditadura, eram desafetos incapazes de trocar um cumprimento. O bom humor dos cariocas afirmava que no Rio de Janeiro o MDB conseguira juntar na mesma bancada "os cetáceos da UDN" e os "paquidermes do PSD", partidos que se engalfinharam ao longo do mandarinato de Getúlio Vargas.

O figurino do partido que Lula e seus companheiros sonhavam criar não se encaixava em nenhuma das correntes, frações ou tendências que o MDB abrigava. Várias alternativas de denominações passaram pela cabeça de inúmeros sindicalistas. De um dos nomes sugeridos — Partido da Classe Trabalhadora — Lula pode até não se lembrar, mas a data jamais seria esquecida por ele: 15 de julho de 1978, dia em que foi interrompido num congresso de que participava por um telefonema de São Bernardo do Campo avisando que acabara de nascer Sandro Luis, seu segundo filho com Marisa. O relato do encontro foi feito pelo próprio Lula, num longo e inédito depoimento concedido a Frei Betto, dez anos depois:

— Foi naquele congresso dos petroleiros, no Hotel Bahia, em Salvador, que surgiu a ideia de formação de uma frente para enfrentar a ditadura militar.

Entre as ilustres figuras que participavam do encontro podiam-se identificar duas estrelas da política nacional, ambas comprometidas com a criação de uma frente nos moldes daquela a que Lula se referia. Tratava-se de Almino Afonso, ministro de Jango cassado em 1964, e o suplente de senador Fernando Henrique Cardoso. Mas aparentemente o partido que eles e Lula queriam montar não era o mesmo.

— Dei uma entrevista dizendo que a tal frente era ampla demais para o nosso gosto — esclareceu Lula. — Eu defendia que era preciso criar não uma frente, mas um partido da classe trabalhadora. A primeira ideia nasceu aí, nesse congresso, no dia 15 de julho de 78.

E foi também nesse dia que Lula percebeu que a ideia de um novo partido — que, naturalmente, só viria a existir após a mudança na legislação bipartidária — despertava o apetite de grupos já organizados politicamente, como ele próprio revelou:

— Nós tínhamos planos de rodar um jornalzinho para falar do projeto de um partido só de trabalhadores, mas aí veio o pessoal da Convergência, tentou atropelar e produzir o jornal.

Mas não eram apenas os trotskistas da Convergência Socialista que passaram a gravitar em torno do movimento nascido nas greves do ABC. Embora o presidente Figueiredo só viesse a assinar no dia 27 de junho de 1979 o projeto de anistia — que não puniu nenhum torturador nem criminoso a serviço da ditadura —, muitos exilados regressaram ao país discretamente, sem grandes alardes. Outros retornaram publicamente, sem fazer segredo de sua volta. Almino Afonso, por exemplo, desembarcou no aeroporto de Congonhas em agosto de 1976, três anos antes da validade oficial da anistia. Apesar de seu nome constar no primeiro listão dos cassados de 1964 — ou seja, tratava-se de um peixe grande —, Almino foi recebido por advogados, amigos e correligionários, passou algumas horas detido numa dependência do próprio aeroporto, foi interrogado pessoalmente pelo diretor do

Dops, Romeu Tuma, e em seguida posto em liberdade. Mas havia também adversários do regime cujo retorno clandestino poderia ser considerado uma verdadeira insolência.

Entre estes estava um dos inimigos jurados dos militares, o jornalista Franklin Martins, um dos autores do sequestro do embaixador norte-americano no Brasil, Charles Burke Elbrick, ocorrido em setembro de 1969. Franklin entrou clandestinamente no Brasil em 1976, para participar do congresso do MR-8, organização de que era dirigente, e ficou no país durante três meses sem ser importunado pela polícia — embora tivesse contra si a indisfarçável característica física de medir 2,05 metros de altura. No fim do congresso embarcou para a Europa e, não satisfeito, regressou ao Brasil em março de 1977, aqui permanecendo, ileso, até a aprovação da anistia, dois anos depois.

Outro perseguido ilustre a retornar ao país antes da decretação da anistia foi o antropólogo Darcy Ribeiro, reconhecido unanimemente como um dos mais qualificados intelectuais brasileiros. Com atividade na Universidade de San Marcos, no Peru, a mais antiga das Américas, Darcy descobriu, em dezembro de 1974, que tinha sido vitimado por um incurável câncer pulmonar. Seus influentes amigos brasileiros apelaram ao presidente Ernesto Geisel para que Darcy realizasse o último desejo, o de morrer no Brasil. Operado no Rio de Janeiro, ele debelou o tumor e em seis meses estava curado. Dono de humor cáustico, repetia, sorridente:

— Como eu me recusei a morrer, a ditadura me despachou de volta para Lima.

Em 1976 Darcy retornou definitivamente ao Brasil, fixando-se no Rio de Janeiro. Faleceu em Brasília em 1997.

A verdade é que, mesmo autoritária, a anistia dava fim à diáspora que dispersara pelo planeta milhares de brasileiros — os números, muito vagos, falam de uma multidão próxima de 10 mil pessoas, entre adultos e crianças. E a perspectiva da volta fez renascer em muitos deles o sonho de reconstruir vidas que tinham sido amputadas pela arbitrariedade militar. Trabalhadores, patrões, civis, militares, sindicalistas, atores, músicos, intelectuais, jornalistas, religiosos, cientistas, ativistas políticos das mais diferentes extrações ideológicas, cada um trazia nos olhos e no coração a aspiração de voltar a ser brasileiro, de viver de novo num país democrático e civilizado.

Lula estava com dezoito anos e quase nada sabia de política quando o presidente João Goulart foi substituído por três oficiais-generais que se autoatribuíram a pomposa designação de "Comando Supremo da Revolução": o general Artur da Costa e Silva, o vice-almirante Augusto Hammann Rademaker Grünewald e o brigadeiro Francisco de Assis Correia de Melo, tratado pelos colegas como "Melo Maluco". O primeiro papel oficial assinado pelo trio ficou popularmente conhecido como "o listão" — a seleção dos cem nomes considerados os mais perigosos inimigos do novo regime. O número 1 da lista, publicada no *Diário Oficial* de 10 de abril de 1964, nove dias depois do golpe, era o de Luís Carlos Prestes, secretário-geral do Partido Comunista Brasileiro, outrora designado o "Cavaleiro da Esperança". O número 100, que fechava o listão, era falso — como falsa fora sua vida política. Tratava-se de um agente embutido na lista, um infiltrado que coletava e transmitia aos militares nomes e informações que lhes permitissem identificar e capturar opositores: o ex-cabo da Marinha José Anselmo dos Santos, ou simplesmente "Cabo Anselmo", o burgo podre da esquerda, uma vez mais mascarado, agora como "anistiado", para perjurar os companheiros.

Quinze anos depois da degola de 1964, dez entre dez beneficiados pela anistia voltavam ao Brasil com planos de fazer exatamente o que faziam antes do exílio: política. Assim como Almino Afonso, Franklin Martins e Darcy Ribeiro não esperaram o nihil obstat de Figueiredo para retornar, magotes de estrelas e ativistas pré-64 já montavam organizações políticas no exterior, antes mesmo de porem os pés no Brasil. Excluídos os que pegaram em armas para enfrentar o regime, como Franklin, entre muitos outros, as mais fulgurantes estrelas da política nacional do período democrático tinham se dispersado pelo mundo. Prestes mudou-se para Moscou, Miguel Arraes passou a viver entre

Paris e Argel, no Norte da África, o líder camponês Francisco Julião mudou-se para o México, Almino Afonso passou uma breve temporada na Iugoslávia até se deslocar com a família para vários países da América Latina, pelos quais também transitou Darcy Ribeiro, sempre como educador e antropólogo.

Odiado pelos militares brasileiros, Leonel Brizola viveu durante treze anos no Uruguai, até que em 1977 foi deportado pela ditadura civil de Aparicio Méndez por "por quebra das disposições que regulam o direito de asilo". Por iniciativa de brasileiros residentes nos Estados Unidos e com o apoio do senador Edward Kennedy, obteve visto e autorização de permanência nos EUA, onde morou por quatro meses. O temor de um atentado contra Brizola levou o presidente Carter a autorizar que dois agentes da CIA acompanhassem disfarçadamente o brasileiro no voo da Aerolineas Argentinas entre Buenos Aires e Nova York. A operação foi autorizada e realizada ainda que Carter e Kennedy soubessem que quando governador do Rio Grande do Sul, Brizola expropriara as gigantes americanas ITT e Bond and Share. E que do primeiro escalão de Jango, o "Centauro dos Pampas", como o chamavam seus admiradores, fora um dos poucos a defender a resistência armada em 1964 contra o golpe que derrubou Goulart, com cuja irmã era casado.

No final de 1970 boa parte dos líderes políticos brasileiros espalhados pelo mundo mudou-se para o Chile após a vitória do presidente socialista Salvador Allende nas eleições de 4 de setembro. Embora muitos deles pretendessem instalar-se em caráter permanente no país — vários brasileiros chegaram a fazer parte do governo Allende —, o sangrento golpe militar desfechado pelo general Augusto Pinochet três anos após a vitória socialista espalhou novamente pelo mundo a comunidade brasileira de exilados.

A dispersão que pulverizara tanta gente pelos cinco continentes teria fim onde menos se esperava: no mais longo regime autoritário europeu do século XX, a ditadura de António de Oliveira Salazar, que infernizou a vida de Portugal durante quase cinquenta anos. Na madrugada de 25 de abril de 1974, ao som da poética canção "Grândola, vila morena", de José Afonso, as ruas do país foram tomadas pela Revolução dos Cravos, um movimento militar formado sobretudo por jovens capitães, sepultando o salazarismo. Salvo raríssimas exceções, em pouco tempo, vinda de todos os cantos, a brasileirada toda estava em Portugal.

Em janeiro de 1978, Brizola deixou o velho e elegante hotel Roosevelt, em Nova York, voou para Lisboa e se instalou com Neusa, sua mulher, no Hotel Flórida, um moderno quatro estrelas onde já o esperava uma caravana de brasileiros — à frente deles o ilustre anfitrião do exilado: o socialista Mário Soares, primeiro-ministro de Portugal, um dos principais representantes da social-democracia na Internacional Socialista. Foi ali, no Flórida, que Brizola montou o quartel-general onde pretendia ressuscitar o Partido Trabalhista Brasileiro, PTB, sigla que remontava a maio de 1945, quando foi fundado por Getúlio Vargas, já nos estertores do Estado Novo.

E foi contando com a presença do premiê luso que no fim de semana de 15 a 17 de junho Brizola abarrotou os salões do Partido Socialista Português para celebrar o Encontro dos Trabalhistas do Brasil com os Trabalhistas no Exílio, a cerimônia de batismo do novo PTB getulista, janguista e brizolista. Entre os mais de mil presentes circulavam os ex-guerrilheiros Carlos Minc, Chizuo Osava e Alfredo Sirkis (este responsável pelo sequestro do embaixador alemão no Brasil, Ehrenfried von Holleben), o líder camponês Francisco Julião, Herbert de Souza (o "Betinho, irmão do Henfil") e os acadêmicos Teotônio dos Santos, Darcy Ribeiro e José Almino de Alencar, filho de Miguel Arraes.

Depois da festança lusitana, Brizola realizou um longo périplo pela Europa, encerrado em Hamburgo, na Alemanha, durante uma reunião da cúpula da Internacional Socialista, quando foi anunciado como "o mais moderno e incontestе representante do trabalhismo brasileiro". No final, perfilou-se ao lado dos mais célebres e respeitados líderes da social-democracia, como Willy Brandt, chanceler da

O ex-governador Leonel Brizola (de pé, com Mário Soares à sua esq.) deixa o exílio no Uruguai, passa um período nos Estados Unidos e, antes mesmo da anistia, é recebido por grandes lideranças brasileiras e europeias em Lisboa. Era o primeiro passo para a recriação do PTB, partido de Vargas, Jango e dele mesmo, Brizola.

Alemanha Ocidental e então presidente da Internacional, François Mitterrand, da França, Olof Palme, da Suécia, e do jovem espanhol Felipe González, que até poucos anos antes penara sob a ditadura do falecido generalíssimo Francisco Franco.

A multidão de brasileiros que se transferira para Portugal era tão grande que com frequência Brizola precisava recorrer a alguns truques para despistar a curiosidade e a bisbilhotice não só dos jornalistas, mas também dos indiscretos olhares de agentes de inteligência do regime militar que ainda davam expediente nas embaixadas e consulados brasileiros. Uma dessas saídas era marcar encontros e reuniões reservadas em Madri, na Espanha, onde o auxiliava nessas articulações o jornalista brasileiro Eric Nepomuceno, discreto brizolista e correspondente da revista *Veja* para a península Ibérica. O jornalista se lembra de ter intermediado, entre outros, encontros de Brizola com Felipe González, na época líder do setor moderado do PSOE (Partido Socialista Operário Espanhol), e com dois brasileiros que viviam em São Paulo, Almino Afonso e o futuro governador paulista, Franco Montoro, ambos do MDB.

Nem a anistia nem o fim do bipartidarismo — aprovado seis meses depois, em novembro de 1979 —, no entanto, seriam suficientes para apagar o rancor da ditadura contra Brizola. Convencidos de que o sonho do gaúcho era reorganizar o PTB — uma sigla que remetia a memória popular a seu criador, Getúlio Vargas —, os militares se puseram em campo. O mentor da velhacaria foi o general Golbery do Couto e Silva, que escolheu pessoalmente a mão do gato para realizar a manobra: a ex-deputada Ivete Vargas, sobrinha-neta de Getúlio e inimiga declarada de Brizola. Embora tivesse tido seu mandato cassado pelo Ato Institucional nº 5, Ivete não hesitou em socorrer os militares e conseguir que o Tribunal Superior Eleitoral registrasse em seu nome a sigla PTB, restando ao ex-governador a consolação de fundar com o nome de PDT (Partido Democrático Trabalhista) a agremiação em torno da qual pretendia recriar o trabalhismo varguista.

15

Lula junta operários, políticos, intelectuais e ativistas de esquerda, cria o PT e, dois meses depois, é levado para a prisão.

A milhares de quilômetros de distância da Europa e 680 de Brasília, trecho por onde o incansável Leonel Brizola transitava na luta pela reimplantação de seu partido trabalhista, Lula se reunia na plácida Poços de Caldas, no sul de Minas Gerais, para assentar o primeiro tijolo de sua sonhada catedral política, o Partido dos Trabalhadores. Com certidão de nascimento lavrada apenas em 11 de fevereiro de 1982, quando o Tribunal Superior Eleitoral reconheceu oficialmente sua existência, o PT foi apresentado ao mundo como se tivesse nascido no auditório do Colégio Sion, no bairro de Higienópolis, em São Paulo, no dia 10 de fevereiro de 1980, na célebre foto em que aparecem, entre outros, ao lado de Lula, os intelectuais Sérgio Buarque de Holanda, Mário Pedrosa, Antonio Candido, a atriz Lélia Abramo e o revolucionário Apolônio de Carvalho. Mas havia só trabalhadores quando o partido veio à luz, de verdade, no dia 7 de junho de 1979, nos imponentes salões neoclássicos do Hotel Palace, elegante estabelecimento inaugurado em Poços de Caldas em meados dos anos 1930. Nos sete meses que separam Poços de Caldas da cerimônia do Colégio Sion, entretanto, os mais brilhantes astros da esquerda brasileira se engalfinharam como fazia muito tempo não se via. É verdade também que, para desconforto das alas mais radicais, estivesse entre seus fundadores ninguém menos que Joaquim dos Santos Andrade, o Joaquinzão, tido por muitos deles como o mais acabado símbolo do pelego sindical.

Sem que quase ninguém soubesse, até chegar a Poços de Caldas Lula e seus companheiros do ABC tinham ruminado durante meses seguidos a ideia de criação de um partido político de raízes verdadeiramente operárias. Primeiro foi o espanto pela ausência quase absoluta de trabalhadores entre os congressistas. A consciência de que havia apenas dois operários entre quase quinhentos senadores e deputados federais deixara Lula com a pulga atrás da orelha — e passou a ser tema obrigatório de todos os debates, encontros e congressos de que ele participava. Onde quer que fosse convidado para falar de questões salariais, de inflação, de desemprego, ele dava voltas, fazia circunlóquios e rodeios até que finalmente batia no alvo: boa parte da responsabilidade pela penúria vivida pelos brasileiros pobres residia na representação quase nula deles, os trabalhadores, nas Casas que faziam as leis que regiam tudo no país.

A metamorfose do Lula "detesto política e quem gosta de política", que começara a se tornar pública no tal congresso dos petroleiros de meados de 1978, na Bahia, reaparece em janeiro de 1979 na cidade de Lins, no interior paulista, durante o IX Congresso dos Trabalhadores Metalúrgicos, Mecânicos e de Material Elétrico do Estado de São Paulo. Embora não fosse um centro industrial, a cidade havia sido escolhida por ter como prefeito o engenheiro Waldemar Casadei, representante do grupo "autêntico" do MDB. Além de trazer outra vez à tona a discussão da criação de um partido operário, o encontro de Lins permitiu que a imprensa e a opinião pública tivessem acesso a informações que até então só circulavam nos bastidores sindicais: ao contrário do que se poderia imaginar, o dito "pelego" Joaquinzão, com seus bigodões e costeletas de cantor de boleros, estava ao lado de Lula; o Partidão, a julgar pelas intervenções de Arnaldo Gonçalves, presidente do Sindicato dos Metalúrgicos de Santos e respeitado dirigente do PCB, não queria nem ouvir falar no assunto. E, por fim, a boa receptividade de Casadei mostrava que o grupo autêntico era uma porta na qual o futuro partido poderia certamente bater. Não por acaso, os dois únicos trabalhadores que ele vira no Congresso eram emedebistas de São Paulo — os metalúrgicos Aurélio Peres, ligado ao PCdoB, e Benedito Marcílio, presidente do Sindicato dos Metalúrgicos de Santo André.

Lula converteu todas as suas viagens em instrumento de criação do novo partido. Em julho de 1978 ele foi interrompido, em Salvador, quando pregava a criação de um novo partido, por um telefonema de São Paulo com a notícia de que nascera seu filho, Sandro. Acima, em Lins, seis meses antes de Poços, ele voltou a bater no tema.

No encontro de metalúrgicos de Lins, os setores à esquerda do movimento sindical tiveram uma surpresa. Joaquim dos Santos Andrade, o "Joaquinzão", considerado por eles um pelego, deixou claro, para quem quisesse ouvir, que era a favor da criação do PT.

A coincidência de propostas e a afinidade com os autênticos do MDB levaram Lula, antes de armar o encontro de Poços de Caldas, a abrir para os setores de esquerda da política convencional a ideia da construção do novo partido. No fim de semana que antecedeu a reunião de Poços, ele e mais algumas dezenas de metalúrgicos instalaram o que ficou conhecido como "o encontro do Pampas", nome tirado do Pampas Palace Hotel, situado na entrada de São Bernardo do Campo, que receberia na ocasião políticos e sindicalistas vindos de todo o Brasil.

O prédio de concreto à vista, arquitetura moderna e formato cilíndrico ferveu durante os dias 2 e 3 de junho. Como o próprio Lula repetiria depois, tinha chegado a hora da onça beber água. Com os alicerces do novo partido devidamente cimentados entre trabalhadores nos encontros da Bahia e de Lins (que se consolidaria em Poços de Caldas), a reunião do Pampas pretendia medir o grau de envolvimento dos parlamentares de esquerda no projeto.

Originalmente, o que se pretendia é que a reunião fosse fechada, o que evitaria que os rachas internos viessem a público. Mas só quando os trabalhos foram abertos, na manhã de sábado, é que Lula e os sindicalistas que já estavam decididos a criar o partido se deram conta de que havia quase duzentas pessoas no auditório, tudo sob o olhar atento de repórteres dos quatro grandes jornais nacionais da época, os paulistas *Folha de S.Paulo* e *Estadão* e, do Rio, o *Jornal do Brasil* e *O Globo*. Não seria exagero afirmar que lá estavam representadas todas as tendências e correntes que viriam a compor o PT: sindicalistas, intelectuais, representantes da Igreja católica, ex-exilados, muitos deles egressos da luta armada e de setores do MDB. Esta, a propósito, seria uma das inovações que o partido traria para a política — algo inconcebível até então mesmo em partidos de esquerda, brasileiros ou estrangeiros: o direito à participação de grupos com concepções políticas próprias e com representatividade formal nos diretórios e nas comissões executivas, sempre considerada a proporcionalidade da representação.

As dificuldades começaram com o perfil frentista do partido de "oposição consentida", conhecido de todos como um enorme balaio de gatos que misturava pelo menos três grupos: os "autênticos", representados pela ala esquerda do partido, os "moderados", que se apresentavam como adversários da ditadura mas evitavam radicalismos de qualquer natureza, e até os ditos "adesistas", vistos como uma quinta-coluna do regime infiltrada na oposição. Havia gente de todas essas facções naquele fim de semana em São Bernardo. E de vários pontos do Brasil, do gaúcho "autêntico" Alceu Collares (brizolista de primeira hora, contrário à criação do novo partido) ao "moderado" pernambucano Jarbas Vasconcelos. De São Paulo podiam-se ver políticos já decididos a aderir ao PT, como Airton Soares e Bete Mendes. O também paulista e "autêntico" Alberto Goldman, membro do ainda ilegal PCB, era tão radicalmente contra a criação do partido que, mesmo convidado, nem sequer se deu ao trabalho de fazer presença. Para acentuar ainda mais a miscelânea daquela farândola, havia "autênticos" contrários à criação do PT por entenderem que o novo partido racharia a frente ampla compreendida dentro do MDB, beneficiando e aumentando a expectativa de vida do regime militar. Estrelas da política, como Fernando Henrique e Almino Afonso, que defendiam que o novo partido tivesse o caráter de frente socialista, não escondiam seu descontentamento com o rumo que a reunião tomava.

Tudo isso ocorria com a presença de algumas dezenas de sindicalistas que já davam a criação do PT como favas contadas, como o petroleiro Jacó Bittar, de Paulínia, o metalúrgico Henos "Saúva" Amorina, presidente do sindicato de Osasco, e seu vice, o caldeireiro José Pedro "Sarrafo" da Silva, que tinha um pé no chão de fábrica e outro no grupo de "Padres Operários" das Comunidades Eclesiais de Base da Igreja católica, o gaúcho Olívio Dutra, presidente do sindicato dos bancários de Porto Alegre, e Paulo de Mattos Skromov, do sindicato dos trabalhadores nas indústrias do couro de São Paulo.

Entre artistas e acadêmicos tinha-se a impressão de que a ideia da criação do Partido dos Trabalhadores parecia ser próxima da unanimidade. Embora o professor Sérgio Buarque de Holanda tenha entrado para a história como o primeiro intelectual a apoiar a criação do PT, a

Enquanto Brizola agrupava suas tropas em Lisboa, Lula juntava seus metalúrgicos nos salões do Hotel Palace, na mineira Poços de Caldas. A ideia já havia sido discutida em Salvador e Lins. Embora tenha sido apresentado ao público no auditório do Colégio Sion, em São Paulo, o PT nasceu, de verdade, em Poços de Caldas.

Criado em 1974 pelos jornalistas Décio Alves de Morais e Luis Nassif, entre outros, o *Jornal da Mantiqueira* se considera a certidão de nascimento do PT. "O partido pode ter sido crismado no Colégio Sion", diz um orgulhoso morador da cidade, "mas nascer, de verdade, foi aqui, em Poços."

No célebre encontro do hotel Pampas, em São Bernardo, da esq. para a dir.: Euclides Scalco, Alceu Collares, Chico de Oliveira, Lula e Airton Soares.

Lula entre o gaúcho Alceu Collares, que seguiria Brizola, e Almino Afonso, que optaria pelo MDB, depois rebatizado de PMDB.

Lula gastava saliva até com a atriz Ruth Escobar. Quando ele disputou a Presidência com Fernando Henrique, ela declarou que preferia "um sociólogo a um torneiro mecânico".

O torneiro mecânico e o sociólogo sempre tiveram uma relação em que assopros e mordidas se repetiram inúmeras vezes. A lista de insultos e elogios recíprocos é extensa.

verdade é que o número 1 do mundo acadêmico a aderir ao partido de Lula foi o crítico de arte Mário Pedrosa. Filiado em 1926 ao Partido Comunista Brasileiro (nessa época, Partido Comunista do Brasil), que ainda engatinhava, sua passagem pelo Partidão durou pouco. Acusado do imperdoável pecado de aderir ao trotskismo, Pedrosa foi expulso do PCB em 1931, arrastando consigo, para o que viria a ser a Quarta Internacional, três outros luminares do marxismo brasileiro — Lívio Xavier, Fúlvio Abramo e Aristides Lobo.

Meio século depois, já reconhecido como um dos mais refinados intelectuais do país, Pedrosa não apenas endossou a criação do PT, mas tornou-se um propagandista do que considerava "algo que nunca existiu no Brasil, operários construindo seu próprio partido". Fascinado pela perspectiva de algo tão revolucionário, saiu a campo recrutando adesões no meio intelectual. Seu primeiro alvo foi um antigo companheiro da Esquerda Democrática e do Partido Socialista, nos anos 1940, o professor Antonio Candido de Mello e Souza, já consagrado por sua vasta obra crítica, na qual se destacavam, entre outros, *Formação da literatura brasileira* e *Os parceiros do Rio Bonito*.

Candido refugou, alegando que não queria mais saber de partido político. Além disso, acrescentou, já tinham chegado a seus ouvidos rumores de que Lula fazia restrições públicas à presença de intelectuais e estudantes e se queixava de que "esse pessoal só quer saber de manipular e encher a gente". Pedrosa não entregou os pontos:

— Candido, desde Lênin partidos políticos são sempre concebidos por intelectuais. Pela primeira vez alguém, o Lula, no caso, quer juntar as duas coisas, operários e intelectuais. O partido vai precisar de gente como nós, ainda que como simpatizantes.

Se ainda não conseguira convencer Antonio Candido a assinar a ficha de inscrição, a argumentação de Pedrosa pelo menos trouxe-o de volta ao que considerava, aos sessenta anos, "a chatice da vida partidária". Passadas algumas semanas, Candido e sua mulher, Gilda, acertaram de visitar um velho amigo, o médico de origem polonesa Febus Gikovate. Assim como Pedrosa, Gikovate fora seu colega na Esquerda Democrática.

E tinha sido militante do Partido Socialista Revolucionário, agremiação trotskista dirigida pelo jornalista Hermínio Sacchetta, da qual faziam parte, entre outras estrelas, o sociólogo Florestan Fernandes e a modernista Patrícia "Pagu" Galvão. Vitimado por um câncer, Gikovate estava internado na Santa Casa de Misericórdia, onde era professor. Antes de entrar no quarto dele, Candido e Gilda conversaram rapidamente com a esposa de Febus, que se ressentia dos penares do marido:

— Tentem animar um pouco o Febus, ele está muito deprimido com a doença.

Sem saber o que fazer, Antonio Candido cochichou com Gilda:

— Sei que isso não é muito correto, mas vou inventar uma mentira para ver se levanto um pouco o espírito do Febus.

O casal entrou sorridente no quarto, e Antonio Candido lascou a mentira logo no começo:

— Meu chefe! Não vim aqui apenas para te visitar. Vim para cumprir uma tarefa política. É uma missão delicada.

— Qual é?

— Os operários do ABC estão querendo fundar um partido, e nos convidam para participar das reuniões deles. Não sei se vou, porque não quero mais participar de partido nenhum.

Com o olhar sério, Gikovate respondeu:

— Esses operários estão fazendo o que nós queríamos fazer na idade deles e jamais conseguimos. Eles estão fazendo um partido, é nossa obrigação levar adesão.

Deitado, o velho trotskista cortou o sorriso do amigo:

— Eu não posso ir por causa da minha condição de saúde. Mas peço a você que vá, que me represente. Diga a eles que eu não vou nem ao partido nem à reunião, porque já estou indo pra outro lugar.

Antonio Candido se emocionou:

— Febus, não diga isso…

— Não, Candido. Eu estou morrendo, estou no fim. Espero que possa durar ainda algum tempo, e sua companhia me dá conforto. Mas vá nessa reunião e assine sua ficha de filiação como se fosse a minha.

No dia 10 de fevereiro de 1980 Lula apresentava o PT ao público no auditório do Colégio Sion, em São Paulo. Abaixo, na mesa que presidiu o ato, um recorte dos setores que se juntavam no novo partido: Manuel da Conceição, trabalhador rural, o crítico Mário Pedrosa, a atriz Lélia Abramo, o historiador Sérgio Buarque de Holanda e o bancário Olívio Dutra.

Lula começa a campanha de filiação ao PT ao lado de Eunice Paiva (viúva do deputado Rubens Paiva, morto pela ditadura), Irma Passoni e José Álvaro Moisés. Ao fundo, o metalúrgico José Ibrahim e o deputado Airton Soares.

Antonio Candido vai ao hospital visitar o velho amigo Febus Gikovate e é obrigado a "inventar uma mentirinha" para convencê-lo a preencher a ficha de filiação ao PT.

Passadas três décadas, ao se lembrar desse episódio, Antonio Candido confidenciaria:

— Febus morreu no dia seguinte. Foi aí que falei comigo mesmo: tenho que entrar nesse partido. Foi isso que me levou a filiar-me ao PT. Entrei sabendo que o PT não é um partido socialista; e eu sou socialista. Mas eu acho que o PT tem uma energia operária que se confunde com os interesses do povo.

A força do simbolismo fez com que o PT, ao ser criado oficialmente, tivesse como signatário da ficha número 1 não um intelectual, mas um revolucionário histórico, o velho Apolônio de Carvalho, herói da Resistência Francesa e das Brigadas Internacionalistas que lutaram contra Franco na Guerra Civil Espanhola. Mas a presença de nomes do calibre de Antonio Candido, Sérgio Buarque e Mário Pedrosa acabou se convertendo num ímã que atrairia para o partido, ao longo do tempo, intelectuais e artistas como Hélio Pellegrino, Chico de Oliveira, Bete Mendes, Florestan Fernandes, Francisco Weffort, José Álvaro Moisés, Lélia Abramo, Maria Victoria Benevides, Paul Singer, Paulo Freire, Marilena Chaui, Perseu Abramo e Vinicius Caldeira Brant, entre muitos outros.

No domingo à noite, quando Lula finalmente deu por encerrada a reunião do Pampas Palace Hotel, chegava também ao fim a longa e tortuosa gestação do PT. O sindicalista deixou para trás os políticos, artistas e ativistas em São Bernardo do Campo e enfrentou trezentos quilômetros de estrada rumo a Minas Gerais, para realizar, num encontro só de trabalhadores, em Poços de Caldas, o trabalho de parto do PT.

Só no dia 10 de fevereiro de 1980, no auditório do Colégio Sion, em São Paulo, o PT seria formalmente apresentado aos brasileiros. Como se estivesse com um olho no gato e outro no peixe, ao mesmo tempo que montava o partido, Lula preparava uma nova greve no ABC. Desde os primeiros dias do ano ele era vigiado à distância por agentes da repressão. Na madrugada de 19 de abril, no auge da greve, seria abruptamente despertado em casa e trancafiado no Dops junto com seus companheiros de diretoria do sindicato.

16

No meio da madrugada, um educado senhor engravatado interroga Lula num cubículo do Dops: era o enviado de um general, codinome "Cacique".

Se Figueiredo, Golbery e o general Caveirinha imaginavam que a prisão de Lula naquela madrugada em São Bernardo "quebraria a espinha dorsal do movimento do ABC" ou pelo menos encerraria a greve de 1980, usaram querosene para apagar um incêndio. Desde o começo do ano Lula já calculava que podia ser preso, risco que aumentou com o anúncio da criação do PT, no Colégio Sion, e com a decretação da greve — razão aliás pela qual contava com a vigília, em sua casa, de Frei Betto e do deputado Geraldo Siqueira, que testemunharam a chegada dos tiras. Os sindicalistas, também escaldados, já havia algum tempo se perguntavam:

— E se o Lula for preso, quem comanda a greve? Djalma Bom? E se além de Lula, Djalma também for preso? Devanir assume? E se Devanir for preso, e o Alemãozinho? O Osmarzinho? E se forem todos presos?

Os temores da direção do sindicato procediam. Às seis da manhã do dia 19, e nos dias seguintes, além de Lula, os policiais levaram para o Dops Djalma de Souza Bom e Devanir Ribeiro, Gilson Menezes, Enilson Simões de Moura ("Alemãozinho"), José Maria de Almeida, Severino Alves da Silva, Rubens Teodoro de Arruda ("Rubão"), Expedito Soares Batista, José Venâncio de Souza e João Batista dos Santos. Só tinham conseguido escapar Osmar Santos de Mendonça ("Osmarzinho") e Juraci Batista Magalhães, considerados "foragidos" mas alcançados e presos pela mão da repressão três semanas depois do primeiro rapa. E foi a ameaça de que o governo, mais que intervir no sindicato, prendesse toda a diretoria que levou Lula e seus companheiros a montarem um megacomando de greve composto de centenas de metalúrgicos, um batalhão de anônimos, desconhecidos dos olheiros da polícia, divididos em núcleos de dez a quinze membros. Foi assim que, a despeito de todas as prisões, a greve prosseguiu, o mesmo ocorrendo com as assembleias, realizadas ora em Vila Euclides ora na igreja matriz de São Bernardo.

O clima de medo que tomara conta de todos nas primeiras horas após as prisões amainou um pouco à tarde, quando souberam que haviam sido libertados os dois presos "notáveis", os advogados Dalmo Dallari e José Carlos Dias, e os operários que nada tinham a ver com a greve, como Frei Chico, o irmão de Lula. E também todos confiavam no manto protetor da Igreja — não apenas do cardeal Paulo Evaristo Arns e do bispo de Santo André, Cláudio Hummes. Além de centenas de padres ligados às Comunidades Eclesiais de Base, os grevistas sabiam que contavam com a simpatia e a proteção de vários membros da hierarquia da Igreja católica, entre os quais os bispos Hélder Câmara, Waldir Calheiros, José Maria Pires (que por ser negro era conhecido como "dom Pelé"), Moacir Grechi, Cícero Padim, Marcelo Carvalheira, Pedro Casaldáliga e Mauro Morelli.

Um detalhe aparentemente sutil, porém, ainda deixava os presos com a pulga atrás da orelha. A estrutura do Dops compreendia duas divisões. A de Ordem Política, dirigida pelo delegado Sílvio Pereira Machado, cuidava dos chamados "crimes de subversão", delitos considerados leves, como participar de passeatas e manifestações contra o regime, e que na maioria dos casos geravam apenas detenções curtas e o fichamento dos acusados. Temida por todos era a Divisão de Ordem Social, comandada pelo mal-afamado e mal-encarado Edsel Magnotti, que tratava da chamada barra-pesada, dos crimes considerados "terrorismo" pela ditadura. Segundo o relatório oficial da Comissão Nacional da Verdade, o delegado teve participação nos casos de "detenção ilegal, tortura e execução", entre outros, de Carlos Marighella, Alexandre Vannucchi Leme, Antônio Pinheiro Salles, Flávio Molina Carvalho, Edgard de Aquino Duarte e Antônio Carlos Bicalho Lana.

Não era sem razão, portanto, que os metalúrgicos presos se assustaram ao saber que Magnotti seria o responsável por seu encarceramento e enquadramento na Lei de Segurança Nacional. O susto virou medo de novo no fim do dia, quando foi anunciado que Magnotti conseguira a decretação, pelo prazo de dez dias, da incomunicabilidade dos presos.

Minutos após a prisão, Frei Betto e Geraldinho transmitiram a informação a Luiz Eduardo Greenhalgh, que meses antes tinha sido contratado por Lula como advogado do sindicato. Impedido de ver os presos, Greenhalgh tocou para a 2ª Auditoria Militar, nas imediações da avenida Paulista, em busca de uma autorização para ter acesso a seus defendidos. Por ser um sábado, a auditoria estava com as portas fechadas. Munido da procuração, voltou ao Dops, insistiu com Romeu Tuma que a incomunicabilidade não incluía o advogado dos presos e conseguiu, quase secretamente, falar com Lula e mais alguns dos sindicalistas. Sua surpresa foi encontrar lá dentro o senador alagoano Teotônio Vilela, que também furara a incomunicabilidade e entrara no prédio na surdina, autorizado por Tuma. Rico usineiro de açúcar, Teotônio fora eleito pela Arena, mas aos poucos passou a se comprometer com a oposição ao regime, filiou-se ao MDB e, já enfrentando um câncer generalizado, converteu-se num símbolo da luta pela redemocratização do Brasil — chegando a merecer de Milton Nascimento e Fernando Brant a canção "O menestrel das Alagoas", música que se transformaria em hino da luta contra a ditadura. O senador era irmão do conservador cardeal Avelar Brandão Vilela, que não fazia parte do time dos bispos defensores dos ativistas do ABC. Durante a luta pela anistia, Teotônio Vilela virou visitante regular dos presídios políticos, principalmente de São Paulo e do Rio, cidades onde se encontrava encarcerada a maioria dos presos políticos brasileiros.

A incomunicabilidade dos presos ainda não tinha completado um dia quando foi quebrada de novo, no domingo, dessa vez por influência da Igreja. O bispo Cláudio Hummes conseguira com Tuma autorização para que Marisa, mulher de Lula, visse o marido, contra a promessa, cumprida por ela, de que a visita seria feita sem que a imprensa tomasse conhecimento. Os três filhos do casal — Fábio, Marcos e Sandro — ficaram em casa, sob os cuidados de Frei Betto, Geraldinho, Greenhalgh e do tio Frei Chico. O objetivo das curtas e discretas visitas ao Dops — do advogado, do senador e de Marisa — era apenas levar algum conforto e segurança aos presos e verificar que ninguém tivesse sofrido nenhum tipo de violência física. Enquanto Marisa se encontrava com o marido, o motorista de um carro particular deixou na casa da família uma carta da Villares dirigida a Lula advertindo-o da ilegalidade da greve, informando que os dias parados seriam descontados do salário e insinuando que o descumprimento da lei poderia implicar a demissão por justa causa — o que acabaria acontecendo.

Na segunda-feira, dia 21, num ato religioso na Catedral da Sé, d. Paulo Evaristo apelou ao governo para que pusesse os presos em liberdade. O gesto foi repetido por d. Cláudio Hummes. Numa missa rezada na igreja do Bonfim, em Santo André, para 1500 metalúrgicos em greve, o bispo reiterou que a Igreja católica estava ao lado dos grevistas e pediu a libertação dos sindicalistas presos. Num editorial que causaria surpresa, o conservador *Estadão* criticara o governo pelas prisões, insistindo em que o ato não contribuía para o fim da greve, menos ainda para o processo de redemocratização em curso no país. Embora tivesse sido um dos esteios civis do golpe de 1964, a família Mesquita e seus dois veículos — o *Estadão* e o *Jornal da Tarde* — haviam rompido com os militares no dia 13 de dezembro de 1968, data da decretação do AI-5, a partir da qual os dois jornais passariam a viver sob censura prévia que duraria até 1976.

Na terça-feira, Greenhalgh impetrou na 2ª Auditoria um pedido de habeas corpus para os presos, negado de imediato pelo juiz militar. No Dops os sindicalistas foram submetidos a exames médicos, não se constatando problemas de saúde em nenhum deles. No fim da manhã as esposas dos presos tentaram visitar os maridos — pedido que também foi negado por Magnotti, já nomeado oficialmente como o delegado que presidiria o inquérito contra os grevistas, enquadrados no

Rico usineiro alagoano que apoiara o golpe militar de 1964, o senador Teotônio Vilela (de óculos, em primeiro plano, com os deputados Marcelo Cerqueira e Raimundo de Oliveira) rompeu com o regime e virou presença constante nas visitas de fins de semana a presos políticos de todo o Brasil. Tomado por um câncer, resistiu até o fim, sem cabelos e de bengala em punho, em defesa da democracia. Foi imortalizado por Fernando Brant e Milton Nascimento na canção "Menestrel das Alagoas", um dos hinos contra a ditadura.

artigo 36 da Lei de Segurança Nacional, que tratava de "incitação à paralisação de serviços públicos, ou atividades essenciais". E foi Magnotti em pessoa quem interrogou Lula naquele mesmo dia. O delegado lia num papel cada pergunta, que era respondida em seguida pelo preso. Oficialmente afirmava-se que as perguntas tinham sido elaboradas por Romeu Tuma e entregues a Magnotti, mas suspeitava-se que na verdade elas vinham de Brasília, diretamente do gabinete do general Golbery, para o diretor do Dops paulista.

Lula foi submetido ao mais demorado de todos os interrogatórios, tendo sido ouvido por mais de quatro horas — das duas da tarde às seis e meia —, acompanhado à distância, e silenciosamente, pelo então chefe de operações do Dops da Polícia Federal, delegado Marco Antônio Veronezzi. Este fora designado especialmente para ouvir cada um dos sindicalistas presos, mas sem interrogá-los formalmente. Assim que se encerrava cada depoimento, Veronezzi enviava uma cópia do material ao Serviço de Inteligência da PF, informe que era remetido diretamente a Brasília, como ele próprio revelaria, em entrevista inédita, muitos anos depois:

— Eu ficava sentado a uns dois, três metros de distância do Lula, enquanto ele era interrogado pelo presidente do inquérito, Edsel Magnotti.

Também muito depois, já deputado constituinte, Lula foi apresentado a Veronezzi por Tuma, e disse que se lembrava muito bem do policial:

— Eu via ele sentadinho lá no Dops. Não sabia quem era, mas sabia que não devia ser coisa boa para mim.

Um resumo do extenso interrogatório de Lula (ao todo foram mais de 11 mil palavras) é revelador do interesse que as autoridades — Figueiredo? Golbery? Caveirinha? Tuma? — tinham ao ouvir pela primeira vez o personagem que incendiava o ABC:

> Às 14:10 horas do dia vinte e dois do mês de abril do ano de mil novecentos e oitenta, nesta cidade de São Paulo-SP na Divisão de Ordem

UM EDUCADO SENHOR ENGRAVATADO INTERROGA LULA | 359

Social, onde se achava o Senhor Bel. Edsel Magnotti, Delegado Titular, comigo escrivão de seu cargo, ao final assinado, compareceu o acusado, o qual, às perguntas da autoridade, respondeu como segue:

Qual o seu nome: Luiz Inácio da Silva, vulgo "Lula"

Qual a sua nacionalidade? Brasileira

Onde nasceu? Garanhuns-PE

Qual o seu estado civil? Casado

Qual a sua idade? 34 anos (06.10.45)

Qual a sua filiação? Aristides Inácio da Silva e de Eurídice Ferreira de Melo

Qual a sua residência? Rua Maria Azevedo Florence, 273 — S. Bernardo do Campo.

Qual o seu meio de vida ou profissão? Contramestre júnior

Qual o lugar onde exerce a sua atividade? Indústria Villares — S. Bernardo do Campo

Sabe ler e escrever? Sim

[...]

Dá-se o indiciado ao uso de bebidas alcoólicas ou outros tóxicos? Não.

É casado, desquitado ou amancebado? Casado.

É harmônica ou não a vida conjugal? Harmonicamente.

[...]

Praticou o delito quando estava alcoolizado ou sob forte emoção? Declara que não praticou delito algum.

Já foi processado alguma vez? Não.

Está arrependido pela prática do crime por que responde agora, ou acha que a sua atitude foi premeditada e o fim alcançado estava na sua vontade? Declara que nunca praticou delito algum.

[...]

O interrogando assumiu o seu primeiro mandato como presidente da entidade, permanecendo no cargo até 1978, quando novamente foi reeleito para [o] triênio de 1978 a 1981; [...] que o interrogando, apesar de [convidado a realizar] palestras e congressos no exterior, em países como Bélgica, Suécia, Alemanha, e outros, não os aceitou, devido a achar que os problemas dos trabalhadores brasileiros têm de ser resolvidos aqui mesmo e não no exterior, portanto ficando somente na viagem realizada pelo Japão, sua participação em congressos no Exterior. [...] O interrogando fez algumas palestras sobre a organização política dos trabalhadores e a necessidade da criação do Partido dos Trabalhadores. [...]

Que, em termos profissionais, conheceu algumas dezenas de pessoas como Otavio Frias, da Folha de São Paulo, um dos donos do Jornal da Tarde, Rui Mesquita, e o dono da revista IstoÉ, Mino Carta, [além de] alguns proprietários do Jornal do Brasil, dos quais não se recorda os nomes. [...]

Que conheceu [...] dezenas de empresários, entre eles Dilson Funaro [...], Claudio Bardella, Luís Eulálio Bueno Vidigal, Mário Garnero, Mauro Marcondes, Einar Kok, Paulo Villares, Carlos Villares, José Mindlin e Paulo Francini, entre outros.

Que com intelectuais o interrogando também teve pouco contato, porque eles imaginam que os trabalhadores não pensam e sempre querem ditar regras para os trabalhadores; que conhece alguns com os quais teve contato como Fernando Henrique Cardoso, Francisco Welford (sic), José Álvaro Moisés, Francisco de Oliveira, Leôncio Martins, todos esses indivíduos com matérias publicadas em livros ou jornais sobre sindicalismo e outros, que no momento não se lembra.

Que manteve contatos com vários dirigentes do governo, tais como o ex-ministro Petrônio Portela, o ex-ministro do Trabalho, dr. Arnaldo da Costa Prieto, com o ex-ministro do Planejamento João Paulo dos Reis Veloso, [o] ex-ministro da Fazenda Mário Henrique Simonsen, Indústria e Comércio, Calmon de Sá, com o atual ministro do Trabalho, dr. Murilo Macedo, do Planejamento, dr. Antonio Delfim Netto, e com várias personalidades do exterior como o chanceler da Alemanha, Helmut Schmidt, com o primeiro-ministro espanhol Adolfo Suárez e também com vários deputados e senadores, dentre eles: Jarbas Passarinho, Magalhães Pinto, Francelino Pereira, Nelson Marchezan, Franco Montoro, Orestes Quércia, Airton Soares, Eduardo Suplicy, Geraldo Siqueira, Sérgio dos Santos,

Nabi Abi Chedid, Cláudio Lembo, Paulo Egídio Martins, Laudo Natel, Almir Pazzianotto Pinto, Irma Passoni, Leonel Brizola, Francisco Julião, Miguel Arraes, Olavo Setúbal e outros que não se recorda no momento, sendo que esclarece que manteve contato também por duas vezes com o ex-presidente do Brasil, sr. Ernesto Geisel.

Que esclarece que não aceita participar de nada com entidades clandestinas, por isso o interrogando granjeou muitos inimigos nesta área; que não nega ter participado de atos de repúdio a atitudes do governo, mas não a homens, pois o interrogado acha que o que está errado é o modelo econômico e não as pessoas individualmente; que participou de atos contra a extinção do MDB, mesmo sendo contra a posição do MDB, que sempre reivindicou a livre organização partidária, e depois que o governo abriu a possibilidade de se criar novos partidos, ele (MDB) vem defender o bipartidarismo. [...]

Que esclarece ainda que recebeu visita de dirigentes sindicais dos seguintes países: Alemanha, Itália, França, Suécia, Holanda, Japão, Estados Unidos, não mantendo bom relacionamento com sindicalistas dos exterior, pois tem o interrogando sérias divergências com o sindicatos do exterior; que um dos motivos é que esses sindicatos do exterior, quando as empresas de lá exportam para o Brasil, tirando empregos nossos, eles acham bom, mas se o procedimento é ao contrário, ou seja, o Brasil exportando para eles, eles fazem greves sem se importar com o trabalhador brasileiro e que eles sabem que os privilégios que conquistaram foram concedidos às custas da exploração das empresas deles em cima dos brasileiros. [...]

Que esclarece ainda que quando começamos a campanha salarial de 1980, estava na cabeça de cada trabalhador a marca de vingança imposta pela classe empresarial depois da greve de 79, com o desconto dos dias parados e a dispensa de grande quantidade de trabalhadores; que acha que fizeram os trabalhadores uma reivindicação modesta de 15% sobre o INPC, levando-se em consideração duas coisas: primeiro o prejuízo que tiveram em 1972 e 1973 de 34,1%; como já tínhamos recebido 19% em dois anos, faltava portanto os 15% reivindicados. [...]

Que o interrogando não tinha outra expressão após ver o nosso Glorioso Exército passar em voos rasantes em cima da cabeça de cem mil trabalhadores, podendo assustá-los e acontecer uma tragédia; que nunca tinha visto uma cena como aquelas, sendo que achei que estavam tentando nos assustar; [...] que é necessário entender que quando a categoria não quer, não há dirigente sindical no mundo que faça greve. Que não podemos esquecer as greves de 78, que aconteceram dentro das fábricas sem a participação da diretoria, e outros casos em que dirigentes sindicais tentaram acabar com a greve e a categoria não obedeceu. [...]

[Sobre] quais as entidades têm dado apoio ao movimento grevista desde o início e até depois da decretação da ilegalidade, especificando o tipo de apoio, respondeu: que recebeu milhares de telegramas de apoio de inúmeras entidades, inclusive de sindicatos estrangeiros, tais como Itália, França, Suécia, Alemanha, Portugal e Estados Unidos; que quanto a contribuições [...] [sabe] apenas que houve contribuições em alimentos. [...] Perguntado se sabe se houve arrecadação de dinheiro e onde se encontra esse fundo, respondeu que desconhece. Perguntado se a Igreja tem participado no apoio à greve [e] de qual forma [...] respondeu que a Igreja, além do apoio moral, tem servido de ponto de arrecadação de alimentos, sendo que não existe nenhuma influência na greve por parte da Igreja. [...]

Perguntado se quando surgiu o boato de possível intervenção no Sindicato teria declarado a existência de um comando de 16 pessoas, caso houvesse prisão de toda a diretoria, e quais são essas pessoas, respondeu que existe uma comissão de 475 pessoas que elegeram um comando de 16 pessoas caso houvesse prisão de toda a diretoria, não sabendo o nome das pessoas do comando, sabendo apenas que fazem parte Enilson [Moura] e Osmar Mendonça. [...]

Que lido ao interrogando notícia da Rádio Eldorado do dia 11/4/80, levada ao ar às 13 horas, em que o repórter noticiou que Lula havia so-licitado intensificação de piquetes nos ônibus para retirar aqueles que pretendem trabalhar, respondeu: que nunca usou a palavra "piquete" e nunca mandou retirar ninguém dos ônibus, pois o seu argumento é de aliciamento pacífico no bar, jardins etc. para evitar qualquer atrito; que realmente o interrogando transmitiu à assembleia que o cardeal d. Paulo Evaristo Arns havia dado integral apoio à campanha do sindicato em pronunciamento em uma das estações de televisão. [...]

Que perguntado se quando fez pronunciamento referindo-se aos juízes vogais [da Justiça do Trabalho] Henrique Victor, Afonso Teixeira Filho e Antônio Pereira Magaldi, chamou-os de "filhos da puta" por diversas vezes, respondeu: que quando fez pronunciamento relativo à decretação da ilegalidade, recorda-se que falou palavras pesadas com referências aos juízes vogais, lembrando-se que a empresários usou o palavrão "filho da puta", sendo certo que num comunicado escrito e que foi distribuído usou das palavras "pesadas" contra os três vogais citados, documento esse que foi impresso e distribuído aos trabalhadores na assembleia. [...]

Perguntado se conhece Frei Betto, [...] respondeu que o conhece e que o mesmo está na casa do interrogando, sendo certo que Frei Betto foi designado por d. Cláudio Hummes, pela Pastoral Operária, para coordenar a distribuição de alimentos aos grevistas; que Frei Betto se encontra na casa do interrogando porque uma noite pousou em sua casa para fazer companhia a sua sogra e à esposa do interrogando e ali permanece até hoje [e] que até o dia de sua prisão lá se encontrava. Nada mais disse nem lhe foi perguntado.

A despeito da prisão de todas as lideranças, a greve prosseguia. Uma semana depois, apesar da manutenção da incomunicabilidade, Lula conseguiu fazer chegar, pelas mãos de Greenhalgh e do deputado Airton Soares, que já anunciara sua opção pelo PT, uma mensagem curta para ser lida por Nelson Campanholo na assembleia convocada para o sábado, dia 26, na matriz de São Bernardo. Por pressão do governo, o estádio de Vila Euclides fora interditado para manifestações. Ainda que de forma cifrada, a mensagem de Lula era para que a greve fosse mantida.

— Estamos presos mas estamos bem — leu Campanholo no pedacinho de papel que lhe fora entregue. — Aqui da prisão, esperamos que os metalúrgicos continuem o que começaram.

A multidão passou a gritar "a greve continua!" quando apareceu a cavalaria da PM, abrindo caminho no meio da massa, a golpes de cassetete, para que o coronel Rigonatto entrasse com a tropa de choque.

Enquanto o pau comia nas ruas de São Bernardo, o cardeal Ivo Lorscheiter, presidente da CNBB, se encontrava reservadamente com o general Golbery, em Brasília, pedindo a libertação dos presos como gesto de boa vontade que ajudaria a encerrar a greve. Ao mesmo tempo o presidente Figueiredo apertava o torniquete político, responsabilizando a Igreja — e nominalmente o cardeal Arns — pela continuidade da greve. Já era noite fechada, no décimo dia da prisão, uma terça-feira, quando Greenhalgh recebeu um telefonema do diretor do Dops, Romeu Tuma, solicitando que o advogado fosse vê-lo no prédio de tijolinhos do largo General Osório.

Preocupado com o que pudesse estar acontecendo, Greenhalgh subiu às pressas para o quarto andar, onde ficava a sala de Tuma. O delegado o recebeu com cara de poucos amigos e, sem falar boa-noite, entrou direto no assunto:

— Dr. Luiz, deixa eu lhe dizer uma coisa: o senhor pediu que eu garantisse o banho de sol dos presos, não é?

— Sim, pedi.

— E eu liberei o banho de sol, não é? E pediu que eu autorizasse o futebol deles na quadra dos fundos, certo?

— Sim, pedi, e o senhor liberou.

— Pediu um rádio e eu autorizei, está certo?

— Sim, senhor.

— Pediu um aparelho de TV para eles verem o jogo do Corinthians e eu mandei colocar a minha TV na cela, não foi?

— Sim, senhor.

— Pediu para mandar comprar um monte de tênis kichute para eles jogarem bola e eu comprei, né?

O plano do general Golbery do Couto e Silva, "o intelectual" da ditadura, era quebrar a espinha vertebral do movimento operário no ABC. Não conseguiu. Sua maior façanha contra as oposições foi subtrair de Brizola a sigla PTB e entregá-la a uma deputada da confiança do regime.

— Sim, dr. Tuma...

— Pois é. Eu dei aos presos tudo o que o senhor pediu, dr. Luiz, e olha como eles agradecem.

Tuma pegou em cima da mesa um abaixo-assinado dos investigadores e carcereiros do Dops pedindo aumento salarial.

— Dá uma olhada, dr. Luiz, dá uma olhada! Eu trato eles bem e o seu Lula vem fazer a cabeça dos meus funcionários? Isso nunca aconteceu aqui antes. Eles querem fazer trabalho sindical aqui dentro? Porra, o Lula quer transformar o Dops num sindicato? Na próxima visita o senhor avise a eles: ou param com essa história ou vão acabar as regalias.

Lula podia estar "fazendo a cabeça" dos agentes para questões salariais, mas não para questões políticas: na antevéspera da conversa de Tuma com Greenhalgh, os policiais haviam prendido dezenas de pessoas que apareceram no estádio de Vila Euclides para assistir a um show, que não chegou a ser realizado por proibição da Polícia Federal, cujo objetivo era arrecadar recursos para o fundo de greve. Com o ingresso a Cr$ 100, já tinham confirmado a presença, entre outros, artistas como Chico Buarque, Gonzaguinha, Ivan Lins, Gal Costa, Alcione, Martinho da Vila, MPB-4, Fagner, João Bosco, Sérgio Ricardo, Zé Kéti e Adoniran Barbosa.

Era uma surpresa atrás da outra. Na segunda semana de prisão Lula viveria uma experiência intrigante, e que só viria a ser esclarecida depois de trinta anos. Por volta das três da madrugada um carcereiro entrou pé ante pé na cela onde dormiam todos os presos do ABC e sussurrou em seu ouvido:

— Veste a roupa e vem comigo, sem fazer barulho, que o dr. Tuma quer falar com você.

Tresnoitado e sem entender o que acontecia, Lula vestiu as calças e a camisa, calçou os sapatos e saiu da cela atrás do policial. Subiram sozinhos no elevador até o quarto andar, onde ficava o gabinete do delegado-chefe. Para aumentar a perplexidade, o policial que o guiava não tomou o rumo da sala de Tuma, mas caminhou até um socavão, uma espécie de depósito de entulhos improvisado sob uma escada, onde só havia montes de jornais velhos empilhados no chão. Uma lâmpada nua iluminava o lugar espremido, acentuando a tensão do momento. Lá se encontravam apenas o diretor do Dops e um estranho. Um homem de meia-idade, de terno e gravata, com aparência de executivo, sem pasta, bolsa, sem nada nas mãos. Foi Tuma quem falou:

— Lula, este senhor veio de Brasília para falar com você. Vou deixá-los a sós. Estou aqui fora, se precisarem falar comigo.

Transido de terror diante do estranho personagem, àquela hora, naquele ambiente lúgubre, Lula estava certo de que ia ser torturado. Para seu alívio e espanto, tratava-se de alguém de bons modos, fala mansa e que se dirigia a ele com respeito, chamando-o de "senhor Lula". O misterioso visitante sugeriu que se sentasse sobre uma pilha de jornais velhos e começou o que poderia ser entendido como uma conversa civilizada. Era um interrogatório, mas sem alteração do tom de voz nem ameaças de qualquer natureza. O sujeito queria saber coisas que já estavam em todos os jornais: por que Lula decretara a greve, o que pensava do governo, da abertura política, o que pretendia com a criação do PT, e insistiu, de forma dissimulada, que, se decretasse o fim da greve, ele seria libertado junto com os demais sindicalistas presos.

Aliviado por não ter topado com um torturador, Lula respondeu a todas as perguntas com a franqueza de sempre e afirmou que encerraria a greve apenas quando as reivindicações da categoria fossem atendidas pelos patrões. Tão misteriosamente como chegara, a figura enigmática se retirou e Lula foi reconduzido à cela coletiva de onde fora tirado. No caminho de volta, perguntou a Tuma quem era o homem de terno que o interrogara, e o diretor do Dops desconversou:

— Não sei lhe dizer. Sei apenas que ele veio de Brasília a mando de um tal "Cacique". Não conheço ninguém com esse apelido.

Trinta anos depois, hospitalizado com graves problemas cardiovasculares que o levariam à morte, Romeu Tuma, já senador pelo PTB, recebeu no Hospital Sírio Libanês, em São Paulo, a visita do jornalista Mino Carta, que tinha entre os colaboradores regulares de sua revista semanal, *CartaCapital*, o neurologista Rogério Tuma, filho do ex-delegado. No meio da visita veio à lembrança o episódio da prisão dos grevistas, e o jornalista quis saber a identidade do "Cacique" cujo enviado entrevistara Lula na remota madrugada de 1980. Tuma não hesitou em decifrar o mistério:

— Era o general Golbery do Couto e Silva, ministro-chefe da Casa Civil do presidente Figueiredo.

O governo parecia fazer o jogo do morde e assopra. No 13º dia das prisões a Polícia Federal liberou o estádio de Vila Euclides para a co-memoração do Primeiro de Maio, Dia do Trabalho. Sem a presença da cavalaria, da tropa de choque ou de helicópteros sobrevoando o local, mais de 150 mil pessoas compareceram ao ato. No dia seguinte, porém, o Superior Tribunal Militar, em Brasília, rejeitaria, por unanimidade, o pedido de habeas corpus impetrado por Greenhalgh solicitando a libertação de Lula e dos demais presos. A violência explodiria de novo em São Bernardo. Uma passeata dos grevistas fora dissolvida a golpes de cassetete, bombas de gás e cargas de cavalaria. Os jornalistas contabilizavam cerca de setenta feridos e quarenta presos.

Dias depois Tuma fez uma reunião a portas fechadas com os in-vestigadores Armando Panichi Filho e Osvaldo Machado de Oliveira e os encarregou de uma tarefa secreta: levar Lula, sem que a notícia vazasse, para São Bernardo do Campo, onde ele visitaria dona Lindu, que padecia de um câncer no útero e já se achava em estado terminal.

— Temos de dar um jeito de Lula ver a mãe antes de ela morrer — disse o diretor do Dops. — Eu assumo a responsabilidade.

Panichi e Oliveira retiraram Lula do xadrez de madrugada e saíram pelo porão do prédio, levando o preso no banco de trás de um Chevette de chapa particular. Depois que passaram pelo Parque Dom Pedro, na região do Glicério, no centro de São Paulo, Lula foi indicando o caminho aos policiais — ambos armados de revólveres — até chegarem ao sobradinho onde vivia dona Lindu. O carro parou na porta e Panichi autorizou:

— Lula, dá o pinote e entra rápido para ninguém te ver. Pode entrar sozinho, nenhum de nós vai com você.

Nas mais de duas horas que passou ao lado da mãe, Lula tentou confortá-la, dizendo que estava sendo bem tratado pela polícia e desejando que ela se recuperasse e ficasse boa logo. Já era dia claro quando o Chevette marrom entrou de novo na garagem subterrânea do Dops, momento em que o preso foi devolvido à carceragem.

No 21º dia da prisão, uma sexta-feira, o advogado Luiz Eduardo Greenhalgh deixou o prédio do Dops, depois de uma visita aos presos, e anunciou aos repórteres que davam plantão na calçada:

— Meus clientes acabam de declarar que estão em greve de fome.

Entre os presos não havia unanimidade quanto à realização da greve, a começar do próprio Lula, que por princípio era contra tal forma de protesto:

— Eu achava que era muito duro você judiar do próprio corpo pra reivindicar uma coisa, mas acabei concordando, por considerar que, estando preso, você não tem muito como denunciar.

Mesmo assim, foi ele, Lula, o encarregado de comunicar a decisão ao delegado Romeu Tuma, que reagiu com péssimo humor:

— O Tuma ficou puto, disse que ia tirar o rádio, cortar nosso futebol, o banho de sol e nosso acesso a jornais. Acabou não fazendo nada disso, mas ficou indignado com nossa atitude.

Passados três dias, ao visitar seus clientes, Greenhalgh ouviu a opinião de Lula:

— Vocês precisam arranjar um jeito de acabarmos com essa merda. Estamos todos mortos de fome, o Djalma tem úlcera, não pode ficar sem comer.

O próprio Lula fora flagrado por um dos amigos presos tentando "furar a greve", quando desembrulhava uma das balas Juquinha que escondera sob o travesseiro. Antes do fim do dia, para alívio de todos, decidiu-se atender a uma mensagem do bispo Cláudio Hummes, que "em nome de Deus" pedia aos presos que encerrassem o protesto. Revelando um desconhecido traço de bom humor, o diretor do Dops chamou o mesmo Armando Panichi e o incumbiu de ir ao restaurante grego Acrópolis, na rua da Graça, no Bom Retiro, e comprar para os esfomeados presos um prato de lulas à doré. Na verdade Tuma celebrava também uma notícia vinda do ABC: depois de 41 dias, uma assembleia pusera fim à greve, que terminara sem que os trabalhadores obtivessem nenhuma conquista.

Para Lula, era uma má notícia atrás da outra. Às onze horas da manhã seguinte, dia 12 de maio, chegava à carceragem do Dops a notícia de que dona Lindu acabara de morrer. De novo o diretor do Dops chamou os investigadores Armando Panichi Filho e Osvaldo Machado de Oliveira, dessa vez para escoltarem Lula em dois compromissos fúnebres: o primeiro naquele mesmo dia, o velório do hospital da Beneficência Portuguesa de São Caetano do Sul, onde dona Lindu estava internada ao falecer.

Não se tratava de uma morte inesperada, Lula sabia que o estado de saúde da mãe era muito precário e que o câncer avançava pelo organismo da senhora de 64 anos. Mas o filho estava perdendo a pessoa que fora e continuaria sendo, para sempre, sua referência de vida. Para ele não havia dúvida de que suas próprias características, como a obstinação, a noção de decência e a capacidade de enfrentar obstáculos eram uma clara herança da mãe. Até depois de se eleger presidente da República, Lula não se cansaria de repetir que tudo em seu caráter tinha como exemplo a mãe. Ele passou cinquenta minutos em prantos, com a esposa, Marisa, ao lado do corpo. No caminho de volta ao Dops, acometido de uma fortíssima dor de dente, foi conduzido pelos policiais a um consultório dentário para extrair o siso.

A segunda tarefa dos dois investigadores seria cumprida às nove e meia da manhã seguinte: levar Lula ao sepultamento de dona Lindu, no cemitério da Vila Pauliceia, na rua Júlio de Mesquita, em São Bernardo do Campo, cerimônia que por pouco não se transformou numa manifestação política, e que chegou a preocupar o policial Panichi:

— Éramos só dois e, por orientação do Tuma, estávamos desarmados. O que tinha de gente, pelo amor de Deus! Uma multidão. No mínimo 3 mil pessoas. Ele quase não conseguia caminhar. A multidão gritava: "Liberta o Lula!". Eu não desgrudei um metro dele, o tempo todo. A saída foi muito difícil. Se eu não pego o menino dele, o Fábio, e jogo para dentro do carro pela janela, acho que ele seria esmagado. Saímos com Lula, a mulher dele e o menino. Tentamos deixar o cemitério pelos fundos, mas o portão estava fechado. O jeito foi sair pelo portão da frente mesmo, quase atropelando as pessoas.

Embora a greve já tivesse chegado ao fim, por terem sido enquadrados na Lei de Segurança Nacional, Lula e seus companheiros seguiram presos. No dia 14 uma visita ilustre, o ex-governador Leonel Brizola, que retornara ao Brasil meses antes, fora impedido de entrar no Dops, já que a incomunicabilidade continuava em vigor — regra que seria ignorada por Tuma dois dias depois, quando ele permitiu a entrada do cardeal Arns. Todos permaneceram no Dops até o dia 20 de maio, quando Greenhalgh foi informado pela Justiça Militar de que as prisões tinham sido revogadas. Panichi recebeu a missão de levar Lula numa perua Veraneio bege e de chapa fria até as imediações de sua casa, em São Bernardo, onde já o esperava uma multidão de trabalhadores, políticos e advogados. Ao entrar em casa, abraçou a mulher e os filhos, foi até o quintal e fez um gesto cheio de simbologia e significado: abriu a gaiola e libertou o anu, um pássaro preto cantador que criava fazia muitos anos.

Passada a alegria da recuperação da liberdade, apareceram os problemas: todos os presos tinham sido demitidos de seus empregos por justa causa — abandono do trabalho. Além das consequências materiais do desemprego, as demissões, somadas à cassação como sindicalistas, traziam outra dificuldade: sem registro na carteira profissional, eles não poderiam sequer se filiar novamente ao sindicato. Numa das reuniões da antiga diretoria, alguém teve a ideia que resolveria pelo menos os problemas sindicais: eles mesmos montarem uma pequena empresa que contratasse e registrasse os demais, permitindo que todos readquirissem o direito de retornar, ainda que como peões de base, ao sindicato do ABC. Foi assim que nasceu a Serralheria Doze de

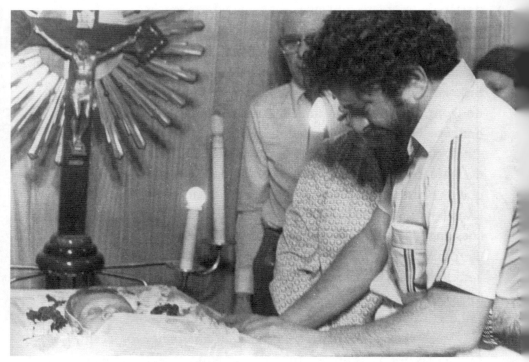

Em plena ditadura, em 1980, militares permitem que Lula deixe a prisão para velar o corpo de sua mãe, dona Lindu. Três décadas depois a ditadura já não existia e a Justiça impediu Lula de ir ao enterro de seu irmão Vavá.

Acima: ao lado de Frei Betto, d. Cláudio Hummes abençoa o corpo de dona Lindu. Abaixo: o policial Armando Panichi Filho (de óculos e bigode), escolhido pelo delegado Romeu Tuma para custodiar o preso Lula durante o enterro da mãe.

Na primeira foto, o advogado Luiz Eduardo Greenhalgh tenta impedir que a porta da garagem do Dops se feche automaticamente. O advogado levava nas mãos o alvará de soltura de Lula — eram exatamente 18h, quando o expediente se encerra, e algumas portas abrem e fecham automaticamente. Se ele não conseguisse entrar, o alvará só poderia ser entregue na manhã seguinte — o que significava, para Lula, passar mais uma noite preso. Greenhalgh forçou a porta, ela se abriu um pouco e ele conseguiu entrar. Entregou o alvará e uma hora depois deixava Lula em casa. A primeira providência que este tomou foi caminhar até a cozinha, abrir a porta da gaiola e soltar o anu, o pássaro preto que criava fazia muitos anos.

CONTRATO DE TRABALHO

Empregador *Serralheria Doze de Maio*
Ltda

Rua *Antônio Fanella* N.º *39*

Município *S.B. do Campo* Est. *S. Paulo*

Esp. do estabelecimento *IND. COM. PORTAS, GRADES &*

Cargo *Serralheiro*

C.B.O. n.º

Data admissão *15* de *Julho* de 19*82*

Registro n.º *01* Fls/Ficha *06*

Remuneração especificada *CR$ 100.000,00 (cem*
mil cruzeiros) por
mês.

SERRALHERIA DOZE DE MAIO LIMITADA
Ass. do empregador ou a cargo c/ test.

Data saída *30* de *JUNHO* de 19*89*

SERRALHERIA DOZE DE MAIO LTDA.
Ass. do empregador ou a cargo c/ test.

1.º

2.º

Com o sindicato sob intervenção, todos os diretores foram demitidos de seus empregos. A solução foi se juntarem e criar uma microempresa metalúrgica, batizada com o nome de Serralheria Doze de Maio (dia da criação do sindicato do ABC). Todos eles foram contratados pela nova empresa, com carteira assinada e tudo mais. Só faltava o dinheiro. Metade veio como doação do Sindicato dos metalúrgicos da Suécia. A outra metade saiu do bolso de Chico Buarque.

Maio — batizada com esse nome por ter sido essa a data de fundação do sindicato de São Bernardo, em 1959, e também o dia da greve de 1978 na Scania, a primeira após o golpe militar de 1964.

Registrada e instalada nos fundos da casa do metalúrgico Paulo Dias, no bairro Batistini, em São Bernardo, a serralheria enfrentou o primeiro e essencial problema logo após sua constituição: era preciso arranjar recursos para comprar matéria-prima e equipamentos, como serras e pequenos tornos que possibilitassem a produção de vitrôs para janelas, basculantes para banheiros, grades e portões para jardins e entradas de casas. As boas relações de Lula e demais diretores cassados com sindicatos estrangeiros solucionaram metade do empecilho com o dinheiro: uma doação do IF Metall, o sindicato dos metalúrgicos da Suécia. Mas a contribuição vinda de fora não era suficiente para tocar o negócio — que registrou todos os cassados e durou até 1988 — e alguém se lembrou de recorrer a um amigo declarado do movimento sindical do ABC, o cantor e compositor Chico Buarque de Holanda, que completou o que faltava para que a serralheria pudesse de fato funcionar. Quando a doação de Chico caiu na conta bancária da serralheria, Lula telefonou ao artista para agradecer e anunciou a nova condição do músico:

— Chico, agora você é patrão, é industrial. Já pode ser candidato à presidência da Fiesp.

17

Surrado nas urnas, Lula entra em depressão e decide abandonar a política. Vai a Cuba, ouve Fidel e volta ao Brasil para ser o deputado mais votado da história.

Dois meses depois de ser libertado, no começo da tarde de 19 de julho de 1980 Lula se encontrava sob o calor escaldante do aeroporto de Manágua, capital da Nicarágua, aguardando a chegada do presidente cubano Fidel Castro, cujo avião pousaria dali a alguns minutos. Naquele dia se festejava o primeiro aniversário da vitória da Frente Sandinista de Libertação Nacional, que um ano antes pusera a pique a ditadura de Anastasio Somoza, herdeiro de uma dinastia familiar que dominava o país com mão de ferro, tortura e pilhagens desde a década de 1930. Junto com Lula estavam Frei Betto, o chanceler nicaraguense, o padre-guerrilheiro Miguel d'Escoto, e o também ex-guerrilheiro, promovido a general de exército, Humberto Ortega Saavedra, de pouco mais de 33 anos, chefe do Exército Popular Sandinista e irmão mais novo do presidente da República, Daniel Ortega.

Fidel saíra no final daquela manhã de Havana a bordo de um enorme quadrirreator Ilyushin IL-62, de fabricação soviética, acompanhado de uma enxuta delegação, formada pelo comandante Manuel Piñeiro Losada, conhecido como "Barba Roja", seu médico particular, Chommy Barruecos, dez homens de sua escolta e um jornalista que viajava de carona, o autor deste livro. A presença do discreto Barba Roja na comitiva não era casual. Chefe do Departamento de Américas no Comitê Central do PC cubano, Piñeiro fora o responsável pelo envio de armas, assessores e recursos para a Revolução Sandinista. Quanto a Fidel, era a primeira vez que punha os pés em chão nicaraguense, e foi sua a opção de estar pessoalmente na comemoração. Além da contribuição à luta da guerrilha sandinista, a Revolução Cubana tinha motivos de sobra para compartilhar a festa com o país vizinho: foi na Nicarágua somozista que a CIA treinou parte dos mercenários que tentaram invadir Cuba, na desastrosa e frustrada operação da baía dos Porcos, em abril de 1961. Na ocasião, Somoza fora em pessoa se despedir do exército mercenário, a cujos membros fez um pedido, no fim de um discurso:

— Depois que tomarem o poder, não quero que vocês me tragam nem um centavo de Cuba. Quero apenas um fio da barba do cadáver do comunista Fidel Castro.

Lula saíra do Brasil denunciado como incurso na Lei de Segurança Nacional, acusação que lhe custaria, a ele e a seus colegas de prisão, meses mais tarde, a condenação à pena de três anos e meio de cadeia pelas greves do começo do ano. O fato de se encontrar sub judice o obrigou a pedir autorização para deixar o país ao juiz militar Nelson da Silva Machado Guimarães, que por sua vez determinou ao Dops que devolvesse o passaporte de Lula e lhe concedesse visto de saída (durante a ditadura as autoridades exigiam de todos os brasileiros o tal "visto de saída" para ir ao exterior). Apesar de tudo, ele não quis perder o privilégio de conhecer de perto o mitológico ídolo de uma geração de jovens de todo o mundo, o barbudo Fidel Castro, que se atrevera a implantar um regime comunista a pouco mais de cem quilômetros de distância dos Estados Unidos. Quando o quadrirreator pousou, Lula foi apresentado pelo chanceler D'Escoto a Fidel, iniciando-se ali uma amizade que durou até a morte do dirigente cubano, em 2016, de cujo funeral Lula participaria. À noite, após uma longa conversa protocolar, Fidel convidou Lula para visitar Cuba, viagem que só viria a acontecer alguns anos depois e que acabaria exercendo decisiva influência no destino político do metalúrgico brasileiro.

De volta ao Brasil, Lula tinha uma encrenca de bom tamanho para resolver: o processo na Justiça Militar. Embora sua defesa tivesse sido disputada por medalhões da advocacia, entre os quais o célebre jurista Heleno Fragoso, Lula preferiu deixá-la nas mãos de Greenhalgh, de apenas 32 anos e sem a experiência profissional que se esperava de um advogado para uma causa ingrata e de tanta repercussão como aquela. A escolha de um estreante, em detrimento de altas personalidades do direito, viria a se repetir quatro décadas depois, na Operação Lava Jato, quando Lula decidiu entregar sua defesa ao jovem Cristiano Zanin e à sua esposa, Valeska Teixeira, filha de seu velho amigo Roberto Teixeira, e não a nomes de peso, entre eles ex-ministros da Suprema Corte. Nos dois casos, a intuição de Lula se revelou certeira.

Passados os festejos de Manágua, Lula retornou a São Bernardo do Campo, e no primeiro fim de semana após voltar ao Brasil já estava com o petroleiro Jacó Bittar na capital do Acre, Rio Branco, para um ato público de lançamento do PT no estado. Após o comício os dois viajaram duzentos quilômetros até a cidade de Brasiléia, acompanhados do seringueiro e ambientalista Chico Mendes, que acabara de se filiar ao Partido dos Trabalhadores e que seria morto a tiros, a mando de fazendeiros, nove anos depois. O grupo chegou às oito da noite à pequenina Brasiléia, já na fronteira com a Bolívia, e tocou direto para um ato público de protesto pelo assassinato, ocorrido uma semana antes, de Wilson de Sousa Pinheiro, presidente do sindicato dos trabalhadores rurais da cidade. O palanque fervia. Segundo informe da Polícia Federal, que tinha agentes espalhados em meio ao público, quando Lula, Jacó e Chico Mendes apareceram, já haviam discursado "aproximadamente [...] trinta pessoas, algumas delas bastante inflamadas, clamando por vingança". A temperatura aumentou ainda mais quando deram o microfone a Jacó, que falou grosso.

— O nosso solo não irá para os estrangeiros, não irá para os capitalistas. O nosso solo será do povo e o povo há de conquistá-lo à custa de suor, à custa de sangue, ou à custa de que quer que seja.

Estimulado pelos aplausos da plateia, o petroleiro de Paulínia concluiu sua fala batendo ainda mais pesado:

— Sabemos perfeitamente que os trabalhadores saberão dar uma resposta ao assassinato de Wilson de Sousa Pinheiro.

Quando passaram a palavra a Lula para que ele encerrasse o ato, o presidente cassado do sindicato do ABC subiu o tom no radicalismo.

— Aqueles que mataram Wilson devem ter olheiros aqui. É bom que eles levem a seguinte mensagem: a classe trabalhadora brasileira já está cansada de promessa, já está cansada de passar fome, já está cansada de fugir e já está cansada de morrer.

O público não parava de aplaudir, e Lula prosseguiu. Foi então que ele enviou aos patrões a "mensagem" que iria enquadrá-lo, pela segunda vez, em dois meses, na Lei de Segurança Nacional:

— Patrão não presta em São Paulo, não presta em Brasília, não presta no Rio de Janeiro, não presta em nenhum lugar do mundo. [...] O patrão só quer o sangue, o suor, a morte do trabalhador. [...] Mas tá chegando a hora da onça beber água.

Para as autoridades da Justiça Militar, a hora da onça beber água chegou no dia seguinte aos discursos, quando o suposto assassino de Wilson Pinheiro, Nilo Sérgio de Oliveira, o "Nilão", capataz de uma fazenda de Brasiléia, foi tocaiado, linchado e morto por trinta homens armados de revólveres, foices, machados, espingardas e rifles. Segundo a polícia, todos os agressores eram filiados ao sindicato dos trabalhadores rurais da cidade. Lula, Jacó e mais três oradores do ato da noite de domingo foram acusados de serem os mandantes do crime e enquadrados na Lei de Segurança Nacional. Na petição do presidente da Federação da Agricultura do Acre, Lula, Jacó e os outros cinco foram acusados de fazer "apologia da vingança, do ódio, incitando a grande quantidade de trabalhadores presentes à subversão da ordem político-social, à luta pela violência entre as classes sociais. E conseguiram seu intento criminoso, que culminou com a morte do fazendeiro Nilo Sérgio de Oliveira".

Meses depois a Procuradoria Militar da região Norte, com sede em Manaus, acatou a acusação e denunciou Lula, Jacó e os outros cinco, responsabilizando-os pela morte de "Nilão". A Contag (Confederação Nacional dos Trabalhadores na Agricultura) contratou Heleno Fragoso para defender acusados que eram membros da organização. A defesa de Lula e Jacó ficou a cargo de Greenhalgh, que convidou um amigo para viajar em sua companhia a Manaus, onde se daria o julgamento

— o advogado brasiliense José Paulo Sepúlveda Pertence, de 43 anos, que viria a ser ministro e presidente do Supremo Tribunal Federal.

Mais que num compêndio de direito, a defesa realizada por Greenhalgh caberia num conto de realismo mágico de Gabriel García Márquez. O jovem advogado paulista iniciou um minucioso e detalhado trabalho investigativo, com os sindicalistas de Brasiléia, a fim de buscar explicação para uma dúvida crucial: como eles haviam concluído que "Nilão" fora o responsável pela execução de Wilson Pinheiro? Todas as respostas apontavam para uma crendice local, conhecida de agricultores, garimpeiros e trabalhadores da região, que foi resumida por uma das testemunhas:

— Doutor, antes de enterrar o Wilson Pinheiro, nós pusemos uma moeda debaixo da língua dele. E amarramos o rosto do defunto com um pano para que a boca não abrisse e a moeda saísse. Aqui todo mundo sabe que esse método é infalível: se o cara é morto de morte matada, você põe uma moeda sob a língua do morto e tranca sua boca. Com isso, o assassino sempre volta ao lugar.

Mesmo diante da estupefação do advogado, o trabalhador rural prosseguiu com absoluta naturalidade:

— Enterramos o Wilson, todo mundo foi embora, mas deixamos um olheiro no cemitério, escondido num canto. Quando já não havia mais ninguém, quem aparece e fica um bom tempo olhando para a sepultura? O Nilão. Chegou, ficou ali uma meia hora em silêncio, espiando o lugar onde o Wilson tinha sido enterrado. Não precisava mais nada: era ele.

Na defesa oral, Greenhalgh consumiu doze horas na tribuna da Auditoria Militar de Manaus, e varou a noite. O advogado sustentava que a morte de Nilão não resultara dos discursos de Lula e Jacó, mas de uma crendice popular que todos ali, juízes, promotores e o público, conheciam muito bem. Como o julgamento despertara muita atenção — sobretudo porque Lula era o réu —, na plateia era possível identificar políticos e artistas solidários com o PT, como a atriz Dina Sfat, que fazia companhia a Lula e Marisa, todos de olhos grudados em Greenhalgh. Ele fez uma longa exposição sobre a relação entre superstições e a realidade. Falou da simbologia do mês de agosto, de gatos pretos, de passar sob escadas, de figas e de sextas-feiras 13 — até chegar à moeda sob a língua do morto. Estropiado de calor e cansaço no fim da interminável sustentação oral, o advogado dormiu vitorioso: Lula e Jacó foram absolvidos. A decisão da Justiça Militar de Manaus deixou aliviados os sindicalistas, seguidores de Lula, apoiadores do PT e das greves, mas todo mundo sabia que ainda havia um obstáculo a superar, o julgamento dos grevistas marcado para o mês de fevereiro de 1981.

Quando se aproximava o dia do julgamento dos diretores do sindicato cassados e enquadrados na Lei de Segurança Nacional pelas greves do começo de 1980, dessa vez pela 2ª Auditoria de Exército de São Paulo, uma jogada de alto risco engendrada por Greenhalgh embaralhou as cartas da Justiça Militar. A audiência ocorreria na quarta-feira 25 de fevereiro. Na manhã da sexta-feira anterior, dia 20, o advogado foi ao prédio da Auditoria para retirar as senhas para os familiares dos presos. A repartição militar funcionava numa casa de dois pavimentos situada na avenida Brigadeiro Luís Antônio, nas imediações da avenida Paulista, em cuja sala do júri cabiam, ao todo, pouco mais de quarenta pessoas. Como costuma acontecer em algumas repartições públicas às sextas-feiras, o lugar estava às moscas. Greenhalgh entrava de sala em sala procurando o escrivão responsável pelas senhas, e nada. Foi quando ouviu, ao passar diante de uma sala, o barulho de uma máquina de escrever. Entrou e deu com um sargento do Exército datilografando em folhas de papel com o timbre da 2ª Auditoria. Espiou por sobre o ombro do militar, como quem não quer nada, e flagrou uma barbaridade jurídica: cinco dias antes do julgamento, as sentenças dos réus já estavam sendo datilografadas — ao juiz auditor Nelson da Silva Machado Guimarães caberia somente ler as penas dos réus, independentemente da argumentação da defesa. Com os olhos saltando das órbitas, o advogado se pôs a ler, em voz alta, o que estava datilografado:

Luiz Eduardo (no alto, de bigode e toga) defende na Justiça Militar de Manaus líderes camponeses acusados de serem mandantes da morte de um capataz. Em primeiro plano, os réus: João Maia da Silva Filho e José Francisco da Silva, dois líderes camponeses do Acre, Chico Mendes, Lula e Jacó Bittar.

"Se o sujeito morreu de morte matada, põe uma moeda debaixo da língua do defunto e amarra o rosto com um lenço, para a moeda não cair. O assassino aparece, não tem erro." Com base nessa suposta crendice popular, descoberta nas entrevistas com gente da região, Luiz Eduardo Greenhalgh absolveu os cinco acusados.

— "[...] Como incursos no art. 36, inciso II da Lei 6620/78, condeno os réus às seguintes penas de prisão: Luiz Inácio da Silva, 3 anos e 6 meses; Enilson Simões de Moura, 3 anos e seis meses; Djalma de Souza Bom, 3 anos..."

Antes que ele pudesse ler toda a lista de réus e respectivas penas, o sargento virou a folha com a face voltada para a mesa, apavorado:

— Porra, doutor, o senhor não vai usar isso, né? Doutor, se isso vier a público o senhor me fode...

Greenhalgh desceu a galope a escada do sobrado — que muitos anos depois seria transformado em Memorial da Luta pela Justiça —, juntou os réus e os advogados Idibal Pivetta, Airton Soares e Iberê Bandeira de Melo, que dividiam com ele a defesa dos sindicalistas, e fez uma proposta ousada: além de tornar pública a trama, acusados e advogados deveriam ausentar-se do julgamento como forma de denunciar a farsa que a ditadura havia montado para condenar Lula e seus colegas de sindicato.

Os medalhões da advocacia reagiram com espanto, argumentando que a decisão era absurda e afrontosa e que poderia redundar na decretação imediata da prisão de todos os acusados, sob a alegação de desrespeito à Justiça — ainda que fosse a Justiça de uma ditadura militar. Apesar das advertências, Greenhalgh foi adiante. Em artigo publicado no *Jornal da Tarde* o advogado Hélio Bicudo, que se notabilizara por denunciar e enfrentar o Esquadrão da Morte nos tribunais, bateu pesado em Greenhalgh: "Isso é uma irresponsabilidade. Um advogado tem que enfrentar as situações mais adversas, por isso e para isso que ele é advogado. Ele não poderia fazer o que fez".

No dia marcado o juiz Nelson Guimarães instalou a sessão, esperou o tempo regulamentar, e como nem os réus nem seus advogados apareceram, nomeou o advogado dativo Paulo Rui de Godói, que pediu uma hora para ler os autos. Às seis da tarde saiu a sentença, com todos condenados à revelia. Exatamente como Greenhalgh denunciara, Lula, Djalma Bom, Rubens Teodoro de Arruda foram condenados a três anos e meio de prisão cada um; Juraci Batista Magalhães, José

Na defesa dos grevistas do ABC, enquadrados na Lei de Segurança Nacional, Greenhalgh descobriu que as sentenças já estavam prontas e datilografadas dias antes do julgamento. No dia marcado, nem ele nem os réus compareceram à Justiça Militar em São Paulo. Condenados à revelia — exatamente com as penas que o advogado denunciara antes —, recorreram ao Superior Tribunal Militar e, depois de idas e vindas, o processo foi anulado e os réus absolvidos.

Maria de Almeida, Manuel Anísio Gomes, Gilson Menezes e Osmar Mendonça (o Osmarzinho) a dois anos e meio cada um; e Wagner Lino Alves e Nelson Campanholo a dois anos de prisão cada um. Os advogados recorreram das sentenças, que foram confirmadas pelo juiz, e depois de muitos vaivéns entre a Auditoria Militar de São Paulo e recursos ao Superior Tribunal Militar, todas as penas acabaram anuladas pelo STM.

Em abril desse ano, no fim da intervenção federal no sindicato do ABC, Lula decidiu não se candidatar, indicando para a presidência um nome pouco conhecido da opinião pública, o ferramenteiro da Ford Jair Meneguelli. O que despertava a curiosidade geral era o destino de Lula: com a criação do PT ele trocaria a atividade sindical pela vida política? Numa carta pessoal dirigida a ele, pouco antes da eleição de Meneguelli, Frei Betto faz essas indagações, cujas respostas interessavam não apenas ao frade dominicano, mas a toda a classe política:

> Certas indagações vão surgindo entre gente simples: que pretende você com a política? Por que passou à política? Por que [criar] o partido? Você voltará a ser um simples operário? Vai querer ser governador? Penso que você tem pela frente uma excelente oportunidade de dar seu recado à massa: no dia de passar a direção do sindicato aos companheiros da chapa 1 (estou seguro de que vencerão).

Quem não sabia o que Lula iria fazer da vida continuou sem saber. A única e vaga indicação sobre seu futuro ele deu em duas frases perdidas no meio de uma entrevista ao jornal *O Estado de S. Paulo*, ao afirmar: "Não tenho projeto para o futuro. Meu destino está ligado à minha categoria profissional". Seu cotidiano confirmava a resposta dada ao jornal. Sem perder de vista a implantação do PT em todo o país, suas energias pareciam concentradas no trabalho sindical, como a eleição de Meneguelli, e, sobretudo, numa tarefa que exigia quase integralmente seu tempo: a criação de uma central única de trabalhadores que juntasse não só operários braçais, mas todos os empregados sindicalizados do país, como médicos, professores, jornalistas, engenheiros e demais profissionais liberais.

Nos intervalos entre uma e outra incursão pelo interior do Brasil, dedicou-se a ampliar internacionalmente os horizontes de sua atuação, em sucessivas viagens ao exterior. Como não falava idiomas estrangeiros, viajava acompanhado dos professores da USP Francisco Weffort e José Álvaro Moisés, este já nomeado secretário de Relações Internacionais do PT. Sempre, claro, sob o vigilante olhar das autoridades policiais, como revela este informe do diretor do Dops, Romeu Tuma, enviado ao serviço de inteligência do II Exército, ao SNI (Serviço Nacional de Informações), ao IV Comando Aéreo Regional, ao Comando da Marinha em São Paulo e à Polícia Federal:

II Exercito — SNI — IV COMAR — COM. NAVAL — DPF.

Em complementacao a msg nr. 220/DOPS vg segue abaixo o roteiro de viajem (sic) de Luiz Inacio da Silva cg "Lula" vg Joseh Alvaro Moises vg Francisco V. Fortes (sic) et Jacob Bitar PT PT

Brasil — Roma — Ateh 22/01 ptvg

Bonn — Ateh 28/01 ptvg

Paris — Ateh 31/1 ptvg

Jeneve (sic) — 2 et 3 de fevereiro ptvg

Bruxelas — 04 et 05/fevereiro ptvg

Amsterdan (sic) — 05, 06 et 07 de fevereiro ptvg

Londres — 08, 09, 10 de fevereiro ptvg

Dia 10 aa noite vai para Nova York vg ficando 11, 12 et 13 vg quando deverah retornar para Sao Paulo a noite ptf

Romeu Tuma
Del Pol Chefe do DOPS

Numa dessas viagens internacionais Lula adquiriu dois gadgets peculiares: para o PT ele trouxe uma filmadora super-8 — os vídeos VHS domésticos ainda engatinhavam no Brasil — que passou a ser utilizada nas campanhas de implantação do partido pelo país. E para o sindicato comprou uma engenhoca portátil chamada decibelímetro, um medidor de nível de ruídos; com ela, os fiscais do sindicato do ABC podiam entrar nas fábricas e medir o ruído ambiente para verificar se estava ou não dentro das normas trabalhistas. Até hoje os arquivos do PT guardam um dos filmetes da campanha de disseminação do partido e do "novo sindicalismo", rodado em Cametá, no interior do Pará, às margens do rio Tocantins, 280 quilômetros a sudoeste de Belém, operado com a pequena filmadora que Lula trouxera do exterior.

A criação da central sindical custou mais trabalho do que ele imaginava originalmente. Pela primeira vez, desde que o velho CGT (Comando Geral dos Trabalhadores) fora extinto pela ditadura, em 1964, tentava-se instituir uma organização que unificasse os sindicatos do país. A necessidade da criação de uma central podia ser medida pela quantidade de trabalhadores que se conseguiu reunir na Praia Grande, no litoral paulista, em agosto de 1981. Lá estavam 5247 delegados eleitos por 1126 sindicatos de todos os estados brasileiros. Do exterior vieram os dirigentes de centrais sindicais Hans-Jürgen Kruger, da Alemanha Ocidental, Jacques Chérèque, da França, Luis Carlos Luster, da Venezuela, Álvaro Rana, de Portugal, Galvão Branco, de Angola, e Juan Ponce, da Argentina e líder da Frente Sindical Mundial. Transportar, hospedar e alimentar essa multidão durante os três dias do encontro custou por volta de Cr$ 3 milhões (cerca de R$ 276 mil em 2021), recursos obtidos de contribuições dos sindicatos, rifas de automóveis e doações. Um cálculo superficial revelava que 12 milhões de trabalhadores estavam representados em Praia Grande na Conclat (Conferência Nacional da Classe Trabalhadora).

A despeito da organização exemplar, a quantidade de tendências e correntes políticas presentes impediu que houvesse acordo em torno da criação de uma só central. Duas correntes se chocavam. Uma delas,

Ao se encerrar o congresso da Conclat, os mais de 5 mil trabalhadores criaram não uma, como se pretendia, mas duas centrais sindicais — que viriam a ser a CUT e a Força Sindical.

Numa de suas viagens para falar da experiência sindical brasileira, Lula trouxe dos Estados Unidos um gadget especial: uma filmadora Super-8 (os vídeos ainda engatinhavam). Com ela foram colhidas, entre muitas outras, as imagens ao lado, em que Lula faz proselitismo político e sindical em Cametá, no Pará, defendendo o PT e a CUT.

liderada por sindicalistas com ligações com o PCB — representada pelo metalúrgico santista Arnaldo Gonçalves —, defendia, grosso modo, uma instituição corporativista e centralizada. A outra, com Lula à frente, lutava por uma central organizada a partir da base, nos locais de trabalho, mais aberta a receber tendências de origens diferentes. Afinal a Conclat de Praia Grande tornou-se o embrião não de uma, como pretendia Lula, mas de duas grandes centrais sindicais, que viriam a ser a CUT, Central Única dos Trabalhadores, umbilicalmente ligada ao PT, e a Força Sindical, a primeira presidida por Jair Meneguelli e a segunda por Luiz Antonio de Medeiros, ex-militante do Partidão e que naquela época já namorava o chamado "eurocomunismo" e abjurava a agonizante URSS.

Somada às absolvições de Lula, tanto no caso das greves como no episódio do Acre, e à aprovação da anistia, mesmo capenga, a perspectiva da criação de duas centrais sindicais era um sintoma a mais de que a ditadura tinha os dias contados. Como dissera o líder das oposições, deputado Ulysses Guimarães, estávamos "diante de um leão desdentado e vegetariano". Mas a grande virada rumo à redemocratização do Brasil apareceria nas páginas do *Diário Oficial da União* de 19 de janeiro de 1982. Sob a forma da lei n. 6978 o general Figueiredo convocava, para o dia 15 de novembro daquele ano, eleições diretas, livres e secretas para governadores, vice-governadores, senadores, deputados federais e estaduais, prefeitos, vice-prefeitos e vereadores. As últimas eleições diretas para governadores haviam acontecido dezessete anos antes, em 1965, e nos maiores estados em disputa — Minas Gerais, Santa Catarina, Mato Grosso e Rio de Janeiro (Guanabara) — o regime militar fora derrotado. Para que o país voltasse a ter democracia plena e enterrasse o chamado "entulho autoritário" dos militares, faltava apenas conseguir eleições diretas para presidente da República, o que só ocorreria dali a sete anos, em 1989, um ano depois da Assembleia Nacional Constituinte.

Mas eleger governadores dos estados por voto direto já era um avanço considerável. Em São Paulo o Partido dos Trabalhadores jogou

SURRADO NAS URNAS, LULA ENTRA EM DEPRESSÃO | 391

todas as fichas na candidatura que seus militantes imaginavam imbatível, a de Lula. Como os votos ainda eram preenchidos manualmente, a primeira providência do PT foi obter a mudança no nome oficial de Luiz Inácio da Silva para Luiz Inácio Lula da Silva — evitando assim que os votos dados apenas a "Lula" fossem anulados. A inclusão do apelido no nome próprio implicou mudar o sobrenome de Marisa e dos quatro filhos, que passaram todos a ser "Lula da Silva".

No entanto, não era esse o maior obstáculo da campanha. O grande problema estava na absoluta falta de recursos. Mesmo no berço do partido, o estado de São Paulo, com 571 municípios, eram mais de trezentos aqueles em que o PT não tinha comitê nem candidato. Enquanto os concorrentes faziam seus deslocamentos em aviões fretados, Lula era obrigado a se submeter aos horários dos voos comerciais, nem sempre coincidentes com as necessidades da campanha — ou viajava de carro, o que era mais frequente. Além disso, o prestígio que seu nome adquirira nacionalmente o levava a deixar de lado a campanha paulista para apoiar candidatos a governador, senador e deputado em quase todos os estados brasileiros — sempre usando como meio de transporte os voos comerciais.

Tudo era improvisado. Como fizera um curso gratuito de silk-screen na Prefeitura de São Bernardo do Campo, Marisa montou em casa um ateliê-oficina que ela própria operava em meio aos cuidados com os três filhos pequenos — e conseguiu, durante a campanha, imprimir nada menos que 22 mil camisetas com a estrela do PT e o nome do marido como candidato a governador e de seu vice, o advogado Hélio Bicudo, ou do candidato ao Senado, Jacó Bittar. As viagens de Lula pelo estado — algumas para cidades a mais de seiscentos quilômetros de distância da capital — eram feitas de automóvel. Lula ia na frente, num Volks emprestado por um dos amigos, e quando começava a anoitecer, o outro carro da campanha que vinha atrás acendia os faróis altos para que ele pudesse ler o discurso que pronunciaria no município seguinte. Quando não havia comício organizado no destino, Lula subia no estribo do fusca e, de megafone na mão, rodava a cidade fazendo sua própria propaganda — e aproveitava para convidar os passantes a se filiarem ao PT.

Um dos "entulhos autoritários" da ditadura era a chamada "Lei Falcão", nome dado em homenagem a seu autor, o ministro da Justiça de Geisel, Armando Falcão. Segundo a lei, nos programas eleitorais de televisão aparecia apenas a foto do candidato (fosse a governador ou a vereador) e um locutor, em poucos segundos, lia em off um resumo telegráfico da biografia do pretendente ao cargo. Como o propósito do mote imaginado para as campanhas do PT era avançar e buscar votos nas classes sociais mais populares, após a minibiografia de cada candidato o locutor anunciava: "Um brasileiro igualzinho a você". Ocorre que, como muitos dos candidatos tinham vindo da luta armada, com pesadas condenações na biografia, não era incomum que a foto fosse ilustrada com textos do tipo: "Fulano de tal, ex-membro da guerrilha urbana, condenado a cinquenta anos de prisão. Um brasileiro igualzinho a você".

Lula daria gargalhadas, anos depois, ao se lembrar dessas passagens:

— Nossas campanhas pareciam prontuários policiais. Nossos candidatos pareciam um bando de fugitivos da cadeia. Lembro do Athos, de Goiás: "Athos Magno. Sequestrou um avião". E a do Altino? "Altino Dantas, filho de general, condenado a 96 anos de cadeia." A do Genoino era: "Preso quando fazia guerrilha no Araguaia. Torturado e condenado a não sei quantos anos de prisão". E no fim de todas, vinha a voz: "Um brasileiro igualzinho a você".

Nem a própria campanha escaparia da autocrítica de Lula:

— A minha propaganda era assim: "Luiz Inácio Lula da Silva — Ex-tintureiro. Ex-engraxate. Ex-metalúrgico. Ex-dirigente sindical. Ex-preso político. Um brasileiro igualzinho a você". Mas ninguém queria ser igual a mim, caralho! O eleitor queria ser igual ao Suplicy, que era rico, bonito, formado em economia, com pós-graduação no exterior!

Sem dinheiro para contratar institutos de pesquisa, Lula media sua popularidade pela quantidade de gente que conseguia reunir nas praças e comícios. E como a própria imprensa testemunhava, ele

Habituado nas greves, Lula não estranharia fazer campanha eleitoral no estribo de um fusca enquanto os adversários voavam em aviões fretados.

Petista até a raiz dos cabelos, em 1982 o cartunista Henfil coloca seus heróis mais populares — a Graúna, o bode Orellana e o Capitão Zeferino — a serviço da campanha de Lula para governador de São Paulo.

juntava cada vez mais gente, sobretudo nas cidades médias e grandes, onde havia fábricas, operários, universidades e estudantes. Entre os jovens, parecia indiscutível o sucesso do PT e de Lula. E a avaliação de que a vitória podia estar ao alcance da mão se mostrava cada vez mais plausível. As multidões que enchiam os comícios do candidato petista eram tão numerosas que começaram a preocupar os adversários, e o nível da campanha baixou. As mentiras que décadas depois seriam conhecidas como fake news eram espalhadas por todo o estado. Diziam que Lula havia ficado rico como sindicalista e que a casa de São Bernardo era apenas uma fachada para enganar os trouxas — na verdade, afirmavam, ele morava numa mansão no Morumbi. O fato de ter sido visto numa casa de fim de semana do deputado Airton Soares, no Guarujá, logo o transformou em proprietário de outra mansão, agora no balneário paulista — "no mesmo condomínio do Jânio", garantiam. O partido se sentiu obrigado a divulgar um desmentido:

A onda da mansão do Morumbi não pegou, porque o Lula mora no Jardim Lavínia, à rua Maria Azevedo, 273. Agora inventaram a casa de férias no Guarujá. Nos últimos dez anos, as únicas férias que o Lula teve foram os 31 dias que passou na cadeia do Dops. Desafiamos os acusadores do Lula a mostrarem a cara e darem o endereço da tal casa do Guarujá e sua escritura.

A despeito de todas as adversidades, a campanha crescia a olhos vistos — e angariava apoios fortes. De Paris o baiano Jorge Amado, o mais popular escritor brasileiro, anunciou que se vivesse em São Paulo votaria em Lula. Craques do Corinthians, liderados pelo centroavante Casagrande, artilheiro do campeonato paulista, e pelo lateral esquerdo Wladimir, não só declararam seu voto em Lula como organizaram um movimento de filiação em massa ao PT.

O dia das eleições já se aproximava quando dois episódios fizeram cristalizar, na cabeça de Lula, a ideia de que a vitória era certa, a eleição estava no papo. Primeiro foi um debate promovido pelo jornal

Sem a dinheirama dos grandes partidos — e, portanto, sem poder comprar os serviços de empresas de pesquisas —, o termômetro de Lula para a popularidade de sua campanha eram as ruas, os comícios, as passeatas. Aonde quer que ele fosse, enchia praças, abraçava e beijava milhares de pessoas. Em algumas ocasiões, conseguiu fazer onze comícios numa única noitada.

Folha de S.Paulo e pela Rede Bandeirantes de televisão, o único do qual participaram todos os candidatos: Lula, pelo PT, o senador Franco Montoro (PMDB), o ex-presidente Jânio Quadros (PTB), o ex-prefeito da capital paulista, Reinaldo de Barros (PDS), e o deputado e ex-jogador de basquete Rogê Ferreira (PDT). Pesquisa realizada pelo respeitado Instituto Gallup e publicada em todos os jornais no dia seguinte dava Lula como o grande vencedor do debate.

Mas o que cimentou a certeza de Lula de que a eleição seria decidida a seu favor foi o comício que teve lugar na praça Charles Miller, em frente ao Pacaembu. Segundo os cálculos mais conservadores, o candidato do PT juntara mais de 100 mil pessoas, espalhadas pela praça e pelas ruas que ladeiam o estádio. A multidão chegou a preocupar os apoiadores de Montoro, que apesar de ter levado para o palanque artistas do prestígio de Milton Nascimento e Chico Buarque, não conseguira atrair nem a metade da plateia que se espremera para ouvir Lula.

Ao chegar em casa na véspera das eleições, Lula foi recebido pela esposa. Com aparência patibular, Marisa exibiu a ele uma edição antecipada da *Folha de S.Paulo* que estampava na primeira página, em manchete de oito colunas, o resultado de uma pesquisa de boca de urna realizada em todo o estado: "Montoro governador", sobre uma foto sorridente do senador peemedebista e os resultados do levantamento — "Montoro, 44,8%, Reinaldo 26,5%, Lula 12,2%, Jânio 11,7% e Rogê Ferreira 1,7%". Lula deu uma gargalhada e jogou o jornal para o alto, exclamando:

— Esse jornal da burguesia não está com nada, porra! Eu ganhei a eleição!

Quando as urnas foram abertas, os resultados comprovaram que os dados da boca de urna da *Folha* de fato estavam errados. Lula não ficara em terceiro lugar, mas em quarto, atrás de Montoro, Reinaldo e Jânio, só superando o lanterninha Rogê Ferreira, que tivera menos de 1% dos votos. Lula recebera 1 144 648 votos, o equivalente a 10,77% do total de eleitores do estado. O mundo parecia ter desabado sobre sua cabeça.

Quando chegou em casa, na véspera da eleição, Lula deu com uma Marisa apavorada com a edição da *Folha*, trazendo uma pesquisa de boca de urna que dava Montoro como vencedor e Lula num humilhante terceiro lugar. Ele desfolhou o jornal, jogando-o para o alto e, às gargalhadas, gritou: "Isso é pesquisa da imprensa burguesa. Esta eleição está no papo!". Quando abriram as urnas, viu-se que a *Folha* de fato estava errada: Lula não ficou em terceiro lugar, mas em quarto, atrás até do decadente Jânio Quadros.

Quatro décadas depois, Lula ainda se recordaria, com detalhes, da profunda depressão em que a derrota o atirou:

— Doeu. Doeu muito. Entrei em desespero, perdi o rumo. Tinha uma única certeza: eu tinha acabado para a política. Foi um longo tempo em que vivi um vazio muito grande. Além da derrota acachapante, o Sindicato já tinha uma outra diretoria. Eu levantava de manhã e não tinha o que fazer, ficava desesperado.

A ressaca que parecia não ter fim durou mais de dois anos. No começo de 1985 Lula viajou para Cuba, onde haveria um seminário convocado pelo presidente Fidel Castro sobre a dívida externa dos países pobres com os organismos financeiros internacionais. Dias antes o Comandante tinha estado com o médico Jamil Haddad, suplente de senador pelo PSB do Rio de Janeiro. Ao pedir a Haddad notícias de Lula, ouviu um prognóstico fúnebre:

— Politicamente o Lula acabou, é carta fora do baralho.

Ao saber que o ex-sindicalista estava em Havana, Fidel chamou-o para uma conversa e contou o que Haddad dissera. O presidente cubano ouviu pacientemente as queixas de Lula, a frustração da derrota humilhante e, no final, pediu-lhe que falassem a sós. Fidel foi curto e convincente:

— Escuta, Lula: desde que a humanidade inventou o voto, inventou as eleições, nenhum trabalhador… repito, nenhum trabalhador, nenhum operário, em nenhum lugar do mundo… recebeu um milhão de votos, como aconteceu com você. Se permite a opinião de alguém mais velho e mais experiente, ouça o que estou dizendo: você não tem o direito de abandonar a política. Você não tem o direito de fazer isso com a classe trabalhadora.

A fala de Fidel Castro ficou meses martelando na cabeça de Lula. Um ano depois, nas eleições para a Assembleia Nacional Constituinte, ele decidiu seguir o conselho do Comandante e saiu candidato. Recebeu 651 763 votos, a maior votação já concedida a um parlamentar na história do Brasil até então.

Passada a interminável ressaca do fracasso eleitoral, Lula voltou a Cuba (na foto o acompanham Greenhalgh e Marisa) e teve um encontro com Fidel, que soubera que o mau desempenho na campanha estava levando-o a desistir da política e a dedicar-se apenas à vida sindical. Fidel disse-lhe algo que nunca mais parou de batucar em sua cabeça: "Em todos os tempos, em qualquer país, em qualquer regime, você já ouviu falar de algum trabalhador, como você, que teve 1,2 milhão de votos, como você teve? Você não tem o direito de fazer isso com os pobres, com os trabalhadores brasileiros! Volte para a política!".

Apêndice

Uma radiografia do comportamento dos grandes veículos de comunicação na guerra contra Lula e seu partido.

Um estudo elaborado por economistas do Dieese (Departamento Intersindical de Estatística e Estudos Socioeconômicos, criado nos anos 1950 pelo movimento sindical organizado, para o qual produzia pesquisas, fornecia assessoria em negociações salariais e fazia formação sindical) apontou que o Brasil colheu mais prejuízos do que benefícios financeiros diretos com a Operação Lava Jato, comandada pelo juiz Sergio Moro, de Curitiba, e pelo Ministério Público Federal paranaense. Segundo o Dieese, o Brasil perdeu R$ 172 bilhões em investimentos e levou ao desemprego 4,4 milhões de trabalhadores em consequência do fechamento de grandes empresas de obras públicas por ação do magistrado e dos procuradores federais do Paraná. A construção civil, como se sabe, é a primeira e a mais rápida área da economia a exibir indicadores do mercado de trabalho. Enquanto a Lava Jato alardeava, na grande imprensa e no site do Ministério Público Federal, ter reembolsado ao Tesouro Nacional cerca de R$ 4,3 bilhões subtraídos por corruptos, o Dieese retrucava que no período investigado pelo juiz e pelo MP deixou-se de investir quarenta vezes os alegados R$ 4,3 bilhões. A soma indica que se obstruiu a arrecadação pela União de R$ 47,4 bilhões em impostos, metade dos quais viriam das contribuições sobre as folhas de salários.

Mas o fato é que a opinião pública majoritária, conforme inúmeras pesquisas, parecia inebriada, vendo no juiz de Curitiba somente o "campeão da luta contra a corrupção" e não o violador de garantias e direitos, traço que ganharia contornos ainda mais nítidos com a revelação futura de seus métodos pelo site The Intercept e pelo material apreendido pela Polícia Federal na chamada Operação Spoofing.

Um extenso e preciso levantamento realizado com exclusividade para este livro pelo instituto de pesquisas brasileiro conhecido como "Manchetômetro" mostra que a alavanca que moveu o Brasil a favor de Moro e durante meses cravou na testa de Lula a pecha de "ladrão" tem nomes, donos e endereços públicos: os grandes veículos de comunicação do país. O primeiro passo para um pesquisador tirar essa conclusão é desvendar a propriedade dos meios que controlam a informação que chega à maioria dos brasileiros. Segundo estudo elaborado ainda no começo da Lava Jato pelo MOM (Media Ownership Monitor, ONG financiada pelo governo da Alemanha) e pelo RSF (Repórteres Sem Fronteiras, sediado na França e com sucursais por todo o mundo), nove dos mais influentes meios de comunicação do Brasil pertencem às Organizações Globo (família Marinho), cinco ao Grupo Bandeirantes (família Saad), cinco à seita neopentecostal da Igreja Universal do Reino de Deus (do "bispo" Edir Macedo), três ao Grupo Folha (família Frias), um ao Grupo Estado (família Mesquita) e um, a revista *Veja*, à Editora Abril (na época pertencente à família Civita e depois vendida a Fábio Carvalho, operador especialista em adquirir e recuperar empresas quebradas).

Aqui se faz somente uma análise preliminar a respeito do poder massacrante da imprensa sobre a opinião pública. Medir de forma isenta e criteriosa o comportamento editorial e político de todos esses veículos durante o período da Lava Jato demandaria esforço que talvez só confundisse o leitor, já que não há termos de comparação estatística entre, por exemplo, o *Jornal Nacional*, que costuma alcançar 24,7 pontos de audiência, e o principal noticioso da TV Bandeirantes, que engatinha em 2,5 pontos, ambos segundo levantamento da Kantar/Ibope (divisão de pesquisa de mídia do grupo Ibope adquirido pela britânica Kantar).

Para prevenir desvios de avaliação, o cientista político João Feres Júnior, doutor em ciência política pela Universidade de Nova York e coordenador do Manchetômetro — entidade registrada no CNPq

(Conselho Nacional de Desenvolvimento Científico e Tecnológico) e sediada na UERJ (Universidade do Estado do Rio de Janeiro) —, decidiu concentrar o foco de sua pesquisa apenas nos campeões de audiência: o *Jornal Nacional*, que atinge 50 milhões de pessoas — cerca de 25% de toda a população brasileira —, a revista *Veja*, que na época contava com 1,2 milhão de leitores, e os três maiores e mais influentes diários impressos do país, a *Folha de S.Paulo*, *O Estado de S. Paulo* e *O Globo* (este pertencente também aos Marinho).

Os três jornais analisados publicaram, em média, mais de uma manchete diária contrária a Lula. Em março de 2016 foram 33 manchetes negativas para um total de 44 publicações. Em outros momentos — nos picos de maio e setembro de 2017 — a proporção de matérias negativas arrefece, registrando o número de vinte contra dezesseis neutras. Favoráveis a Lula, zero. Mesmo em abril de 2018, quando a campanha contra Lula parece amainar, o Manchetômetro registra 29 manchetes contrárias ao ex-presidente, quatro neutras e nenhuma favorável.

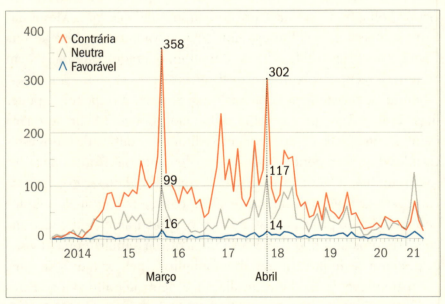

Comportamento da soma dos três jornais (*Folha, Estado, Globo*) e do *Jornal Nacional* de janeiro de 2014 a maio de 2021.

A vitória de Bolsonaro nas eleições, em outubro de 2018, ao contrário do que se poderia supor, não tirou Lula da mira dos três jornais, que prosseguiram na espantosa campanha. Em novembro o ex-presidente foi objeto de nove editoriais, declaradamente contrários "ao réu" — já que agora ele não era mais candidato. Nada muito diferente do balanço que vai de 2015 a 2018, período em que, em média, Lula foi alvo de trinta editoriais desfavoráveis por mês. Uma marretada por dia. Nos momentos de pico, essa média sobe para dois editoriais contrários a cada dia. Nos três anos que antecedem as eleições presidenciais de 2018, dos 2173 editoriais publicados na *Folha*, no *Globo* e no *Estadão*, apenas 28 podem ser classificados como positivos.

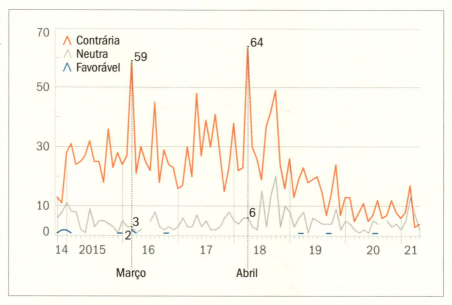

Editoriais sobre Lula nos três principais diários brasileiros.

Lula também teve lugar garantido nos textos de opinião. Mas nem sequer nos espaços reservados a oferecer diversidade de pontos de vista ele mereceu trégua. Em março de 2016 os três grandes jornais publicaram 114 textos "de opinião" contrários, 23 neutros e apenas nove favoráveis. Um ano depois, em maio de 2017, dos textos assinados por colunistas convidados ou assalariados, 76 massacravam Lula, doze eram neutros e apenas um podia ser lido como favorável. Em abril de 2018, considerando o mesmo critério (textos de opinião de articulistas convidados ou empregados dos veículos), 97 eram contra Lula, 37 neutros e onze favoráveis.

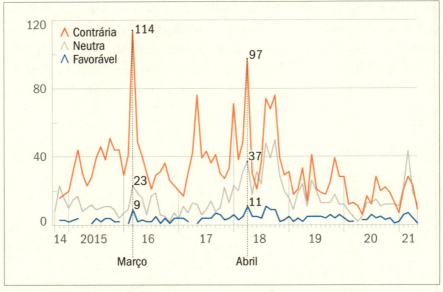

Essa categoria reúne as colunas e os artigos de opinião, redigidos por jornalistas e articulistas contratados pelos jornais ou escritos por autores convidados.

A comparação entre os periódicos, no que se refere ao tratamento político dado a Lula, mostra que a cobertura da *Folha* teve intensidade um pouco menor nos ataques ao ex-presidente. No pico de matérias publicadas, ocorrido no mês de março de 2016, o jornal ofereceu a seus leitores 91 textos negativos para o petista, 27 neutros e onze positivos. O viés da intensidade contrária, ainda na *Folha*, diminui um pouco mais em abril de 2018, com a prisão do petista, passando para 68 textos negativos, 38 neutros e treze positivos. Só em março de 2021, quando o ex-presidente recuperou seus direitos políticos e teve seus processos anulados, a *Folha* amenizou a agressividade da cobertura de Lula, com 72 textos, dos quais 55 eram neutros, onze contrários e seis favoráveis. Este foi o menor viés contrário ao petista entre todas as coberturas do jornal dos Frias.

Dos três grandes diários nacionais, o centenário *Estadão* foi, de longe, o mais implacável algoz de Lula. Suas publicações negativas em relação ao ex-presidente estão invariavelmente muito acima das neutras e quase não há matérias favoráveis. Já no primeiro mês do segundo governo Dilma, o jornal publicou cinquenta matérias negativas. A interminável tripa de reportagens consistia numa suíte à série feita pela revista *Veja*, às vésperas do segundo turno da eleição de 2014, de acordo com a qual Rousseff e Lula eram os cabeças de um esquema de corrupção na Petrobras — batizado pela mídia de "Petrolão". Desse episódio até a eleição de Bolsonaro, a cobertura de Lula realizada pelo jornal da família Mesquita seguiu uma trajetória ascendente de publicações negativas. Em março de 2016 foram 66 textos contrários, em maio de 2017 os ataques chegaram a 81, e em abril de 2018 totalizaram 88, sempre para um número irrelevante de matérias neutras e nenhuma favorável.

No jornal *O Globo*, no período que vai da segunda vitória de Dilma Rousseff até a vitória de Jair Bolsonaro, textos neutros e favoráveis praticamente inexistem, enquanto a curva de matérias contrárias oscila em torno de uma média de cinquenta textos por mês. Em março de 2016 o diário publicou cem matérias contrárias a Lula, em maio de 2017 trouxe 86 desses textos, e em 2018 eles foram 68.

Mas nada se compara à cobertura do televisivo *Jornal Nacional*, do qual se esperaria alguma isenção editorial sobretudo por se servir de veículo que é concessão pública precária. Ao longo do período avaliado pela equipe do Manchetômetro, o telespectador da TV Globo viu apenas 21 citações positivas para o ex-presidente contra 705 negativas e 403 neutras. No total o *JN* dedicou intermináveis 163 529 segundos a reportagens contrárias a Lula. Ou seja, mais de 45 horas, ou quase dois dias inteiros, se essas matérias fossem exibidas em sequência. A soma da duração de todas as notícias favoráveis, por outro lado, é de irrisórios 3374 segundos, ou seja, menos de uma hora no total.

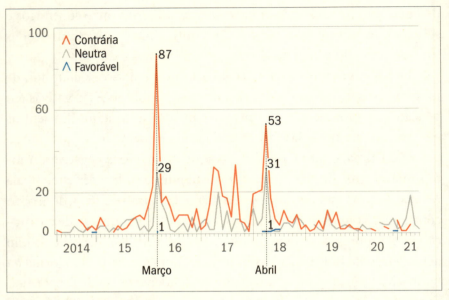

Cobertura de Lula no *Jornal Nacional*.

Ainda no *JN*, a média de março de 2016 revela que metade do tempo total de transmissão no mês foi ocupada com matérias contrárias a Lula. Nos picos de maio e setembro de 2017, quase só há reportagens negativas. Nenhuma neutra. A metodologia e os critérios de avaliação adotados por trabalhos acadêmicos no Brasil e no exterior buscam responder à seguinte pergunta: o texto em questão expressa alguma posição quanto ao assunto ou aos personagens mencionados? As valências são divididas em quatro categorias: positivas, negativas, neutras e ambivalentes. Em abril de 2018, quando é decretada por Moro a prisão do ex-presidente, tem-se outro pico de notícias negativas, agora acompanhado por um número ainda menor de neutras. Em setembro de 2017 o tempo total de notícias negativas foi de 11 769 segundos, praticamente dez vezes maior que o de notícias neutras. Se somadas umas às outras, as reportagens do *Jornal Nacional* contra Lula equivaleriam a sete dias seguidos de telejornal, sem intervalos nem anúncios. É como se o telespectador do *JN* passasse uma semana inteira assistindo exclusivamente a matérias contrárias ao ex-presidente.

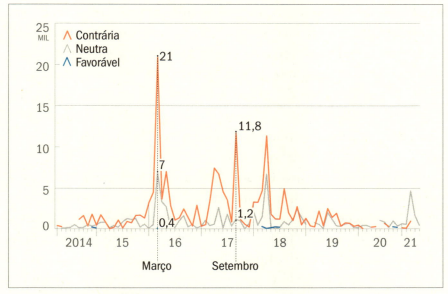

Cobertura de Lula no *Jornal Nacional* por tempo de exibição.

A intensidade da artilharia deu resultado: alvo principal da operação, Lula foi condenado por Moro a nove anos e seis meses de reclusão pela acusação de haver recebido um apartamento tríplex na cidade do Guarujá, no litoral paulista, em troca de facilidades para a OAS, empreiteira construtora do imóvel. Tinha mais: Lula era acusado também de ser "proprietário fantasma" de um sítio em Atibaia (imóvel que é propriedade do jovem Fernando Bittar, filho de um de seus melhores amigos e companheiros de PT e de CUT, o petroleiro Jacó Bittar).

A chamada "República de Curitiba" afirmava, complementarmente, que as dezenas de palestras que Lula fazia pelo mundo eram fachadas para ocultar propinas pagas por beneficiários de favores de seus dois governos. Para a produção deste livro, o autor teve oportunidade de presenciar e gravar palestras do ex-presidente na América do Norte, Ásia, África e na Europa. O juiz Moro e os procuradores de Curitiba utilizaram secretamente informações de autoridades do Departamento de Justiça norte-americano — comprovadamente do FBI, a polícia federal dos Estados Unidos, e supostamente da CIA, a agência de espionagem americana — para fundamentar as acusações a Lula. Como nenhuma referência a essa cooperação estrangeira aparece nos processos contra o ex-presidente, Moro e os procuradores cometeram crime, segundo as leis do Brasil. A condenação embutia uma pena adicional — talvez a mais importante —, pois além de privá-lo da liberdade, tirava da disputa presidencial de 2018 o franco favorito conforme todas as pesquisas de opinião pública.

Com uma vasta base de dados acumulada, o projeto escancara a guerra contra Lula. Frios e desprovidos de adjetivos, os dados levantados pelo Manchetômetro mergulham nas entranhas dos veículos-alvo. Só naquilo que os juristas chamam de "alegações finais", desmentindo as acusações vindas de Curitiba sobre o imóvel do Guarujá, o sítio de Atibaia e as "palestras fantasmas", os advogados Cristiano Zanin e Valeska Martins enviaram à Justiça — e, portanto, tornaram disponíveis a todos os jornais, revistas e TVs — um total de 2960 páginas datilografadas. Incansável, o casal provocou o Ministério Público a convocar 88 audiências e conseguiu que a Justiça ouvisse 228 testemunhas que desmentiram a farsa montada em Curitiba. Em vão.

A criminosa lambança jurídica que juntou Moro, setores do Ministério Público, da Polícia Federal e da Justiça não adquiriria a relevância que obteve sem o conluio da maioria dos grandes meios de comunicação com um só propósito: dar fim à trajetória política de Lula e esvurmá-lo da vida pública com a fama de corrupto. Ele e seu partido, o PT. O melhor retrato dessa conclusão está na última pesquisa nacional para avaliar as tendências do eleitorado no pleito de 2018, produzida em agosto daquele ano, quando Lula ainda não tivera seus direitos políticos suspensos por sentença de Moro. Realizada pelo instituto Datafolha por encomenda da TV Globo e pelo jornal *Folha de S.Paulo*, Lula, do PT, aparecia em primeiro lugar, com 39% das intenções de voto, seguido por Jair Bolsonaro (PSL, 19%), Marina Silva (Rede, 8%), Geraldo Alckmin (PSDB, 6%), Ciro Gomes (PDT, 5%), Alvaro Dias (Podemos, 3%), João Amoêdo (Novo, 2%),

Henrique Meirelles (MDB, 1%), Guilherme Boulos (PSOL, 1%), Cabo Daciolo (Patriota, 1%), Vera (PSTU, 1%), João Goulart Filho (PPL, 0%) e Eymael (DC, 0%). Brancos, nulos, "nenhum dos anteriores" e "não sabe" atingiam 14%. Pela pesquisa, o candidato do PT tinha mais intenções que a soma dos votos de Bolsonaro, Marina, Alckmin e Ciro Gomes. Se não fosse preso e impedido de disputar, tudo indicava que Lula seria o próximo presidente do Brasil.

A varredura efetuada pelo Manchetômetro sobre o comportamento dos cinco mais importantes veículos brasileiros no período da Lava Jato (de 2014 a 2021) revela números assombrosos.

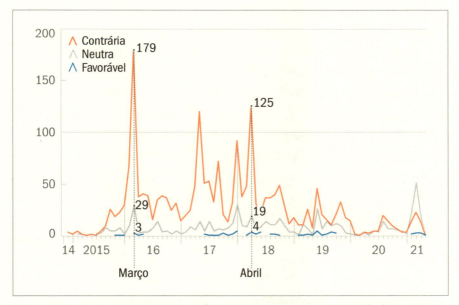

Quase metade da cobertura total de Lula advém de textos que dizem respeito também à Lava Jato. Não há praticamente textos favoráveis a ele, e a proporção entre contrários e neutros é similar ao que se encontra na cobertura total.

Nos três principais jornais diários do país e no *JN* — que costuma chegar a 50 milhões de espectadores — os picos de ataques frontais a Lula ocorrem em cinco momentos-chave entre 2016 e 2021 e culminam nas coberturas de sua prisão e soltura. Nos momentos mais escandalosamente contrários ao ex-presidente, a intensidade de matérias negativas explode. No dia 10 de maio de 2017, por exemplo, quando Lula foi interrogado pessoalmente por Moro, em Curitiba, contabilizam-se 117 publicações negativas nos três jornais, para apenas uma favorável e quatro neutras.

Ao longo de todos os dias, meses e anos observados nesses veículos de informação, o número de matérias negativas sobre Lula é muito superior ao de neutras ou favoráveis. Isso muda no início de 2021, quando as neutras ultrapassam as negativas — as favoráveis praticamente inexistem. O período coincide com a reviravolta na Lava Jato, quando a Suprema Corte anula processos contra Lula, restitui-lhe o direito de se candidatar à Presidência e aceita a acusação de suspeição e parcialidade contra o já ex-juiz Sergio Moro.

Nas capas e nas reportagens interiores da revista *Veja*, a intensidade e o desequilíbrio da perseguição a Lula foram igualmente brutais. Nos sete anos analisados, que correspondem ao intervalo de abril de 2014 a abril de 2021, fizeram-se 87 referências a ele: 82 negativas, cinco neutras e apenas uma positiva — ironicamente, a matéria que informa a volta de Lula à competição política em 2021, quando se restabeleceram seus direitos políticos. No período examinado, a revista pôs nas mãos dos leitores cerca de 357 edições, praticamente todas negativas para Lula. O ex-presidente esteve presente, em média, em um quarto das capas dessas edições. Ou seja, a *Veja* demonizou Lula em quase todas as suas publicações.

Em 48 capas analisadas, embora não haja fotos do ex-presidente, lá estão as chamadas de texto para reportagens interiores — entre estas, apenas uma faz menção positiva. A estratégia comunicativa adotada pelo periódico foi de chocar, tanto o assinante como as pessoas que passam pelas bancas de revista, e para isso a direção de arte se valeu de todos os recursos possíveis — fotos modificadas digitalmente, títulos apelativos e ilustrações verborrágicas. Se todas as menções a Lula fossem publicadas em sequência, o massacre duraria um ano inteiro de edições da revista.

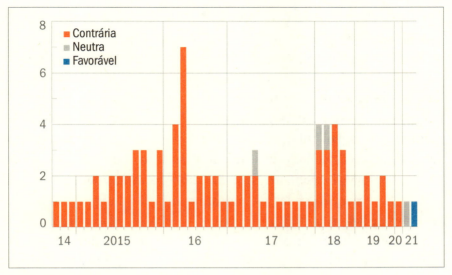

Lula nas capas da *Veja*.

Dessas 48 capas levantadas pelo Manchetômetro, 35 são negativas e têm a imagem do petista como central. Sete trazem fotografias suas em chamadas menores, geralmente no topo da página — aquilo que o jargão jornalista denomina *slash*. Das referidas 35, somente duas foram assinaladas como neutras pela pesquisa. Uma é de 2021, intitula-se "Mudança de jogo" e logo abaixo, no subtítulo, ressalta que, "para tentar salvar Sergio Moro, o ministro Edson Fachin ressuscita Lula, implode a Lava Jato e reforça a polarização entre o petista e Bolsonaro". Trata-se de um exemplo de codificação neutra, visto que a implosão da operação — sob a ótica da revista — é algo negativo, assim como a polarização entre Lula e Bolsonaro.

Outro exemplo de capa neutra — e que não corresponde a isenta — diz respeito à ilustração da edição 2529, de 10 de maio de 2017. A capa mostra Lula e Moro estilizados, como num cartaz de "Lucha Libre" mexicana, com os dizeres: O PRIMEIRO ENCONTRO CARA A CARA: MORO × LULA. Como não há alusão negativa clara ao petista, os pesquisadores envolvidos nesse projeto classificaram a manchete como neutra. Mas o fato de a revista ter colocado julgador e julgado em combate confirma e reforça a tese da defesa de Lula de que o juiz se comportava como adversário e não como elemento neutro no processo.

Com esses dados pode-se compreender que a *Veja* exemplifique a campanha de perseguição política praticada pela grande imprensa. Embora já não exercesse nenhuma função pública, Lula continuou ganhando capas e páginas da revista, algo nunca visto antes, desde seu primeiro exemplar, publicado em 1968. É possível que nem as célebres campanhas do *Estadão* contra Getúlio Vargas ou as do *Jornal da Tarde* contra Paulo Maluf tenham atingido tamanha intensidade.

A chave para entender a cobertura contrária a Lula é a incessante tentativa de ligar sua imagem à corrupção. Às vezes tal associação se dá indiretamente, por meio da vilanização de seu partido, o PT. São capas sem referência direta ao ex-presidente e, portanto, não computadas nessa pesquisa. Na edição de 10 de dezembro de 2014, por exemplo, o título A OPERAÇÃO LAVA JATO E O PT — *O partido do governo tem muito que explicar sobre o escândalo depois das acusações de receber propina nas campanhas eleitorais* revela o contorcionismo editorial para arrastar o partido para o foco das acusações. Os editores ocultaram que a agremiação política com mais acusações na Lava Jato tenha sido o PP (Partido Progressista, presidido pelo senador piauiense Ciro Nogueira), com 33 políticos investigados, entre os quais os alagoanos, pai e filho, Benedito de Lira e Arthur Lira — este contemplado com a presidência da Câmara dos Deputados no segundo biênio do governo Jair Bolsonaro. Em outros momentos, a imagem desfavorável ao partido é associada a referências diretas a Lula, em texto ou imagem, como: "Mensalão 10 anos", "PT 35 anos" "EsPécie em exTinção?" e "A esquerda à deriva".

Uma seleção realizada pela equipe de pesquisa é constituída de capas que se concentram só em Lula, nas quais as chamadas são exclusivamente compostas de notícias alarmantes e danosas à sua figura, como: "Especial — Lula e a lei", "Edição Especial — Culpado". Em muitas destas seu rosto é caricaturado de forma teratológica, ou em imagens graficamente produzidas de Lula vestido de preso, publicadas meses antes de o petista ser julgado e condenado.

Na revista *Veja* a oposição selvagem a Lula é interminável, a exemplo de edições em que o ex-presidente é apresentado de forma grotesca e desfigurada, como em "A ruína do PT" e "O desespero da Jararaca". Mas nenhuma capa é tão apelativa como a do número 2496, de 21 de setembro de 2016, plágio escandaloso de uma capa da revista *Newsweek* que retratava a morte do líder Muammar al-Gaddafi, linchado e empalado diante de centenas de câmeras. Segundo os analistas do Manchetômetro, na da *Veja* pretende-se comparar Lula com o cangaceiro Lampião, que teve a cabeça decepada pelos "macacos", os PMs baianos, fotografada e exposta durante anos ao público. O Manchetômetro chama a atenção para o detalhe de que o crânio de Lula, nessa capa, aparece achatado de maneira a se assemelhar ao de Lampião, e, de quebra, acrescentou-se à imagem uma "arte" viscosa, que escorre por sua face, similar ao sangue que pingava do pescoço do capitão Virgulino Ferreira da Silva. Lula deve ter sido o assunto mais noticiado pela *Veja* em toda a história do semanário.

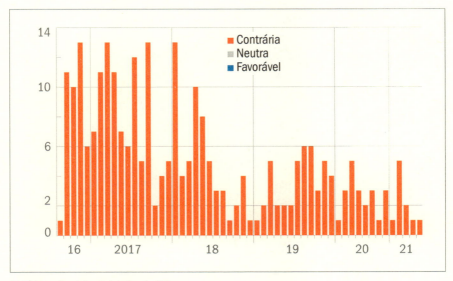

Matérias sobre Lula no interior da *Veja*.

Numa longa entrevista aos jornalistas Gilberto Maringoni, Juca Kfouri e Maria Inês Nassif, depois organizada no livro *A verdade vencerá*, pela editora Boitempo, Lula conta que quando ocupou a Presidência ele já tinha descoberto o caminho das pedras de seus algozes:

— O circuito para paralisar um governo é assim: na quinta-feira, começa a boataria; na sexta, começam a sair coisas na internet; no sábado, dá no *Jornal Nacional*; no domingo, vai para a imprensa escrita e, à noite, pro *Fantástico*. [...] Eu não aguentava mais os meus assessores entrando para dizer: "Vai sair a capa assim, vai sair a capa assado". O que eu tomei de decisão? "Daqui pra frente, ou vocês me dão notícia boa, ou eu não quero saber de notícia. Vou provar que é possível governar este país sem ler a *Folha*, sem ler o *Estadão*, sem ler a *Veja*, sem ler *O Globo*."

Posfácio

(Este livro e algumas cenas do próximo volume)

Este livro está sendo publicado com vinte anos de atraso. Ainda bem. Quando Lula ganhou as eleições para presidente da República, em 2002, corri atrás de seu secretário de Imprensa, o velho amigo Ricardo Kotscho. Meu pretensioso projeto era inspirado em *Mil dias* (*A Thousand Days*), o relato sobre a intimidade do mandato interrompido do presidente John Kennedy, escrito por seu amigo, consultor e ghost-writer Arthur M. Schlesinger Jr. Eu não era exatamente amigo, nunca fora consultor e menos ainda ghost-writer de Lula — nem tinha o talento e a experiência de Schlesinger. Mas sonhava escrever sobre o subsolo do mandato do primeiro operário presidente do Brasil. Supunha que tinha a meu favor, para realizar o projeto, além do convívio nas greves do ABC, o fato de não ser militante do PT, o que afastava a ameaça de fazer um livro carimbado como chapa-branca. Ao contrário, havia estado publicamente entre os que acreditavam que a criação do Partido dos Trabalhadores contribuía para o rompimento da frente política que o MDB juntava na luta contra a ditadura. No primeiro turno de 1989, fiz a campanha, o programa cultural, e votei em Ulysses Guimarães, do MDB. No segundo turno, votei em Lula.

Com o bom humor de sempre, Kotscho respondeu que eu era o 185º da fila de jornalistas que haviam feito pedido idêntico. Desisti da empreitada. Quando Lula se reelegeu, em 2006, voltei à carga, e dessa vez foi ele próprio quem me dissuadiu do projeto. Sem vocação para aquilo que o ex-presidente Itamar Franco chamava de "percevejo de palácio", nos oito anos de governo de Lula estive com ele apenas três vezes. A primeira foi no Palácio do Planalto na companhia da atriz Camila Morgado, em julho de 2004, para um debate que a primeira-dama Marisa Lula organizara, após a exibição, para todas as mulheres que trabalhavam na Presidência, do filme *Olga*, inspirado no livro de minha autoria. A segunda vez foi num ano que a minha memória não permite precisar, quando emprestei minha casa para que Lula, Leonel Brizola, José Dirceu e Carlos Lupi se reunissem secretamente para tentar uma frustrada aliança entre o PT e o PDT. A terceira vez com Lula durante sua presidência foi em novembro de 2008, quando o entrevistei, como freelancer, para a revista mensal *Nosso Caminho*, editada pelo arquiteto Oscar Niemeyer. Com o gravador ligado, e para espanto de seu ministro das Comunicações, Franklin Martins, que acompanhava a entrevista, Lula me deu um "furo" nacional ao anunciar pela primeira vez que a ministra Dilma Rousseff seria candidata à sua sucessão nas eleições de 2010.

Em julho de 2011, eu passava férias com minha neta Clarisse na Europa quando o celular tocou. Era o jornalista Ottoni Fernandes Júnior, que tinha sido secretário-executivo do Ministério das Comunicações na gestão de Franklin Martins. Seco, como sempre, Ottoni foi direto ao assunto:

— O ex-presidente Lula quer tomar um café com você amanhã cedo, pode ser?

Expliquei que estava fora do Brasil, mas se fosse algo muito urgente eu poderia tomar um avião à noite e chegar a São Paulo na manhã seguinte. Ele respondeu que não havia urgência e que quando eu voltasse ele se encarregaria de armar o encontro. Lula havia decidido, enfim, que alguém deveria escrever um livro — não exatamente uma biografia, mas um relato que iria de sua estreia na política, em 1980, com a criação do PT, até o momento em que ele transferira a faixa presidencial para Dilma Rousseff.

Muita gente acredita que Lula só aceitou que se fizesse um livro sobre sua vida política depois de tomar consciência de sua finitude, com a descoberta de um câncer na laringe. Não é verdade: nosso

Em plena sessão de quimioterapia para tratamento de um tumor na laringe, no final de 2011, Lula grava depoimento para o autor deste livro. As entrevistas só seriam reiniciadas quando o ex-presidente teve alta, em meados de 2012.

acerto para que eu contasse sua história aconteceu no fim de julho. E só em outubro, quando eu me encontrava com Kotscho e o jornalista Audálio Dantas numa feira de livros em Maceió, Alagoas, é que soubemos, pela televisão, que o ex-presidente estava internado no Hospital Sírio-Libanês, em São Paulo, para tratamento do tumor. Eu já tinha tomado algumas horas de depoimentos dele. E cheguei depois a fazer uma única gravação durante seu tratamento, registrada por seu fotógrafo oficial, Ricardo Stuckert, com Lula de cabeça pelada e a agulha da quimioterapia espetada no ombro. A doença, sobretudo por afetar a laringe e, consequentemente, a fala, empurrou nosso trabalho de outubro de 2011 até julho de 2012, quando testemunhei sua volta triunfal num comício-monstro em Fortaleza, no Ceará. A massa humana que acompanhava a pé a caminhonete aberta que o levava do aeroporto até a praça do Ferreira, no centro da cidade — uns sete ou oito quilômetros de extensão —, gritava um bordão que eu nunca ouvira antes, e que lembrava as histórias que lera de Getúlio Vargas:

— O papai voltou! O papai voltou! O papai voltou!

O acerto com meu editor Luiz Schwarcz deu-se sem atropelos. A Companhia das Letras, que já publicara quase todos os meus livros, celebrou juntamente com sua nova sócia, a britânica Penguin, o anúncio da futura obra. Lula não fez objeção alguma quando soube por mim que não leria os originais. O primeiro exemplar saído da gráfica seria seu, mas ele o receberia simultaneamente com milhares de outros leitores espalhados pelo Brasil.

Em pouco tempo de trabalho descobri que o melhor lugar para tomar os depoimentos do ex-presidente era o interior dos aviões. A partir de então, passei a acompanhá-lo em suas viagens, principalmente as internacionais, quando podíamos passar horas a fio conversando a bordo dos jatos executivos colocados à sua disposição pelos governos, empresas e instituições que o convidavam para palestras por todo o planeta. Sem telefones, sem secretárias e sem a fila de políticos que interrompiam nosso trabalho no Instituto Lula, eu podia desfrutar da companhia do personagem do livro por horas e horas. Quando não havia lugar disponível nos voos que lhe ofereciam, eu embarcava em aviões de carreira, custeados pela editora, e ia encontrá-lo e incorporar-me à caravana no meio do caminho. Uma viagem de ida e volta a Nova Délhi, na Índia, por exemplo, com escalas de um ou dois dias em Joanesburgo, Luanda, Maputo e Adis Abeba, como fizemos certa vez, me garantiu 23 horas de entrevistas na ida e mais 23 na volta — com a enorme vantagem de que Lula dorme pouco durante os voos. No máximo tirava um cochilo e voltava a falar. Foram essas viagens que me levaram ao bate-boca com o então juiz Sergio Moro, que acusava Lula de simular palestras no exterior para levantar propinas de empresas e governos. Fui arrolado como testemunha por ter estado ao lado dele em quatro continentes. Excluída a Oceania, acompanhei Lula por todo o planeta.

Quando o segundo governo de Dilma Rousseff começou a desmoronar, emparedado por um golpe de Estado "constitucional", passei a ser uma testemunha privilegiada da crise. Pude seguir de perto, ao lado do ex-presidente, tudo o que foi armado por setores da mídia, do Ministério Público, do Judiciário e da Polícia Federal, operação que levaria ao impeachment da ex-presidente e à prisão do personagem central deste livro.

Foi então que, com a experiência de quase meio século como repórter, eu me dei conta de que não podia fazer o livro que tinha sido acertado com a editora e com Lula. Publicar o que imaginávamos originalmente e ignorar a crise que levaria Jair Bolsonaro ao poder seria trair o que eu aprendera nas redações de jornais e revistas. Propus a Lula e à Companhia das Letras que o relato deveria incorporar tudo o que eu tivera a oportunidade de ver e ouvir. Com a concordância do personagem e do editor, prossegui acompanhando os acontecimentos até a libertação de Lula. A decisão conjunta gerou um problema inesperado: seria impossível contar tudo isso em apenas um volume. Foi assim que decidimos, autor, personagem e editor, publicar esta história em dois tomos.

O livro que você tem nas mãos conta o que me pareceu mais relevante da vida política de Lula até o dia 8 de novembro de 2019, quando o ex-presidente, por decisão do Supremo Tribunal Federal, teve seus processos anulados e ganhou a liberdade — e, em seguida, o ex-juiz Sergio Moro teve sua atuação na Operação Lava Jato colocada sob suspeita pelo mesmo STF. No segundo volume, que começarei a escrever hoje, contarei os bastidores das três derrotas de Lula (uma para Collor e duas para Fernando Henrique Cardoso), as virtudes e os tropeços de seus dois períodos presidenciais, e tudo o que vi e ouvi nos dois governos Dilma e na crise em que o Brasil foi mergulhado a partir de 2013.

Tudo o que está escrito neste livro é de minha exclusiva responsabilidade. Mas seria injusto dizer que fiz *Lula* sozinho. Não teria sido possível chegar à última página sem contar com a ajuda de muitas pessoas. Não posso deixar de agradecer aos médicos cubanos e brasileiros que me salvaram da covid contraída a caminho da Ilha, quando acompanhei Lula e sua equipe para o início das filmagens do longa--metragem que o cineasta norte-americano Oliver Stone está produzindo sobre o ex-presidente. Algumas pessoas merecem referência especial, como Alcides Moreno, o jornalista e cientista social que conseguiu organizar a maçaroca de dados que acumulei em dez anos de trabalho. Antigo colaborador do blog Nocaute, editado por mim entre 2016 e 2020, Moreno não apenas montou um exemplar banco de dados, mas leu todos os meus escritos em primeira mão, dando palpites e fazendo sugestões essenciais para a clareza e a precisão deste livro. Também seria injusto deixar de agradecer a Frei Betto (meu "irmão em Castro", como dizia minha falecida mãe). Além de me conceder um substancial depoimento, Betto me regalou com um pacote de fitas cassete com dezenas e dezenas de horas de gravações inéditas realizadas com Lula nos anos 1980 em três ocasiões: num sítio no interior de São Paulo, no Instituto Cajamar e na casa do artista Chico Buarque de Holanda, no Rio de Janeiro. Registro, igualmente, a generosidade da jornalista Luiza Villaméa, que me presenteou com duas excelentes entrevistas exclusivas feitas por ela com o delegado federal Marco Antônio Veronezzi e o agente do Dops Armando Panichi Filho, ambos falando de Lula. Por último, mas não menos importante, vai um abraço agradecido ao casal Nicole Briones e Marco Aurélio "Marcola" Santana Ribeiro pelos socorros fora de hora e pelos bastidores que me revelaram.

Além deles, tenho que agradecer a paciência bíblica de meus editores Luiz Schwarcz e Otávio Marques da Costa. Para meu alívio, ao receber os originais deste livro, Luiz, que é conhecido pela avareza em elogios, respondeu dizendo: "Valeu a pena esperar tanto tempo". Seria injusto esquecer a doce mão de ferro da Lucila Lombardi, multitask editorial, sem cuja ajuda este livro não estaria na sua mão agora, bonito, revisto, datado e assinado, também, por ela.

Logo abaixo relaciono as pessoas entrevistadas para o livro sobre Lula. Muitos desses depoimentos deverão entrar apenas no segundo volume, para o qual iniciei mais uma extensa rodada de entrevistas, mas fiz questão de já incluí-los aqui. Da mesma forma, relaciono a bibliografia a que recorri nos momentos de dúvidas que me assaltaram ao longo da escrita do livro.

Como o cupim da covid comeu fragmentos da minha memória, devo estar esquecendo de algum nome, pelo que, desde já, me penitencio, mas merecem minha eterna gratidão Abelardo Blanco, Ademir Medici, Alberto Villas, Alexandre Padilha, Aline Piva, Aloizio Mercadante, André Felix, Angela Ziroldo, Cacá D'Arcadia, Camilo Vannuchi, Carolina Maria Ruy, Celso Antonio Bandeira de Mello, Cinthia Fanin, Clarisse Cecconi, Cláudia Troiano, Cláudio Guedes, Cláudio Kahns, Dainis Karepovs, Dayton Lopes Rigoto, Didu Motta Carvalho, Edinho Silva, Edmundo Leite, Edson Moura, Eduardo Barbabela, Elenita Barbosa, Elias Reis, Eric Nepomuceno, Érico Melo, Ernesto Abdalla Filho, Evaldo Novelini, Everaldo de Oliveira Andrade, Fábio Pannunzio, Fausto Augusto Junior, Fernando Alves, Fernando Mitre, Firmina Firmeza, Gabriel Manzano Filho, Helena Gasparian, Hélio Bacha, Hélio de Almeida, Iraci Silva Dantas, João Domingos Cavallaro Junior, João Feres Júnior, João Palma Júnior, João Pedro

Stédile, João Vieira, José Chrispiniano Junior, José Gaspar Ferraz de Campos, José Silvestre Oliveira, Juca Kfouri, Júlio Moreno, Julius Weinberg, Laerte, Larissa da Silva, Lena Wormans, Luciana Franzolin, Luis Nassif, Marcio Pochmann, Marco Antônio Rodrigues Barbosa, Marco Aurélio Costa, Mariângela Araújo, Marilia Cajaíba, Marina Maluf, Mario Prata, Maximilien Arvelaiz, Milton Cavalo, Misael Melo, Mônica Dallari, Neudicleia de Oliveira, Orlando Brito, Paulo Tadeu Silva D'Arcadia, Percival de Souza, Regina Perpétua Cruz, Ricardo Amaral, Ricardo Carvalho, Ricardo Messias de Azevedo, Ricardo Schwab Schirmer, Ricardo Silva dos Santos, Ricardo Stuckert, Roberto Baggio, Rogério dos Santos, Rosângela da Silva, Rosilene Alves de Souza Guedes, Sérgio Antunes, Sérgio Gomes, Ubiratan de Paula Santos, Vladimir Sacchetta, Weida Zancanar e Xixo Wilson Ramos Filho.

ENTREVISTADOS

Ana Estela Haddad, Antonio Candido de Mello e Souza, Antonio Palocci, Antonio Delfim Netto, Ariovaldo Moreira, Armando Panichi Filho, Armando Salem, Carla Jiménez, César Borges, Clara Ant, Cristiano Zanin, Dilma Rousseff, Edevaldo Medeiros, Eike Batista, Emidio de Souza, Emílio Odebrecht, Eric Hobsbawm, Fábio Lula, Fernando Haddad, Florestan Fernandes Jr., Franklin Martins, Frei Betto, Geraldo Siqueira Filho, Gilberto Carvalho, Gleisi Hoffmann, Guilherme Boulos, Heitor Aquino Ferreira, Hélio Doyle, Jacó Bittar, Jorge Chastallo, José Álvaro Moisés, José Dirceu, José Eduardo Cardozo, José "Frei Chico" Ferreira da Silva, José Paulo de Andrade, Kalil Bittar, Kenarik Boujikian, Luís Carlos Sigmaringa Seixas, Luís Gushiken, Luiz Carlos da Rocha, Luiz Dulci, Luiz Eduardo Greenhalgh, Luiz Inácio Lula da Silva, Manoel Caetano Ferreira Filho, Manuela d'Ávila, Marco Antônio Veronezzi, Marco Aurélio de Carvalho, Marco Aurélio Garcia, Mariani de Cassia Almas, Marisa Letícia Lula da Silva, Markus Sokol, Michel Temer, Miguel Jorge, Milton Temer, Mino Carta, Moisés Selerges

Júnior, Mônica Bergamo, Ottoni Fernandes Júnior, Patrícia Campos Mello, Paulo André, Paulo Bernardo, Paulo Caires, Paulo de Oliveira Campos, Paulo Okamotto, Paulo Villares, Ricardo de Azevedo, Roberto Requião, Rodrigo Tacla Durán, Ronaldo Costa Couto, Sérgio Xavier Ferreira, Valeska Teixeira, Wadih Damous, Valmir Moraes e Walter Delgatti Neto.

Fernando Morais
Ilhabela, Havana, São Paulo
Setembro de 2021

Bibliografia

ALBERTI, Verena; FARIAS, Ignez Cordeiro de; ROCHA, Dora (Orgs.). *Paulo Egydio conta: Depoimento ao CPDOC-FGV*. São Paulo: Imprensa Oficial do Estado de São Paulo, 2007.

ALVES, Giovanni et al. (Orgs.). *Enciclopédia do golpe — V. I*. Bauru: Praxis; Clacso, 2017.

ANDRADE, Antonio. "O surgimento de um partido político pela ótica da imprensa regional: O caso *Diário do Grande ABC* e o Partido dos Trabalhadores". *Anuário Unesco/Metodista de Comunicação Regional*, ano 21, jan.-dez. 2017.

ANDRADE, Everaldo de Oliveira; CHAUVIN, Jean Pierre (Orgs.). *Lula liberto*. São Paulo: Edições Terceira Via, 2018.

ARAGÃO, Eugênio José Guilherme de et al. (Orgs.). *Vontade popular e democracia: Candidatura Lula?*. Bauru: Praxis, 2018.

AZEVEDO, F. A. *A grande imprensa e o PT (1989-2014)*. São Carlos: EdUFSCar, 2017.

BETTO, Frei. *O paraíso perdido: Nos bastidores do socialismo*. São Paulo: Geração Editorial, 1993.

_____. *Lula: Um operário na Presidência*. São Paulo: Casa Amarela, 2002.

_____. *A mosca azul: Reflexão sobre o poder*. Rio de Janeiro: Rocco, 2006.

_____. *O diabo na corte: Leitura crítica do Brasil atual*. São Paulo: Cortez, 2020.

BRANDÃO, Ignácio de Loyola; SILVA, Deonísio da. *Villares 80 anos*. Fotografia Rômulo Fialdini. São Paulo: DBA Artes Gráficas, 1999.

CARDOSO, Fernando Henrique. *O improvável presidente do Brasil: Recordações*. Com Brian Winter. Trad. Clóvis Marques. Rio de Janeiro: Civilização Brasileira, 2013.

_____. *Diários da Presidência (1995-1996)*. São Paulo: Companhia das Letras, 2015.

_____. *Diários da Presidência (1997-1998)*. São Paulo: Companhia das Letras, 2016.

_____. *Diários da Presidência (1999-2000)*. São Paulo: Companhia das Letras, 2017.

_____. *Diários da Presidência (2001-2002)*. São Paulo: Companhia das Letras, 2019.

CARVALHO, Luiz Maklouf. *Já vi esse filme: Reportagens (e polêmicas) sobre Lula e o PT (1984-2005)*. São Paulo: Geração Editorial, 2005.

BIBLIOGRAFIA | 425

CHAIA, Miguel Wady. *Conhecimento e organização sindical: A trajetória do Dieese*. São Paulo: Faculdade de Filosofia, Letras e Ciências Humanas da Universidade de São Paulo, 1988. Tese (Doutorado).

DALLAGNOL, Deltan. *A luta contra a corrupção: A Lava Jato e o futuro de um país marcado pela impunidade*. Rio de Janeiro: Primeira Pessoa, 2016.

DANTAS JÚNIOR, Altino (Ed. e apres.). *Lula sem censura*. Rio de Janeiro: Vozes, 1981.

DUARTE, L.; The Intercept Brasil. *Vaza Jato: Os bastidores das reportagens que sacudiram o Brasil*. Rio de Janeiro: Mórula, 2020.

DULCI, Luiz. *Um salto para o futuro: Como o governo Lula colocou o Brasil na rota do desenvolvimento*. São Paulo: Editora Fundação Perseu Abramo, 2013.

FIGUEIREDO, Argelina Cheibub. "Intervenções sindicais e o 'novo sindicalismo'". *Dados*, Rio de Janeiro, Instituto Universitário de Pesquisa do Rio de Janeiro, n. 17, pp. 136-45, 1978.

FORTES, Alexandre; CORRÊA, Larissa Rosa; FONTES, Paulo (Orgs.). *Dicionário histórico dos movimentos sociais brasileiros (1964-2014)*. Rio de Janeiro: Colégio Brasileiro de Altos Estudos da UFRJ, 2014.

GARNERO, Mario. *Jogo duro: O caso Brasilinvest e outras histórias de velhas e novas repúblicas*. São Paulo: Best Seller, 1988.

GASPARI, Elio. *A ditadura envergonhada*. São Paulo: Companhia das Letras, 2002.

_____. *A ditadura escancarada*. São Paulo: Companhia das Letras, 2002.

_____. *A ditadura derrotada*. São Paulo: Companhia das Letras, 2003.

_____. *A ditadura encurralada*. São Paulo: Companhia das Letras, 2004.

_____. *A ditadura acabada*. Rio de Janeiro: Intrínseca, 2016.

GUATTARI, Félix. *Felix Guattari entrevista Lula*. São Paulo: Brasiliense, 1982.

JINKINGS, Ivana et al. (Orgs.). *Luiz Inácio Lula da Silva: A verdade vencerá: o povo sabe por que me condenam*. São Paulo: Boitempo, 2018.

KERCHE, Fábio; FERES JÚNIOR, João (Coords.). *Operação Lava Jato e a democracia brasileira*. São Paulo: Contracorrente, 2018.

KOTSCHO, Ricardo et al. *Caravana da Cidadania: Diário de viagem ao Brasil esquecido*. São Paulo: Página Aberta, 1993.

KUCINSKI, Bernardo. *As cartas ácidas da campanha de Lula de 1998*. Cotia: Ateliê, 2000.

LEITE, Paulo Moreira. *A outra história do mensalão: As contradições de um julgamento político*. São Paulo: Geração Editorial, 2013.

LEITE FILHO, F. C. *El Caudillo: Leonel Brizola: Um perfil biográfico*. São Paulo: Aquariana, 2008.

LIMA, Venício A. de. *Política de comunicações: Um balanço dos governos Lula [2003--2010]*. São Paulo: Publisher Brasil, 2012.

LOPES, Áurea. *Vigília Lula Livre: Um movimento de resistência e solidariedade*. Florianópolis: Clacso, 2020.

MACHADO, Ralph. *Lula a.C.-d.C.: Política econômica antes e depois da "Carta ao Povo Brasileiro"*. São Paulo: Annablume, 2007.

MARKUN, Paulo. *O sapo e o príncipe: Personagens, fatos e fábulas do Brasil contemporâneo*. Rio de Janeiro: Objetiva, 2004.

MOISÉS, José Álvaro. *Greve de massa e crise política: Estudo da Greve dos 300 mil em São Paulo, 1953-54*. São Paulo: Polis, 1978.

MOREL, Mário. *Lula: O início: 25 anos depois, o livro-reportagem que mostra como tudo começou*. 3. ed. Rio de Janeiro: Nova Fronteira, 2006.

NARCISO, Paulo. "Lourdes, o amor mineiro de Lula". *Hoje em Dia*, Belo Horizonte, 5 maio 2008.

NOSSA, Leonencio; SCOLESE, Eduardo. *Viagens com o presidente: Dois repórteres no encalço de Lula do Planalto ao exterior*. 3. ed. Rio de Janeiro: Record, 2006.

PALOCCI, Antonio. *Sobre formigas e cigarras*. Rio de Janeiro: Objetiva, 2007.

PARANÁ, Denise. *Lula: O filho do Brasil*. 3. ed. São Paulo: Editora Fundação Perseu Abramo, 2008.

POCHMANN, Marcio. "A magia nos índices de preços: Uma sofisticação da política anti-inflacionária adotada no Brasil". *Indicadores Econômicos FEE*, Porto Alegre, v. 18, n. 4, pp. 256-67, 1991.

RABELO, Renato; MONTEIRO, Adalberto (Orgs.). *Governos Lula e Dilma: O ciclo golpeado — contexto internacional, realizações, lições e perspectivas*. São Paulo: Anita Garibaldi, 2017.

RIBEIRO, José Augusto. *Lula na Lava Jato e outras histórias ainda mal contadas*. Curitiba: Kotter, 2018.

RIBEIRO, Pedro Floriano. *Dos sindicatos ao governo: A organização nacional do PT de 1980 a 2005*. São Carlos: EdUFSCar, 2010.

SAMPAIO, Antonio Possidonio. *Lula e a greve dos peões*. São Paulo: Escrita, 1982.

SECCO, Lincoln. *História do PT*. Cotia: Ateliê, 2011.

SIMÃO, Azis. *Sindicato e Estado: Suas relações na formação do proletariado de São Paulo*. São Paulo: Ática, 1981. (Ensaios 78).

SINGER, André. *O PT*. São Paulo: Publifolha, 2001.

_____. *Os sentidos do lulismo: Reforma gradual e pacto conservador*. São Paulo: Companhia das Letras, 2012.

_____. *O lulismo em crise: Um quebra-cabeça do período Dilma (2011-2016)*. São Paulo: Companhia das Letras, 2018.

_____; LOUREIRO, Isabel (Orgs.). *As contradições do lulismo: A que ponto chegamos?*. São Paulo: Boitempo, 2016.

SLAVIERO, Cleusa (Org.). *Lula*. Curitiba: ComPactos, 2017.

_____. *Caravana da esperança: Lula pelo Brasil*. Curitiba: Edição da autora, 2018.

_____. *As cartas que Lula não recebeu*. Curitiba: ComPactos, 2019.

SOUZA, Amaury de; LAMOUNIER, Bolívar. "Governo e sindicatos no Brasil: A perspectiva dos anos 80". *Dados*, Rio de Janeiro, v. 24, n. 2, pp. 139-59, 1981.

VANNUCHI, Camilo. *Marisa Letícia Lula da Silva*. São Paulo: Alameda, 2020.

WARDE, Walfrido. *O espetáculo da corrupção: Como um sistema corrupto e o modo de combatê-lo estão destruindo o país*. Rio de Janeiro: LeYa, 2018.

WOLF, Michael. *Fogo e fúria: Por dentro da Casa Branca de Trump*. Rio de Janeiro: Objetiva, 2018.

_____. *O cerco: Trump sob fogo cruzado*. Rio de Janeiro: Objetiva, 2019.

WOODWARD, Bob. *Medo: Trump na Casa Branca*. São Paulo: Todavia, 2018.

ZERBINATO, Luiz Antonio. *Braços cruzados, máquinas fotográficas: As greves dos metalúrgicos no ABC paulista pela fotografia (1978-1980)*. São Paulo: Pontifícia Universidade Católica de São Paulo, 2016. Tese (Doutorado em História).

"Arquivo das greves no Brasil: análises qualitativas e quantitativas das greves da década de 1970 à de 2000". Projeto de pesquisa realizado pelo Dieese (Departamento Intersindical de Estatística e Estudos Socioeconômicos), em parceria com o Departamento de Ciências Sociais da UFSCar, com apoio da Fapesp.

ARQUIVOS E PERIÓDICOS CONSULTADOS

A Gazeta de Lins
Centro de Memória, Pesquisa e Informação do Sindicato dos Metalúrgicos do ABC (Cempi)
Centro de Memória Sindical (CMS)
Der Spiegel
Jornal da Mantiqueira (Poços de Caldas)
Katholisches Büro Bonn II, Zug. 1853 Nr. 665.312 Bd. III: Brazil (state), 1980-1986
Trajetória do Dieese. São Paulo, USP (mimeo).

FILMES

ABC da greve (1990), direção de Leon Hirszman
Braços cruzados, máquinas paradas (1979), direção de Roberto Gervitz e Sérgio Segall
CUT pela base (1984), CUT e Tatu Filmes, direção de Renato Tapajós
Greve! (1979), direção de João Batista de Andrade
Linha de montagem (1981), direção de Renato Tapajós
Lula, o filho do Brasil (2009), direção de Fábio Barreto e Marcelo Santiago
1ª Conclat, Conferência Nacional da Classe Trabalhadora (1981), CUT e Tatu Filmes, direção de Adrian Cooper

LINKS

https://abcdeluta.org.br/
https://acervo.estadao.com.br/
https://acervo.folha.com.br/
https://acervo.oglobo.globo.com/
https://bndigital.bn.gov.br/jornal-do-brasil/
https://memorialdademocracia.com.br/
https://memoriasindical.com.br/
https://smabc.org.br/
https://tvt.org.br/

Créditos das imagens

Todos os esforços foram feitos para reconhecer os direitos autorais das imagens. A editora agradece qualquer informação relativa à autoria, titularidade e/ou outros dados, se comprometendo a incluí-los em edições futuras.

pp. 2-3, 167 (acima), 172-3 (acima), 177, 303, 346, 347, 350 (acima), 351, 389 (acima) e 395: Juca Martins/ Olhar Imagem

pp. 4-5, 167 (abaixo), 183, 257, 285, 288 (abaixo), 289, 309 (acima), 315 (acima), 327 (abaixo), 372 e 373 (acima): Acervo Iconographia

pp. 17 (acima), 23 (ao centro), 52 (acima), 73, 75, 91, 94 (ao centro e abaixo), 95, 97, 101 (abaixo), 111, 115, 145, 149 (abaixo), 153, 160-1, 165 e 417: Ricardo Stuckert

p. 17 (ao centro): Paulo Lisboa/ Brazil Photo Press/ Agência O Globo

p. 17 (abaixo): Paulo Whitaker/ Reuters/ Folhapress

p. 23 (acima): Rogério Gomes/ Brazil Photo Press/ Folhapress

p. 23 (abaixo): Beto Barata/ Estadão Conteúdo

p. 33 (acima): Geraldo Magela/ Agência Senado

p. 33 (abaixo): Andre Borges/ Folhapress

pp. 39 (acima), 56 (ao centro à dir.), 83 (abaixo), 88 (abaixo), 89, 133 (acima), 187, 195 (acima à dir.), 213, 344, 345 e 383 (abaixo): Acervo do autor

p. 39 (abaixo): Paulo Pinto

pp. 41, 53, 60-1 e 65 (acima): Leonardo Milano/ Mídia Ninja

p. 52 (abaixo): Acervo pessoal Cristiano Zanin

p. 56 (acima à esq.): Foto de Fernando Donasci/ Agência O Globo. Capa de Abril Comunicações S.A.

p. 56 (acima à dir.): Foto de Andre Penner/ AP Photo/ IMAGEPLUS. Capa de Abril Comunicações S.A.

p. 56 (ao centro à esq. e abaixo): Abril Comunicações S.A.

p. 57: Paulo Lisboa/ Brazil Photo Press/ Folhapress

p. 65 (abaixo): Oliver Kornblihtt/ Mídia Ninja

p. 67: Amina Jorge

p. 83 (acima): Matheus Alves/ Mídia Ninja

p. 88 (acima): Avener Prado/ Folhapress

pp. 94 (acima) e 101 (ao centro): Mauro Calove

p. 101 (acima): Claudio Kabene

pp. 118-29, 149 (acima), 209, 215, 221, 229, 233 (ao centro e abaixo), 241 (acima), 247 (acima), 263, 271, 273, 375, 389 (ao centro e abaixo) e 393 (abaixo): Acervo pessoal Lula

p. 133 (abaixo): Daniel Marenco/ Agência O Globo

pp. 137 e 397: Folhapress

p. 147: Eduardo Matysiak/ Nocaute

p. 172 (abaixo): Jesus Carlos/ Imagens

p. 173 (abaixo): Edu Simões/ Olhar Imagem

pp. 191 (acima), 247 (abaixo) e 288 (acima): Arquivo Público do Estado de São Paulo

p. 191 (ao centro): Walter Ennes/ Folhapress

p. 191 (abaixo): Irmo Celso/ Abril Comunicações. S.A.

pp. 194, 195 (acima à dir. e abaixo) e 297: Estadão Conteúdo

pp. 233 (acima) e 241 (abaixo): DR

pp. 251 (acima), 309 (abaixo) e 314 (acima): Cedem/ Unesp

p. 251 (abaixo): Acervo pessoal Laerte Coutinho

p. 279: Sérgio Sade/ Abril Comunicações S.A.

p. 314 (abaixo): Carlos Ruggi/ CPDOC Jornal do Brasil

p. 315 (abaixo): Acervo Pres. F. H. Cardoso

p. 327 (acima): Fernando Pereira/ CPDOC Jornal do Brasil

p. 337: Samuel Iavelberg

p. 341: Ennio Brauns/ Foto&Grafia

p. 350 (abaixo): Nair Benedicto/ N Imagens

p. 357: Rogério Reis/ CPDOC Jornal do Brasil

p. 365: Arquivo pessoal Golbery do Couto e Silva e Heitor Ferreira

p. 373 (abaixo): Jesus Carlos/ Imagens

p. 374: Helio Campos Mello

pp. 383 (acima) e 399: Acervo Luiz Eduardo Greenhalgh

p. 385: Isaias Feitosa/ CPDOC Jornal do Brasil

p. 393 (acima): Clóvis Cranchi/ Estadão Conteúdo

Índice remissivo

Números de páginas em *itálico* referem-se a imagens

I Encontro Mundial dos Movimentos Populares (Vaticano, 2014), 38

IX Congresso dos Trabalhadores Metalúrgicos, Mecânicos e de Material Elétrico do Estado de São Paulo (Lins, 1979), 340

AAB (Aliança Anticomunista Brasileira), 317

ABC Paulista, 21-2, 54-5, 68, 71, 142-3, 166, *167*, 170-1, *172-3*, 176, 178, 192, 196, 199, 210, 225, 239, 250, *251*, 256, 266, 269, *271*, 292, 302, 306, 308, 312-3, 319, 321, 323-4, 330, 349, 352-3, 355, 358, *365*, 370-1, 376, *385*, 388, 415

Abi-Ackel, Ibrahim, 186, 201

ABJD (Associação Brasileira de Juristas pela Democracia), 37

Abramo, Fúlvio, 348

Abramo, Lélia, 198, 339, *350*, 352

Abramo, Perseu, 352

Abreu, Hugo, 283-4, 286

Ação Popular (AP), 304

"Acorda, Maria Bonita" (canção), 318

Acre, 379, 380, *383*, 390

AFL-CIO (sindicato dos EUA), 87, *95*

Afonso, Almino, 332, 334-5, 338, 343

Afonso, José, 105-6, 336

Agência Pública, 158

AI-5 (Ato Institucional nº 5), 238, 255, 308, 338, 356

Alagoas, 418

Alcione (cantora), 175

Alckmin, Geraldo, 21, 108, 138, 408

Alemanha, 86, 192, *194*, 199-200, 336, 338, 360-2, 388, 401

Alemanha Oriental, 190

Alencar, José Almino de, 336

Allanic, Jackson Rimac Rosales, 80-1, *83*

Allende, Salvador, 335

Almada, Gerson, 84

Almeida, José Maria de, 353, 384, 386

Almeida Prado, Décio de, 198

Álvarez, Pepe, 87, *95*

Alves, Wagner Lino, 386

Alzugaray, Domingo, 281

Amado, Jorge, 394

Amaral, Ricardo, 82

América Latina, 226, 298, 335

Amigos do Chico Buarque (time de futebol), 109, *111*

Amorim, Celso, 54, *95*, *111*

Amorina, Henos ("Saúva"), 343

Andrada, Antônio Carlos Lafayette de, 238

Andrade, Antonio de, 243
Andrade, Joaquim dos Santos ("Joaquinzão"), 256, 339, 340, *341*
Andrade, José Paulo de, 182, 184, 186
Andrade, Oswald de, 185
André, Paulo, 16
Anfavea (Associação Nacional dos Fabricantes de Veículos Automotores), 188
Angola, 388
Angra dos Reis, usinas nucleares em (RJ), 298
anistia, *303*, 304, 313, *314*, 330, 332-4, 338, 355, 390
Ant, Clara, 16
Antagonista, O (site), 151-2
Antunes, Otávio, 82
Arafat, Yasser, 238
Arena (Aliança Renovadora Nacional), 294, 316, 319-20, 325, 331, 355
Argentina, 48, 87, 388
Aritana (indígena), 284
Arns, Paulo Evaristo, d., 182, *183*, 184-5, 189-90, *191*, 192-4, 196, 283-4, *285*, 354, 363-4, 371
Arquidiocese de São Paulo, 51, 55, *191*
Arraes, Miguel, 225, 334, 336, 361
Arroyo, Ângelo, 290
Arruda, Renata, 148
Arruda, Rubens Teodoro de ("Rubão"), 248, 266, 268, 293, 353
Arruda, Gerson, 148
Assad, Adir, 84
Assembleia Nacional Constituinte (1987--8), 390, 398
Assis, Aldimar, 37
Associação de Juízes pela Democracia, 146
Atibaia (SP), 35, 328, 407-8
Autran, Paulo, 198
Azevedo, Ramos de, 185
Azevedo, Reinaldo, 158
Azevedo, Ricardo Messias de, 19

Baggio, Roberto, 144, *147*, 163
Bahia, 110, 112, 139, 332, 340, 342
Banco do Brasil, 64, 84, 198
Banco Mundial, 255, 300
Bandeirantes, Rede, 18, 59, 158, 182, 186, 200, 284, 396, 401
Bannon, Steve, 132, *133*, 134-5
Barbosa, Adoniran, 175, 366
Barbosa, Andreia, 21
Bardella, Claudio, 304, 360
Barelli, Walter, 255, *257*, 267, 270
Barros, Ademar de, 185
Barros, Reinaldo de, 396
Barruecos, Chommy, 377
Batista, Expedito Soares, 353
Belchior, 329
Bélgica, 134, 360
Benario, Olga, 86
Bendine, Aldemir, 84
Benevides, Maria Victoria, 198, 352
Bergamo, Mônica, 150-2, *153*, 154
Bernardino, Angélico, d., 42, 51, *53*, 54-5
Bernardino, José Carlos ("Kojak"), *173*
Betto, Frei (Carlos Alberto Libânio Christo), 54, 166, 168-9, 179, 181-2, 184-5, 331, 353, 355-6, 363, *373*, 377, 386
Bettoni, Carlos Alberto, 18, *23*
Biavaschi, Magda, 37
Bicudo, Hélio, 198, 384, 391
Biolcatti, Antenor, 248, 266, 268
Bittar, Jacó, 305, 343, 379, 380, 382, *383*, 391, 407
Blefari, Luís, 179-80
BNDES (Banco Nacional de Desenvolvimento Econômico e Social), 64, 300
BNH (Banco Nacional da Habitação), 240, 264
Bocklet, Paul, 190
Boff, Leonardo, *95*
boletim de Lula na escola Visconde de Itaúna (São Paulo, 1959), *213*
Bolívia, 38, 379

Bolsa Família, 63
Bolsonaro, Carlos, 136
Bolsonaro, Eduardo, 131-2, 133
Bolsonaro, Jair, 81, 98, 107-8, 110, 116, 130-1, 135-6, 139-40, 143, 151, 157, 164, 290, 403, 405, 408-9, 411-2, 419
Bom, Djalma, 248, 313, 329, 353, 384
Bosco, João, 175, 329, 366
Bosi, Alfredo, 198
Boujikian, Kenarik, 37-8
Boulos, Guilherme, 21-2, 24, 44, 53, 54, 66, 67, 100, 409
Braga, Cícero, 198
Branco, Galvão, 388
Brandt, Willy, 336
Brant, Fernando, 355
Brant, Vinicius Caldeira, 317, 352
Brasiléia (ac), 379-81
Brasília, 15, 50, 159, 170, 176, 188, 200-1, 255, 278, 286-7, 290, 295, 305, 321, 328, 333, 339, 358, 364, 367-8, 380
Brastemp, 301-2, 324
Bresser-Pereira, Luiz Carlos, 108-9, 110, 111, 198
Briones, Nicole, 139, 163
Britto, Cezar, 150
Brizola, Leonel, 225, 321, 335-6, 337, 338-9, 361, 371, 416
Buarque, Chico, 109, 111, 175, 318-9, 366, 376, 396
Burrow, Sharan, 87
BuzzFeed (site), 158

Caetano, Manoel, 40, 76, 90, 92-3, 97, 102, 107, 113, 142, 148, 163
Caetés (pe), 93, 202-3, 225
Caires, Paulo ("Paulão"), 29, 68
Calheiros, Waldir, 354
Câmara, Hélder, d., 354
Cambridge Analytica, 132
Cametá (pa), 388, 389
Campanella, Domingos, 278, 280

Campanholo, Nelson, 248, 266, 268, 363-4, 386
Campo Grande (ms), 81
Cámpora, Héctor, 48
Campos, Augusto de, 198
Campos, Haroldo de, 198
Canadá, 134
Candido, Antonio, 198, 339, 348-9, 351, 352
Capibaribe, rio, 246
Capital, O (Marx), 317
"capivara" (ficha policial) de Lula (1980), 187
Cárdenas, Cuauhtémoc, 87, 94
Cardoso, Fernando Henrique, 109, 198, 307, 315, 317-9, 325-6, 328, 332, 343, 347, 360, 420
Cardozo, José Eduardo, 31, 33
Carone, Edgard, 198
"Carta de Lula ao povo brasileiro" (2018), 114
Carta, Luís, 281
Carta, Mino, 99, 198, 260, 281-2, 360, 368
CartaCapital (revista), 368
cartas de Lula na prisão, 117-29
carteira de trabalho de Lula, 229
carteira funcional de Lula na metalúrgica Villares, 233
Carter, Jimmy, 313, 335
Carter, Rosalynn, 313
Carvalheira, Marcelo, 354
Carvalho, Apolônio de, 339, 352
Carvalho, Beth, 329
Carvalho, Fábio, 401
Carvalho, Flávio de, 185
Carvalho, Flávio Molina, 354
Carvalho, Gilberto, 53, 54-5, 178
Carvalho, Herbert de, 197
Carvalho, Marco Aurélio de, 37
Carvalho Filho, Luís Francisco, 150
Casa Civil, 25, 32, 112, 186, 295, 368

Casadei, Waldemar, 340
Casagrande (jogador), 394
Casaldáliga, Pedro, 354
Castro, Fidel, 100, 377-8, 398, *399*
Catedral da Sé (São Paulo), 283, *285*, 356
Cavignato, Osvaldo, 278
CBA (Comitê Brasileiro pela Anistia), 313
Ceará, 11, 16, 418
Cebrap (Centro Brasileiro de Análise e Planejamento), 317-9
Celebração da Palavra (São Paulo, 2018), 51, 54
Cenimar (Centro de Informações da Marinha), 170, 176, 199
Cerqueira, Marcelo, *357*
CFDT (Confederação Francesa Democrática do Trabalho), 178
CGT (Comando Geral dos Trabalhadores, Brasil), 388
CGU (Controladoria Geral da União), 143
"Chacina da Lapa" (São Paulo, 1976), *289*, 290
Chastalo Filho, Jorge, 84, 92-3, 96, 103-4, 107, 141-2, *153*, 154, 162-3
Chauí, Marilena, 352
Chedid, Nabi Abi, 361
Chérèque, Jacques, 388
Chile, 144, 335
Chomsky, Noam, 87
Chrispiniano, José, 82, 163
CIA (Central Intelligence Agency), 186, 290, 335, 378, 408
Cidade do México, 87, 272, 307
CIE (Centro de Informações do Exército), 188
Civita, imprensa, 295, 401
Clinton, Bill, 131
Clinton, Hillary, 131, 134-5
CNBB (Conferência Nacional dos Bispos do Brasil), 55, 189, 364
Coaf (Conselho de Controle de Atividades Financeiras), 143

Cobrasma, *315*
Coelho, Sebastião de Paula, 274
Cohen, Laurence, 87
Colégio Sion (São Paulo), 339, *350*, 352-3
Collares, Alceu, 343
Collor de Mello, Fernando, 420
Colômbia, 87
Colúmbia (empresa de armazenamento e logística), 216
Comissão de Direitos Humanos da Câmara Federal, 99
Comissão Nacional da Verdade, 354
Comparato, Fábio Konder, 198
Comunidades Eclesiais de Base (CEBs), 243, 306, 324, 354
Conceição, Manuel da, *350*
Conclat (Conferência Nacional da Classe Trabalhadora), 388, *389*, 390
Constituição brasileira (1967), 316
Contag (Confederação Nacional dos Trabalhadores na Agricultura), 380
Convergência Socialista, 313, 332
Cordeiro, Miriam, 168, 259, 261-2
Corinthians (time), 109, 224-5, 322, 364, 394
Correa, Rafael, 37
corrupção, 14, 155, 157, 224, 400, 405, 412
Costa, Gal, 175, 366
Costa, Rodrigo, 71-2, *75*, 76, 78
Costa, Rui, 139
Costa, Tito, 322
Costa e Silva, Artur da, 238-9, 276, 334
Couto e Silva, Golbery do, 186, 282, 286-7, 295, 321, 338, 353, 358, 364, *365*, 368
Crimmins, John Hugh, 295
Crusoé (revista), 151
Cruz, Newton, 170
Cuba, 100, 105, 135, 377-8, 398, *399*
Curitiba (PR), 12-3, 15-6, 34, 40, 49, 63, 69-70, 74, 76, 78-82, 85-7, *88-9*, 90, 92, 98-9, 102, 109-10, 113, 139-44, 148, 151, 157, 159, 245, 400, 407-8, 410

Cursilhos de Cristandade, 256, 258

CUT (Central Única dos Trabalhadores), 22, 49, 51, 64, 98, 302, 389-90, 407

Czarnobay, Lisélia, 15

D'Alema, Massimo, 87, *94*

D'Ávila, Manuela, 54, 66-7, 114, *115*, 131, 157

D'Escoto, Miguel, 377-8

Dallagnol, Deltan, 31, *57*, 155, 157, 164

Dallari, Dalmo, 185, *191*, 196, 199, 354

Damous, Wadih, 26-7, 30, 37, 42, 55, 76, 102-3, 163

Dantas, Audálio, 283, 418

Datafolha, 108, 116, 130, 408

Delfim Netto, Antonio, 255, *257*, 270, 301, 360

Delgatti Neto, Walter ("Vermelho"), *133*, 155, 156-9

Delgatti, Otília, 155-6

Demarchi, Walter, 294

Demaria, Emílio Bonfante, 253

Deops (Departamento Estadual de Ordem Política e Social de São Paulo), 200-1

desemprego, 225, 227, 235, 266, 312, 340, 371, 400

Dia do Trabalho, 87, 294, 329, 368

Diadema (SP), 18, 166, 174, 210, 266, 312, 330

Diario da Noite (jornal), 224

Diário do Grande ABC (jornal), 238

Diário Oficial (jornal), 334, 390

Diário Popular (jornal), 225

Dias, Erasmo, 189

Dias, José Carlos, 166, 168, 185, *191*, 196, 198-9, 354

Dias, Paulo, 376

Dias, Wellington, *115*

Dieese (Departamento Intersindical de Estatística e Estudos Socioeconômicos), 252, 254-6, 268, 270, 400

Dilermando, José ("Ratinho"), 171, 174

Dirceu, José, 416

Diretas Já, campanha pelas, 135, *303*

ditadura militar (1964-85), 15, 54, 90, 180, 186, 197, 224, 234, 238, 250, 252, 256, 272, 274-6, 278, *279*, 281-3, 294, 298, 304-5, *309*, 313, *314*, 316-8, 325, 330-3, 338, 343, 354-5, *357*, *372*, 378, 384, 388, 390, 392, 415

"Documento confirma oferta ilegal de mensagens por WhatsApp na eleição" (Patrícia Campos Mello), *137*

DOI-Codi (Destacamento de Operações de Informação — Centro de Operações de Defesa Interna), 182, 188, 200-1, 253, 272, *273*, 274, 276, 278, *279*, 280-1, 286-7, *288*, 290, 304, 306

Dominguinhos, 175, 329

Dops (Departamento de Ordem Política e Social), 170, 184, 186, *187*, *191*, 196-8, 252, 275, 278, 280, 312, 333, 352-6, 358, 364, 366-71, *374*, 378, 387, 394

Doria, João, 46, 112

Doyle, Hélio, 305

Drummond, João Batista Franco, 290

Duarte, Edgard de Aquino, 354

Duhalde, Eduardo, 87

Dumont, Alberto Santos, 227

Duque, Renato, 84

Dutra, Olívio, 305, 343, *350*

Editora Abril, 295, 401

Elbrick, Charles Burke, 333

Eldorado, Rádio, 362

#EleNão (manifestação popular), 135

Elis Regina, 329

"Empresários bancam campanha contra o PT pelo WhatsApp" (Patrícia Campos Mello), 136

Engevix, 84

Equador, 37

Escobar, Ruth, 198, *347*

Escola Pública Marcílio Dias (Guarujá, SP), 204, 208
Escola Pública Visconde de Itaúna (São Paulo), 211, *213*
Espanha, 48, 87, 256, 338
Esquadrão da Morte, 176, 384
Estado de S. Paulo, O (jornal), 184, 192-3, *194*, 196, 238, 260-1, *297*, 342, 356, 386, 402-3, 405, 412, 414
Estado Novo, 336
Estado, Grupo, 401
Estados Unidos, 87, 131-2, 134, 136, 158, 178, 186, 188, 254, 283, 290, 295, 313, 335, 361-2, 378, 408
Europa, 157, 176, 188, 318, 333, 336, 339, 407, 416

Facebook, 109, 132, 136
Fachin, Edson, 50, 92, 99, 159, 162, 411
Fagner, 175, 329, 366
fake news, 38, 44, 130-1, 135, 138, 394
Falcão, Armando, 392
Fantástico (programa de TV), 414
Faoro, Raymundo, 198
Farias, Lindbergh, 12, 18, 24, 30, 44-5, 48, 51, 67, 82, 114, 163
Farquhar, Percival, 185
Fausto, Boris, 198
Favreto, Rogério, 102, 104
FBI (Federal Bureau of Investigation), 407
Federação dos Metalúrgicos, 242, 274, 292
Felisberto, Murilo, 260
Feres Júnior, João, 401
Fernandes, Florestan, 198, 349, 352
Fernandes Jr., Florestan, 150, *153*, 155
Fernandes Júnior, Ottoni, 416
Fernández, Alberto, 87, *94*
Fernández, Joseíto, 105
Fernandinho Beira-Mar, 81
Ferreira, Heitor, 200-1
Ferreira, Heitor Aquino, 186, 200-1

Ferreira, Rogê, 396
ficha policial de Lula (1980), *187*
Fiel Filho, Manoel, 272, 286-7, *288*, 290
Fiesp (Federação das Indústrias do Estado de São Paulo), 170, 328, 330, 376
Figueiredo, João Batista, 186, 188-90, 192, *194*, 201, 286, 291, 304, 321, 326, 328, 332, 334, 353, 358, 364, 368, 390
Fleury, Sérgio, 176
Flores, Luciano, 32, 142, 151-2, 154
Fogo e fúria (Wolff), 132
Folha da Tarde (jornal), 197
Folha de S.Paulo (jornal), 28, 136, 150-1, *153*, 158, 197, 238, 317, 342, 360, 396, *397*, 401-4, 408, 414
Fonseca, Ariel Pacca da, 287
Força Sindical, *389*, 390
Ford, 19, 170-1, 248-9, 261-2, 292-3, 295-6, 298, 304, 308, 324, 386
Fortaleza (CE), 16, 418
Fragoso, Heleno, 378, 380
França, 87, 134, 178, 338, 361-2, 388, 401
França, Adriana, 107
Francini, Paulo, 198, 304, 328, 360
Francisco, papa, 38, 87
Franco, Francisco, 338, 352
Franco, Itamar, 415
Franklin, Agenor, 84
"Frei Chico" (irmão de Lula) *ver* Silva, José Ferreira da
Freire, Paulo, 198, 352
Freitas, Vagner, 49-51, 54
Frente Sandinista de Libertação Nacional, 377
Frias, família, 401, 405
Frias, Otavio, 360
Fris Moldu Car (metalúrgica paulistana), 223, 226
Frota, Sílvio, 282, 290
Fucs, Jayme, *101*
Funaro, Dilson, 360
FUP (Federação Única dos Petroleiros), 68

Furlan, Antônio Osvaldo do Amaral, 319
Fux, Luiz, 151, *153*

Gacek, Stanley, 87
Gaddafi, Muammar al-, *56*, 413
Galache, Luciano Garcia, 249
Galante, Aron, 294
Galvão, Patrícia (Pagu), 185, 349
Garanhuns (PE), 202, 359
Garcez, Alfredo, 328
García Márquez, Gabriel, 144, 381
Garnero, Mário, 360
Gaspari, Elio, 186
Gato, Marcelo, 252, 255, 268
Gazeta Mercantil (jornal), 199-200
Geisel, Ernesto, 186, 252, 269, *271*, 282-4, 286-7, *288*, 290-2, 295-6, 298-301, 304-5, 313, 316, 321, 333, 361, 392
General Motors, 170, 299
Genoino, José, 392
Genro, Tarso, 45-6
Genu, João Cláudio, 81
Gikovate, Febus, 348-9, *351*, 352
Globo, O (jornal), 59, 155, 238, 342, 402-3, 405, 414
Globo, Organizações, 48, 401
Globo, Rede, 40, 48, 63, 405, 408
GloboNews, 44, 48
Glover, Danny, 87, *94*
Godói, Paulo Rui de, 384
Goiás, 392
Góis, Valdomira Ferreira de ("dona Mocinha"), 203, 205-6
Goldemberg, José, 198
Goldman, Alberto, 343
golpe militar (1964), 199, 224, 253, 313, 356
Gomes, Cid, 11, 16, *17*, 157
Gomes, Ciro, 108, 112, 408-9
Gomes, Manuel Anísio, 386
Gomes, Severo, 295
Gonçalves, Arnaldo, 305, 340, 390

Gonçalves Jr., Paulo Rocha ("Paulão"), 93, 102-3, 162
Gonzaga Júnior, Otávio, 184, 200
Gonzaguinha, 175, 329, 366
González, Felipe, 338
Goulart, João (Jango), 44, 223-4, 332, 334-5
Gouveia Júnior, Antônio, 199
Grabois, Juan, 87
Graça, Ailton, *53*, 54
Granda, Bienvenido, 212
"Grândola, vila morena" (canção), 105-6, 336
Greca, Rafael, 98
Grechi, Moacir, 354
Greenhalgh, Luiz Eduardo, 24, 34, 37, 47-8, 55, 114, *115*, 163, 313, 355-6, 363-4, 366, 368-9, 371, *374*, 378, 380-2, *383*, 384, *385*, *399*
Greenwald, Glenn, 157-8
Gregori, José, 198
greves, 2-3, 4-5, 22, 42, 58, 166, 168-71, 174-6, 178-9, 185-6, 188-90, 192-3, 196-7, 202, 212, 218-9, 239, 248, 252-3, 255-6, 307-8, 311-3, *315*, 322-4, *327*, 328-30, 332, 352-4, 356, 361-4, 366-71, 376, 378, 382, *385*, 390, 415
Grünewald, Augusto Hammann Rademaker, 334
Grupo 14 (industriais da Fiesp), 170-1, 328, 330
Grupo Prerrogativas (grupos de juristas), 37, 90
Gualtieri, Roberto, 87
Guanabara, estado da, 390
"Guantanamera" (canção), 105
Guardian, The (jornal), 158
Guarnieri, Gianfrancesco, 198, 319
Guarujá (SP), 203-4, 394, 407-8
Guedes, Paulo, 143-4
Guerra do Yom Kippur (Israel, 1973), 254
Guevara, Che, 331

Guimarães, Nelson da Silva Machado, 378, 382, 384
Guimarães, Ulysses, 390, 415
Gushiken, Luís, 197-8

Haddad, Ana Carolina, 45-6
Haddad, Ana Estela, 45-7, *52*, 58, 114
Haddad, Fernando, 45-7, 49, *52*, 54, 58, 105, 110, 112-4, *115*, 116, 130-2, 135-6, 138-40, 157, 163
Haddad, Frederico, 45-6
Haddad, Jamil, 398
Hardt, Gabriela, 148, 150
Havana (Cuba), 377, 398
Heleno, Augusto, 290
Henfil (Henrique de Souza Filho), 302, *303*, 311, 336, *393*
Herzog, Vladimir, 272, 281-3, 287, 290, 304
Hime, Francis, 175
Hoffmann, Gleisi, 11, 24, 30, 48-51, *65*, *67*, 82, 90, 110, 112-4, *115*, 139, 163
Holanda, 361
Holanda, Aurélio Buarque de, 198
Holanda, Sérgio Buarque de, 339, 343, *350*
Holleben, Ehrenfried von, 336
Horta, Guaraci, 328
Hotel Palace (Poços de Caldas, MG), 339, *344*
Houaiss, Antônio, 198
Hoxha, Enver, 331
Hummes, Cláudio, d., *172*, 174-5, 178, 184, 190, 192-3, 329, 354-6, 363, 369, *373*

Ianni, Octavio, 255
Ibrahim, José, 311, *351*
IF Metall (sindicato dos metalúrgicos da Suécia), 376
IG Metall (sindicato dos metalúrgicos da Alemanha), 176, 199

Iglésias, Francisco, 198
Igreja católica, *53*, 169, *172*, 176, 178, 185, 189, *191*, *194*, 243, *285*, 304, 306, 342-3, 354-6, 362, *373*
Igreja Universal do Reino de Deus, 401
imprensa "nanica", 295
Improvável presidente do Brasil, O (Fernando Henrique Cardoso), 326
Índia, 136, 419
Indonésia, 282
inflação, 254-5, *257*, 270, 298, 308, 310, 325, 340
Inglaterra, 134, 318
Instituto Lula (São Paulo), 11, 21, 45, 82, 217, 302, 418
Intercept, The (site), 38, 141, 157-8, 159, 401
Internacional Socialista, 336
IPES (Instituto de Pesquisas e Estudos Sociais), 199
Irã, 325
Israel, 254
IstoÉ (revista), 360
Itaipu, usina de, 109, 298
Itália, 87, 92, 259, 361-2
Itaú, Banco, 199
Ivene (mulher de Frei Chico), 274-5, 280, 282

"Janja" (namorada de Lula) *ver* Silva, Rosângela da
Japão, 188, 200, 272, 274, 277-8, 292, 360-1
Jards Macalé, 329
Joana (irmã adotiva de Marisa Letícia), 264, 275
"João Ferrador" (personagem), 250, *251*, 252, 302
João Paulo II, papa, 243
Johnson, Lyndon, 300
Jornal da Mantiqueira, 345
Jornal da Tarde, 260-1, 356, 360, 384, 412

Jornal do Brasil, 238, 296, 342, 360
Jornal Nacional (telejornal), 59, 401-2, 405-7, 409, 414
Jornalistas Livres (site de notícias), 24
Juiz de Fora (MG), 81, 107, 110, 130
Julião, Francisco, 335-6, 361
Jungmann, Raul, 150
Jutifício São Francisco (indústria paulistana), 218

Katholisches Büro (Birô Católico da Alemanha), 190, 192
Kennedy, Edward, 335
Kennedy, John, 415
Kfouri, Juca, 109, 414
Kok, Einar, 304, 360
Kotscho, Ricardo, 415, 418
Kruger, Hans-Jürgen, 388

Laerte (cartunista), 250, *251*, 252, 302, 311
Lambert, Pierre, 307
Lampião (Virgulino Ferreira da Silva), 413
Lana, Antônio Carlos Bicalho, 354
Lattes, César, 198
Lava Jato, Operação, 13-5, 31, 38, *57*, 59, 63, 84, 92, 99-100, 104, 130, 141, 151, 155, 157-9, 379, 400-1, 409-12, 420
Lavigne, Rosane, 37
lawfare, 25, 31
Lebbos, Carolina, 99, 141
"Lei da Ficha Limpa", 104, 110
Lei de Segurança Nacional, 196, 355, 358, 371, 378, 380, 382
"Lei Falcão", 392
Leite, Rogério Cezar de Cerqueira, 198
Lembo, Cláudio, 198, 317, 319, 361
Leme, Alexandre Vannucchi, 354
Lemmertz, Lilian, 198
Lênin, Vladímir, 348
Lenz, Carlos Eduardo Thompson Flores, 104

Levy, Herbert, 199
Lewandowski, Ricardo, 150, *153*, 159
Líbano, 238
Lima Sobrinho, Barbosa, 198
Lima, Alceu Amoroso, 198
Lins (SP), 340, *341*
Lins, Ivan, 175, 366
Lins, Luizianne, 74
Lira, Arthur, 412
Lira, Benedito de, 412
Lobato, Monteiro, 185
Lobo, Aristides, 348
Lombardi, Bruna, 198, 319
Lourdes, Maria de (primeira esposa de Lula), 231-2, 236-7, 239, *241*, 242, 245-6, 248, 261-2
Lourdes, Maria de ("Lurdinha", esposa de Walter Barelli), *257*, 267
Lúcia, Cármen, 50
Lula da Silva, Arthur Araújo (neto de Lula), 35, 142-3
Lula da Silva, Fábio Luís (Lulinha, filho de Lula), 19, 34, 168, 267, 356
Lula da Silva, Luís Cláudio (filho de Lula), 19, 34, 36
Lula da Silva, Luiz Inácio (fotografias), *2-3, 4-5, 17, 23, 39, 52-3, 56, 65, 67, 73, 75, 111, 145, 149, 153, 160-1, 165, 167, 177, 209, 221, 229, 233, 241, 247, 257, 263, 271, 273, 309, 315, 327, 341, 346-7, 350-1, 372-4, 383, 385, 389, 393, 395, 399*
Lula da Silva, Lurian Cordeiro (filha de Lula), 19, 34, *161*, 163, 168, 262
Lula da Silva, Marcos Cláudio (filho de Lula), 19, 34, 168, 259, 356
Lula da Silva, Marisa Letícia (esposa de Lula), 30, 34-5, 48, 62, 166, *167*, 168-9, 182, 259-62, *263*, 264-7, 275, 331, 355-6, 370, 381, 391, 396, *399*, 416
Lula da Silva, Marlene Araújo (nora de Lula), 35

Lula da Silva, Sandro Luis (filho de Lula), 19, 34-5, 142, 166, 168, 331, 356
Lula da Silva, Thiago Trindade (neto de Lula), *161*, 163
Lupi, Carlos, 416
Luster, Luis Carlos, 388
Luz, Bruno, 84
Luz, Jorge, 84

Macedo, Edir, 401
Macedo, Márcio, 18, 30
Macedo, Murilo, 170, 328, 360
Maceió (AL), 418
Machado, Edgard da Mata, 198
Machado, Sílvio Pereira, 354
Magaldi, Antônio Pereira, 363
Magalhães, Antônio Carlos (ACM), 112
Magalhães, Juraci Batista, 353, 384
Magalhães, Rafael de Almeida, 198
Magno, Athos, 392
Magnotti, Edsel, 354-6, 358-9
Maia, Marco, 74
Mainardi, Diogo, 151, 154
Maluf, Paulo, 170-1, *173*, 184, 186, *191*, 196, 200, 274, 316, 319, 321, 412
Manágua (Nicarágua), 377, 379
Manaus (AM), 380-2, *383*
Manchetômetro, 401-2, 405, 408-9, 411, 413
Mandel, Ernest, 307
Mantega, Guido, 45-6
maoismo, 290, 331
Marchezan, Nelson, 360
Marcílio, Benedito, 306, 340
Marcondes, Mauro, 360
Marighella, Carlos, 354
Maringoni, Gilberto, 414
Marinho, família, 401-2
Marinho, Leandro, 18
Marinho, Luiz, 49-50, *65*
Marinho, Manoel Eduardo ("Maninho do PT"), 18

Martí, José, 105
Martinho da Vila, 175, 366
Martins, Franklin, 333-4, 416
Martins, José de Souza, 198
Martins, Leôncio, 360
Martins, Paulo Egídio, 268-9, *271*, 283-4, 286, 295-6, 361
Martins, Valeska, 11-2, 25, 37, 92, 102, 163, 379, 408
Marx, Karl, 317
Masetti, Mário, 329
"Massacre da Lapa" (São Paulo, 1976), *289*, 290
Matarazzo, Ciccillo, 284
Mato Grosso, 390
Mato Grosso do Sul, 81
Mauro, Gilmar, 20
McNamara, Robert, 300
MDB (Movimento Democrático Brasileiro), 252, 294, *297*, 306, 316-8, 320-2, 330-1, 338, 340, 342-3, 355, 361, 409, 415; *ver também* PMDB (Partido do Movimento Democrático Brasileiro)
Medeiros, Edevaldo, 146
Medeiros, Luiz Antonio de, 390
Medeiros, Otávio, 186
Mélenchon, Jean-Luc, 87
Melhem, José Roberto Fanganiello, 281
Mello e Souza, Gilda de, 348
Mello, Patrícia Campos, 136, *137*, 138
Melo, Ednardo D'Ávila, 276, 283-4, 286-7, *288*, 290
Melo, Eurídice Ferreira de (dona "Lindu", mãe de Lula), 58, 202-5, 207-8, *209*, 210-2, 214, 216, 228, 230, 239-40, 262, 328, 359, 368, 370, *372*; *ver também* Silva, Aristides Inácio da (pai de Lula)
Melo, Francisco de Assis Correia de, 334
Melo, Iberê Bandeira de, 384
Melo, Misael, 19, 74
Mendes, Bete, 175, 343, 352

Mendes, Chico, 379, *383*
Mendes, Gilmar, 159
Méndez, Aparicio, 335
Mendonça, Osmar Santos de ("Osmarzinho"), 305, 353, 362, 386
Meneguelli, Jair, 386, 390
"Menestrel das Alagoas, O" (canção), 355, *357*
Menezes, Gilson Correia de, 308, 353, 386
Menicucci, Eleonora, 54
Mercadante, Aloizio, 54
Mercader del Río, Ramón, 306
Mercedes-Benz, 12, 170, 190, 192, 226, 250, 307, 324
Mesquita, família, 260, 356, 401, 405
Mesquita, Rui, 360
Metal Arte (indústria paulistana), 286
Metalúrgica Independência (indústria paulistana), 220, 223-4
"método Lula de oratória", 244-5
México, 87, 134, 243, 272, 274, 307, 335
Mil dias (Schlesinger Jr.), 415
"milagre brasileiro" (anos 1970), 254
"milagre" na vigília, 148, *149*; *ver também* Vigília Lula Livre
Minas Gerais, 16, 81, 107, 208, 231, 272, 311, 339, 352, 390
Minc, Carlos, 336
Mindlin, José, 282-3, 304, 360
Minha Casa Minha Vida, 63
Ministério da Justiça, 31, 143, 199
Ministério das Comunicações, 416
Ministério das Relações Exteriores, 188
Ministério do Trabalho, 255
Ministério Público, 14, 25, 31, 37, 59, 62, 148, 157, 163-4, 400, 408, 419
Miranda, David, 158
Modi, Narendra, 136
Moisés, José Álvaro, *351*, 352, 360, 387
Monja Coen, *101*
Monteiro, Afonso, 235-7

Monteiro, Dilermando Gomes, 287, 295
Montenegro, Fernanda, 198
Montoro, Franco, 316-7, 319, 338, 360, 396, *397*
Moraes, Valmir, 16, 19, 25, 74, *75*, 76-9, 103, 142, 162-3
Morais Filho, Evaristo de, 198
Morales, Evo, 29
Moreira Salles, Fernando, 198
Moreira, Samuel, 25
Morelli, Mauro, 354
Morgado, Camila, 416
Moro, Sergio, 11-5, *17*, 22, 24-6, 28, 30-2, 35-6, 38, 40, 43-5, 49-50, 58, 59, 62-3, 69-70, 76, 82, 92, 100, 103, 130, 143-4, 148, 151, 155, 157, 159, 164, 400-1, 406-8, 410-1, 419-20
Moura, Edson, 19
Moura, Enilson Simões de ("Alemãozinho"), 304-5, 329, 353, 362, 384
MPB-4 (grupo musical), 175, 366
MR-8 (Movimento Revolucionário 8 de Outubro), 331, 333
MST (Movimento dos Trabalhadores Rurais Sem Terra), 20, 22, 25, 51, 92, 96, 98, 109, 163
MTST (Movimento dos Trabalhadores Sem Teto), 21-2, 25, 44, 64
Mucida, Izabella, 69-70, 72, *75*, 76, 78
Mujica, José Alberto (Pepe), 37-8, 87, *94*, 99
Müller Filho, Roberto, 200

Nafta (North American Free Trade Agreement), 134
Nair (namorada de Lula), 259
Nascimento, Milton, 355, 396
Nassif, Maria Inês, 414
Natel, Laudo, 316, 320-1, 361
Náutico do Capibaribe (time de futebol), *215*, 246
'Ndrangheta, 84

Nepomuceno, Eric, 338
Neude, 148
Neves, Tancredo, 317
New York Times, The (jornal), 302
Newsweek (revista), 56, 413
Nicarágua, 377-8
Niemeyer, Oscar, 416
Nigris, Teobaldo de, 328
Nogueira, Ciro, 412
Nogueira, João, 175
Nogueira, Paulinho, 175
Nosso Caminho (revista), 416
Nova York, 132, 275, 335-6, 387
"novo sindicalismo brasileiro", 250, 251, 268, 270, 294, 308, 311, 330, 388; ver também sindicalismo
NSA (National Security Agency, EUA), 158
Nunes, Félix, 250, 302

OAB (Ordem dos Advogados do Brasil), 150
OAS (empreiteira), 84, 407
Obama, Barack, 131, 135
Odebrecht (empreiteira), 15
Odebrecht, Marcelo, 14, 84
Odorico (tio materno de Lula), 210, 214
Okamotto, Paulo, 16, 74, 76, 83, 139-40, 301-2
Olavo (amigo de Lula), 233, 237
Olga (Fernando Morais), 416
Olga (filme), 416
Oliveira, Adélio Bispo de, 81
Oliveira, Antônio Gonçalves de, 238
Oliveira, Francisco de ("Chico"), 198, 319, 352, 360
Oliveira, José Aparecido de, 198
Oliveira, Juca de, 198
Oliveira, Nilo Sérgio de ("Nilão"), 380-1
Oliveira, Osvaldo Machado de, 368, 370
Oliveira, Raimundo de, 357
Ortega, Daniel, 377
Osasco (SP), 311, 321, 343
Osava, Chizuo, 336

"Pacote de Abril" (1977), 316
Padim, Cícero, 354
Pahlevi, Reza, 325
País, El (jornal), 150-1, 153, 154-5, 158
Paiva, Eunice, 351
Palácio do Planalto, 416
Palestina, 238
Palme, Olof, 338
Palocci, Antonio, 84
Paludo, Januário, 141, 155
Panichi Filho, Armando, 368, 370-1, 373
Pará, 388, 389
Parafusos Marte (metalúrgica paulistana), 216-20
Paraguai, 298
Paraná, 12-3, 62, 82, 84, 86, 92, 142, 144, 146, 148, 150, 162-3, 400
Partido Comunista Chinês, 113
Partido Socialista Revolucionário, 349
Passarinho, Jarbas, 360
Passoni, Irma, 351, 361
Pastoral Operária, 169, 176, 306, 363
Paula, Igor de, 84
Paulinelli, Alysson, 295
Paulo José, 198
PCB (Partido Comunista Brasileiro), 92, 168, 196, 200, 249-50, 252-4, 267, 272, 276-7, 279-81, 286, 288, 290, 305, 307, 331, 334, 340, 343, 348, 390
PCC (Primeiro Comando da Capital), 84
PCdoB (Partido Comunista do Brasil), 54, 114, 116, 131, 157, 196, 290, 331, 340, 348
PDT (Partido Democrático Trabalhista), 11, 108, 157, 338, 396, 408, 416
Pedrosa, Mário, 339, 348, 350, 352
Pelle, Domenico, 84
Pellegrino, Hélio, 352
Pereira, Francelino, 360
Peres, Aurélio, 306, 340
Pérez Esquivel, Adolfo, 87, 95
Pernambuco, 203, 205

Perón, Isabelita, 48
Perón, Juan Domingo, 48
Peru, 93, 333
Petrobras, 64, 84, 157, 298, 405
"Petrolão", 405
petróleo, 64, 254, 296, 325
Piauí, 51
pílula anticoncepcional, 230
Pimenta, Paulo, 30, 102, 114, *115*
Pimentel, Fernando, *115*
Pincus, Gregory, 231
Piñeiro Losada, Manuel, 377
Ping Pong (chicletes), 214
Pinheiro, Paulo Sérgio, 198
Pinheiro, Wilson de Sousa, 379-80
Pinheiro Filho, José Adelmário ("Leo Pinheiro"), 84
Pinochet, Augusto, 144, 335
Pinto, Almir Pazzianotto, 249, 282, 361
Pinto, Magalhães, 360
piquetes, 168, 170-1, 174, 212, 218-9, 312, 319, 362
Pires, José Maria, 354
Pivetta, Idibal, 384
Pixinguinha, 329
PMDB (Partido do Movimento Democrático Brasileiro), 325, 340, 396; *ver também* MDB (Movimento Democrático Brasileiro), 252, 294, *297*, 306, 316-8, 320-2, 330-1, 338, 340, 342-3, 355, 361, 409, 415
Poços de Caldas (MG), 240, *241*, 339-40, 342, *344-5*, 352
Polícia Federal (PF), 11-3, 21-2, 25-8, 31-2, 34-8, 40, 42-5, 48-9, 55, 59, 62, 68-70, 72, *75*, 78-82, 84, 86-7, *88-9*, 96, 98-9, 102-4, 107, 113-4, 140, 142-4, *145*, 148, 151, *153*, 154-5, 159, 162-4, 168, 176, 358, 366, 368, 379, 387, 401, 408, 419
Polícia Militar (PM), 25-6, 36, 42, 76, 82, 98, 144, 146, *147*, 162, 169, 171, *172-3*, 264, 312, *315*, 328-9, 364

Pomar, Pedro, 290
Pomeranz, Lenina, 255
Ponce, Juan, 388
Portela, Petrônio, 304, 307, *309*, 360
Porto Alegre (RS), 11, 13, 15, 62, 102, 148, 343
Portugal, 105, 335-6, 338, 362, 388
Posadas, Juan, 307
Povo sem Medo (ocupação do MTST), 21
PP (Partido Progressista), 412
PPPS (Parcerias Público-Privadas), 45
Prado, Osmar, *53*, 54
Prado Jr., Caio, 198
Praia Grande (SP), 388, 390
Prestes, Luís Carlos, 86, 252, 277, 331, 334
Previdência Social, 249, 258, 317
Prieto, Arnaldo da Costa, 360
Proner, Carol, 37
Prouni (Programa Universidade para Todos), 45
PSDB (Partido da Social Democracia Brasileira), 21, 108, 139, 408
PSL (Partido Social Liberal), 98, 108, 157, 408
PSOL (Partido Socialismo e Liberdade), 21, 54, 157-8, 409
PT (Partido dos Trabalhadores), 11-2, 15-6, 18, 22, 26, 30, 46, 48, 51, 54, 62, 74, 82, 90, 92, 98, 102, 104, 110, 112-4, 116, 131, 135-6, 139, 158, 163-4, 166, 169, 292, 302, 305-6, 339, *341*, 342-3, 348, *350-1*, 352-3, 360, 363, 367, 379, 381-2, 386-8, *389*, 390-2, 394, 396, 407-9, 412-3, 415-6
PTB (Partido Trabalhista Brasileiro), 321, 336, *337*, 338, *365*, 367, 396
Pulo do Gato, O (programa de rádio), 182
Putin, Vladimir, 134

Quadros, Jânio, 316, 394, 396
Quarta Internacional, 348
Quércia, Orestes, 360

Ramalho, Elba, 175
Ramos, Ariovaldo, *101*
Rana, Álvaro, 388
Rangel, Flávio, 198
Ratinho Júnior, 144
Receita Federal, 32, 163
Recife (PE), 246, 278
Reis, Elias dos, 20, 77
"Relatório Khruschóv" (URSS, 1956), 331
Resil (fábrica de autopeças de Diadema), 312
Revolução Cubana (1959), 105, 378
Revolução dos Cravos (Portugal, 1974), 105, 336
Revolução Iraniana (1979), 325
Revolução Sandinista (Nicarágua, 1979), 377-8
Rezk, Antônio, 325-6
Ribeiro, Darcy, 333-6
Ribeiro, Devanir, 248, 353
Ribeiro, Jacinto ("Lambari"), 231-2, *233*, 237
Ribeiro, Marco Aurélio Santana ("Marcola"), 12, 16, 21, 40, *67*, 74, 102, 139, 163
Rigonatto, Dalter Dimas, 171, 174, 364
Rio Branco (AC), 379
Rio de Janeiro, 37, 68, 132, 253, 278, 331, 333, 342, 380, 390, 398, 402
Rio Grande do Sul, 37, 148, 335
Rittner, Marcelo, *285*
Rocha, Josué, 21
Rocha, Luiz Carlos da ("Rochinha"), 40, 90, 92-3, 96, *97*, 102-3, 105, 107-8, 163
Rodrigues, Carlos Eduardo, 19
Rodrigues, João Paulo, 20
Rodrigues, José de Souza, 255
Rodrigues, José Honório, 198
"Rosa" (canção), 329-30
Rosinha, Doutor, *115*
Rosseti, Disney, 26-7, 42, 68, 70

Rossetto, Miguel, 178
Rousseff, Dilma, 11, 16, *17*, 31-2, 37, 46-7, 51, *53*, 54-5, 63, 84, 100, 108, 112, 114, *115*, 321, 405, 416, 419-20
Rubens (meio-irmão de Lula), 206
Rússia, 38, 134, 278

Sá, Calmon de, 360
Saad, família, 401
Sabesp, 29-30
Sabino, Mario, 151
Sacchetta, Hermínio, 349
"salas de estado-maior", 85, *88-9*
Salazar, António de Oliveira, 106, 335-6
Salem, Armando, 260
Salles, Antônio Pinheiro, 354
Salvador (BA), 332
Sampaio, Plínio de Arruda, 198
Samper, Ernesto, 87
Santa Catarina, 390
Santana do Livramento (RS), 37
Santiago de Cuba, 100
Santo André (SP), 51, 142, 169, 174-6, 178, 184, 192, 210, 306, 328, 330, 340, 354, 356
Santos (SP), 203, 223, 252, 340
Santos, Argeu Egídio dos, 242, 272
Santos, Genésio dos, 198
Santos, João Batista dos, 353
Santos, Ricardo Silva dos, 19
Santos, Sérgio dos, 360
Santos, Teotônio dos, 336
São Bernardo do Campo (SP), 16, 20-2, 28, 30, 32, 34, 45, 48-9, 51, 69, 71, 79, 100, 110, 140-1, 143, 166, 168-9, 171, 174, 180, 182, 184, 190, 210, 235, 239, 249, 253, 256, 266, 269-70, 294-6, 321-2, 324-5, 328-31, 342-3, 352-4, 359, 363-4, 368, 370-1, 376, 379, 391, 394
São Caetano do Sul (SP), 174, 210, 225-6, 235, 249, 267, 274, 328, 330, 370

São Paulo (SP), 12, 16, 21, 25-8, 42-3, 45-6, 51, 55, 68-70, 81, 103-4, 109-10, 112, 130-2, 140, 162, 170, 174, 176, 179, 182, 185-6, 189-90, *191*, 192-3, 196-7, 200-1, 204, 208, 227, 231, 245, 253, 256, 259-61, 272, 274-6, *279*, 281, 283-4, *285*, 286-7, *289*, 290, 295-6, 298-300, 305, 311, 316, 319, 325-6, 338-40, 343, *350*, 352, 355, 358, 367-8, 380, 382, *385*, 386-7, 390-1, 394, 416, 418

Sarney, José, 109

Satyarthi, Kailash, 87

Scania, 21, 170, 304, 308, 310-1, 376

Schefer, Gastão, 98

Scherer, Odilo, d., 51, *53*, 55

Schlesinger Jr., Arthur M., 415

Schmidt, Helmut, 360

Schulz, Martin, 87

Schwarcz, Luiz, 418

Selerges, Moisés, 12, 16, 24, 29, 68, 74, *75*, 76-8

"senadores biônicos", 316

Senai (Serviço Nacional de Aprendizagem Industrial), 216-7, 220, *221*, 226, 302

Sepúlveda Pertence, José Paulo, 49, 99, 381

Sérgio Ricardo, 175, 366

Serralheria Doze de Maio, 371, *375*, 376

Setúbal, Olavo, 361

"seu Zé" (gerente da Parafusos Marte), 219

Sfat, Dina, 381

Shatkoski, Maria Luiza de Arruda, *149*

Sigmaringa Seixas, Luís Carlos, *23*, 26-7, 30, 37, 42, 55, 78-81, 84-5, 140

Silva, Aristides Inácio da (pai de Lula), 203-8, *209*, 359; *ver também* Melo, Eurídice Ferreira de (dona "Lindu", mãe de Lula)

Silva, Fátima Rega Cassaro da, 36

Silva, Genival Inácio da (Vavá, irmão de Lula), 103, 140-1, 143, 202, 212, *215*, 246, 248, 264, 276

Silva, Guilhermina da (avó paterna de Lula), 202

Silva, Jaime da (irmão de Lula), 202-3, *209*, 216, 223, 225

Silva, João Inácio da ("João Grande", avô paterno de Lula), 202

Silva, José da ("Ziza", irmão de Lula), 202, 207-8, 211, 232

Silva, José Ferreira da ("Frei Chico", irmão de Lula), 168, 182, 185, 196, 200, 202, 212, *215*, 225-6, *233*, 234-6, 246, 249, 252-3, 258, 264, 267, *273*, 274-8, *279*, 280-2, 354, 356

Silva, José Francisco da, *383*

Silva, José Inácio da ("Zé Cuia", irmão de Lula), 202-3, 206, *209*

Silva, José Pedro da ("Sarrafo"), 343

Silva, Maria da ("Baixinha", irmã de Lula), 202, *209*, 218, 225, 259

Silva, Marina, 108, 408

Silva, Marinete da (irmã de Lula), 202, 208

Silva, Orlando (deputado), *65*

Silva, Rosângela da ("Janja"), 109-10, 163-4, *165*

Silva, Rubens Teodoro da ("Rubão"), 248

Silva, Ruth da ("Tiana", irmã de Lula), 202-4, 206, *209*, 225, 237

Silva, Severino Alves da, 308, 353

Silva, Wellington, 30, 51

Silva Filho, João Maia da, *383*

Silva Teles, Gofredo da, 198

Simão, Azis, 255

Simonsen, Iluska, 197

Simonsen, Mário Henrique, 197, 360

sindicalismo, 199, 236, *247*, 250, *251*, 258, 268, 270, 294, 307-8, 311, 330, 360, 371, 388, *389*, 390

Sindicato dos Metalúrgicos de Santos, 252, 340

Sindicato dos Metalúrgicos de São Paulo e Mogi das Cruzes, 256

Sindicato dos Metalúrgicos do ABC, 12, 30, *41*, 55, *60-1*, *65*, *73*, *83*, 166, 235, *327*

Singer, Paul, 352

Siqueira, Geraldo ("Geraldinho"), 166, 168-9, *172*, 179-82, *183*, 184, 325-6, 353, 355-6, 360

Sirkis, Alfredo, 336

Skromov, Paulo de Mattos, 343

SNI (Serviço Nacional de Informações), 170, 176, 186, 190, 199, 286, 387

Snowden (filme), 158

Snowden, Edward, 158

Soares, Airton, 166, 168-9, 343, *351*, 360, 363, 384, 394

Soares, Delúbio, 81

Soares, Mário, *337*

Soares, Maurício, 249, 256, 329

Sobel, Henry, 283, *285*

social-democracia, 336

Sócrates (jogador), 109

Somoza, Anastasio, 377-8

Sorocabana Railway Co., 185

Sousa, Milton Tavares de ("Caveirinha"), 186, *191*, 196, 353, 358

Souza, Emidio de, 18, 25-6, 30, 42, 55, 68-70, 72, 77-8, 82, 163

Souza, Herbert de ("Betinho"), 336

Souza, José Venâncio de, 353

Spektor, Matias, 290

Spiegel, Der (revista), 244

Spoofing, Operação, 159, 401

Stálin, Ióssif, 306

Stédile, João Pedro, 20, 24, 51, *53*, 100, 109

STF (Supremo Tribunal Federal), 11, 26, 31-2, 50, *52*, 99, 105, 130, 141, 151-2, 154, 159, 162, 238, 379, 381, 410, 420

Stone, Oliver, 158

Strozake, Ney, 37

Stuckert, Ricardo, 27, *67*, 74, 78, 82, 163, 418

Suárez, Adolfo, 360

Suécia, 338, 360-2, 376

Suharto, 282

Super-8 (filmador), 388, *389*

Superior Tribunal de Justiça, 36-7

Suplicy, Eduardo, 54, 360

Teixeira, Paulo, 102

Teixeira, Roberto, 92, 102, 379

Teixeira Filho, Afonso, 363

Teixeira Martins Advogados (escritório), 31

Telegram, 156-7

Temer, Michel, 108, 150, 321

Tereza (namorada de Lula), 259

Tesouro Nacional, 400

Tibiriçá, Beatriz ("Beá"), 181, 184

Toffoli, Dias, 141, 151, *153*

Toquinho, 175

Tóquio, 266, 272, *273*, 274, 277

Torres, Vinicius Ferraz, 310

tortura, 14, 200, 236, 266, 272, 274-8, 290, 306, 308, 316, 354, 367, 377

Tragtenberg, Maurício, 198

TRF4 (Tribunal Regional Federal da 4ª Região), 13, 15, 37, 49, 62-3, 102, 104, 155, 164

Tribuna Metalúrgica (boletim), 250, *251*, 254

tríplex do Guarujá, 155, 407

Troiano, Cláudia, 30

Trótski, Leon (Liév Davidovich Bronstein), 306

Troyano, Annez Andraus, 255

Trumka, Richard, 87, *95*

Trump, Donald, 131-2, 134-5

TSE (Tribunal Superior Eleitoral), 104-5, 110, 113, 136, 338-9

TST (Tribunal Superior do Trabalho), 249, 292-3
Tuma, Rogério, 368
Tuma, Romeu, 170, 184, 186, *191*, 200, 333, 355, 358, 364, 366-71, 387
Twitter, 136

UGT (União Geral de Trabalhadores, Espanha), 87, *95*
União Soviética, 199, 277-8, 306, 390
Uruguai, 37, 87, 335

Vaccari Neto, João, 15
Vale, João do, 175
Valeixo, Maurício, 13, *17*, 84, 103
Vannuchi, Paulo, 16, *17*
Vargas, Getúlio, 44, 269, 304, 331, 336, 338, 412, 418
Vargas, Ivete, 338
Vasconcellos, João Paulo, 305
Vaticano, 38
Veja (revista), *56*, 63, 158, 295, 305, 338, 401-2, 405, 410, 412-4
Veloso, João Paulo dos Reis, 360
Venezuela, 134-5, 388
Venturini, Danilo, 186
Verdade vencerá, A (Lula), 414
"Vermelho" (hacker) *ver* Delgatti Neto, Walter
Veronezzi, Marco Antônio, 358
Viana, Pereira, 300
Vicalvi, Roberval, 103
Vicentinho, 16, *23*
Victor, Henrique, 363
Vidal, Paulo, 235-6, 238-9, 242-3, *247*, 248-9, 266-7, 270, 292-4
Vidigal, Luís Eulálio Bueno, 360
Vietnã, Guerra do, 231, 300
Vigília Lula Livre, 82, 86-7, 90, 91, 108, 113, 148, *149*, 162-3
Vilardi, Celso, 12

Vilela, Avelar Brandão, d., 355
Vilela, Teotônio, 355, *357*
Villares (metalúrgica), 170, 226-7, *229*, 234-5, 237, 245, 249, 266, 298-301, 328, 356, 359
Villares, Carlos, 360
Villares, Paulo, 298-301, 360
Villas-Bôas, Orlando, 284
Vlado *ver* Herzog, Vladimir
Volkswagen, 170, 190, 192, 260-1, 302
Voz Operária (tabloide), 286

Wagner, Jaques, 110, 139
Wainer, Samuel, 281
Weber, Rosa, 11
Weffort, Francisco, 198, 352, 360, 387
Welter, Carlos, 141
Wey, Anna Maria, 184
WhatsApp, 136, 151
Whirlpool, 301
Willys Overland do Brasil, 248
Willys, Jean, 157
Wilma, Eva, 319
Wladimir (jogador), 394
Wolff, Michael, 132
Wright, Jaime, 283

Xavier, Lívio, 348

Yáconis, Cleide, 198

Zanin, Cristiano, 11-2, 16, 25, 30, 37, 49, 52, 74, 76, 78-81, *83*, 84-5, 92, 96, 99-100, 102, 159, 163, 379, 408
Zara, Carlos, 319
Zavascki, Teori, 32, *33*
Zé Bettio (programa de rádio), 277
Zé Kéti, 175, 366
Zerbini, Euriale de Jesus, 313
Zerbini, Teresinha, 313, *314*
Ziraldo, 175

1ª EDIÇÃO [2021] 3 reimpressões

ESTA OBRA FOI COMPOSTA POR ACOMTE
EM MINION E IMPRESSA PELA GRÁFICA SANTA MARTA
EM OFSETE SOBRE PAPEL PÓLEN SOFT DA SUZANO S.A.
PARA A EDITORA SCHWARCZ EM FEVEREIRO DE 2022

A marca FSC® é a garantia de que a madeira utilizada na fabricação do papel deste livro provém de florestas que foram gerenciadas de maneira ambientalmente correta, socialmente justa e economicamente viável, além de outras fontes de origem controlada.